KU-143-492

ANNA JONES

a modern way to cook

mosaik

ANNA JONES

a modern way to cook

Über 150 schnelle vegetarische und vegane
Rezepte für jeden Tag

Aus dem Englischen von Helmut Ertl

mosaik

Für Laura.
Wie glücklich ich bin, hier gelandet zu sein,
mit dir als Schwester.

Dieses Buch wurde auf vollkommen biologisch abbaubarem »Apfelpapier« gedruckt.
Rohstoff für das Papier *Cartamela* sind Apfelreste (Trester),
aus der apfelverarbeitenden Industrie;
zur Papierherstellung wird nur erneuerbare Energie (RECS-zertifiziert) verwendet,
ein Beitrag zur Verringerung von CO_2-Emmissionen.
Geliefert wird *Cartamela* von frumat, Bozen.

Dieses Buch ist auch als E-Book erhältlich.

1. Auflage
Deutsche Erstausgabe März 2017
© 2017 Wilhelm Goldmann Verlag, München,
in der Verlagsgruppe Random House GmbH
Neumarkter Str. 28, 81673 München
© 2015 der Originalausgabe Anna Jones
Originaltitel: A modern way to cook
Originalverlag: Fourth Estate, an imprint of HarperCollins Publishers
Fotos: © Matt Russell; außer Foto auf S. 22, 54, 102, 148, 224, 278, 304: © Sandra Zellmer,
und Fotos auf S. 351: Fotolia/tina7si (Apfelblüte), Fotolia/Cmon (Apfelkisten)
Umschlaggestaltung: zeichenpool
nach einem Entwurf von HarperCollinsPublishers Ltd 2015
Umschlagfoto: © Brian Ferry
Autorenfoto/Rückseite: © Brian Ferry
Redaktion: Katharina Lisson
Satz: Uhl + Massopust, Aalen
KW · Herstellung: kw
Druck und Bindung: Longo AG, Bozen
Printed in Italy
ISBN 978-3-442-39312-1
www.mosaik-verlag.de

a modern way to cook

Das Essen in diesem Buch hält, was ich Ihnen verspreche:

- Es schmeckt köstlich, ist alltagstauglich und lässt sich in überschaubarer Zeit auf den Tisch bringen.

- Bei allen Rezepten verrate ich Ihnen nützliche Tipps und Tricks, die die Arbeit in der Küche leichter machen.

- Es ist gespickt mit einer Fülle fantastischer Zutaten, die garantieren, dass Sie sich wohlfühlen.

- Es rückt gesundes saisonales Gemüse in den Mittelpunkt Ihrer täglichen Mahlzeiten.

- Es schärft – so hoffe ich – mit der Zeit Ihr Bewusstsein dafür, womit Sie Ihren Körper ernähren. So war es bei mir.

Essen ist für mich ein Fest, die dreimal täglich wiederkehrende Gelegenheit, Platz zu nehmen und sich und andere mit einer gesunden, schmackhaften Mahlzeit eine Freude zu machen. In meiner Küche fühle ich mich mit fernen Orten verbunden, die ich bereist habe, und wenn kurz nach Weihnachten die ersten Blutorangen auftauchen oder der Bärlauch den Frühling ankündigt, fühle ich mich in Raum und Zeit aufgehoben. Es sind diese Dinge, die meine Küche inspirieren, Tag für Tag.

Dabei geht es mir nicht anders als anderen. Nie war das Leben so hektisch. Wir haben zu so vielem Zugang, praktisch die ganze Welt steht uns offen. Das mag in vielerlei Hinsicht großartig sein, doch verführt es auch dazu, noch mehr in den ohnehin schon vollgepackten Alltag zu quetschen.

Ich war überwältigt von der positiven Resonanz auf mein erstes Buch *A Modern Way to Eat*. Über die sozialen Medien konnte ich direkt mit den Menschen in Kontakt treten, die daraus gekocht haben, und so erfuhr ich, dass es weniger die ausgefallenen Kuchen und aufwendigen Festessen waren, die es ihnen angetan hatten, sondern die einfachen Gerichte für jeden Tag, die man wieder und wieder gerne zubereitet.

Ich habe den Eindruck, dass sich viele Leute wieder für das Kochen begeistern – wir alle genießen die Vorteile einer Küche, die auf hausgemachtes Essen mit dem Schwerpunkt Gemüse setzt. Wir haben einen engeren Bezug zu dem, was wir essen, und scheinen mehr Wert auf eine ausgewogene Ernährung zu legen. Außerdem empfinden wir Freude und Begeisterung, wenn wir etwas Selbstgekochtes auf den Tisch bringen. Für mich steht fest, dass Essen die Macht zum Wandel hat und unsere Einstellung zum Leben verändern kann. Die E-Mails, die ich jede Woche erhalte, zeigen mir, dass da etwas ganz schön in Bewegung geraten ist, und das ist wunderbar.

Durch meine Arbeit in Familien, Schulen und Kantinen mit Kindern, Erwachsenen, Eltern und Küchenpersonal weiß ich nur zu gut, wie wichtig eine nahrhafte Mahlzeit am Tag für Körper, Geist und Allgemeinbefinden ist. Darum sollte man sie sich nicht nur sonntags oder ab und zu mal gönnen. Gutes, gesundes Essen aus der eigenen Küche ist das Allerbeste, was wir für unser Wohlbefinden tun können, schließlich wissen wir so genau, womit wir unseren Körper ernähren. Außerdem können wir damit auch anderen etwas Gutes tun, und es gibt uns die Möglichkeit, gemeinsam am Tisch zu sitzen, zu essen, zu trinken und eine schöne Zeit miteinander zu verbringen.

Je häufiger ich simple Gerichte zubereite, wie Pasta, Salate oder Aufläufe, umso klarer wird mir, dass gutes Essen nicht edel und kompliziert sein oder aus exotischen Zutaten bestehen muss. Es sind die einfachen Alltagsmahlzeiten, die wir unter der Woche essen, die unser Leben ausmachen, das »tägliche Brot« unserer Ernährung, darauf kommt es an.

Während wir auf der einen Seite immer mehr um die Ohren haben, wächst auf der anderen auch der Wunsch, die Dinge besser miteinander in Einklang zu bringen, unseren Körper besser zu behandeln und mehr auf Leib, Seele und Geist zu achten. Sehr vieles davon hat damit zu tun, was und wie wir essen.

Unsere Einstellung zur Ernährung hat sich spürbar gewandelt. Immer mehr Verbraucher achten darauf, was im Einkaufskorb landet, und immer mehr Menschen greifen wieder selbst zum Kochlöffel. Seit zwei Generationen liegt Kochen erstmals wieder voll im Trend, und viele entscheiden sich dafür, wenigstens ein paarmal in der Woche hauptsächlich Gemüse zu essen.

Eine Ernährungsweise mit Gemüse im Mittelpunkt gilt gemeinhin als das Beste, was wir für unsere Gesundheit und unseren Planeten tun können. In den vergangenen Jahren ist die vegetarische Küche aus dem Nischendasein buntbemalter Veggie-Läden stolz ins Zentrum der Aufmerksamkeit gerückt.

Ich möchte Ihnen in diesem Buch zeigen, wie das ohne große Umstände gelingt. Es ist prall gefüllt mit Gerichten, die ich selbst gern koche und esse. Ich hoffe, die Rezepte in diesem Buch werden Sie inspirieren, Tag für Tag tolles Essen auf den Tisch zu bringen, das sowohl machbar als auch köstlich ist.

Dieses Buch ist gewissermaßen mein »Rezept-Notizbuch« mit mehr als 150 leckeren, gesunden Gerichten. Mögen sie für den gleichen frischen Wind in Ihrer Küche und Ernährung sorgen wie in der meinen. Es ist eine moderne Küche, die das Beste aus der bunten Vielfalt an Gemüse, Getreide und Körnern macht und jede Mahlzeit in ein kleines Fest verwandelt.

Ich bin wirklich stolz auf die Rezepte. Von der raffinierten, superschnellen 15-Minuten One Pot Pasta bis zum Buddha-Bowl-Curry-Schmaus, der eine Zier auf jeder Tafel ist – das ist das Essen, das mich glücklich macht, das meine Küche inspiriert: geprägt von Geschmack, Struktur und großem Respekt vor den Zutaten.

Gut essen

Ich esse für mein Leben gern Dinge, die ein gutes Gefühl hinterlassen. Wenn ich auch hin und wieder zu einem Schokoriegel greife oder in deftigem Kneipenessen schwelge (nichts wofür man sich schämen muss, wir sind alle nur Menschen), so tue ich es in dem Wissen, dass es nicht gut für mich ist.

Ich möchte köstliches Essen, nach dessen Genuss man sich voller Energie, federleicht, gut gelaunt, satt und zufrieden fühlt. Es ist gewissermaßen die Schnittmenge aus Wohlbefinden und Genuss, nach der ich bei jedem Rezept strebe. Und bei dem ganzen Gerede der Lebensmittelindustrie über Gesundheit und Wellness rückt dieses Ideal mehr und mehr in den Fokus. Wohlbefinden und Genuss müssen sich in der Tat nicht ausschließen.

Ich begrüße die Flut an neuen Informationen und das wachsende Interesse rund um das Thema Essen. Es freut mich sehr, dass immer mehr Menschen darauf achten, was sie essen, und sich darüber bewusst sind, wie sehr unser Essverhalten das Lebensgefühl beeinflusst.

Wir dürfen aber auch nicht vergessen, dass wir Lebewesen mit ganz individuellem, durchaus unterschiedlichem Nahrungsbedarf sind. Ich weiß ganz genau, was mein Körper braucht, doch bin ich überfragt, wenn es um Ihren Körper geht. Das kann Ihnen auch kein Koch sagen, ja nicht einmal ein Ernährungsexperte. Vielleicht kann dieser eine Hilfe sein, doch es tatsächlich herauszufinden ist Ihre eigene Aufgabe. Man muss ein Gefühl und Verantwortung für den eigenen Körper entwickeln, verstehen, wie er auf bestimmte Speisen reagiert. Fühlen Sie sich zum Beispiel nach einer Mahlzeit müde und aufgebläht, ändern Sie das nächste Mal etwas – die Größe der Portion, die Art der Zubereitung, eine Zutat...

Viele schwören heute auf alle möglichen Superfoods, die beim Abnehmen helfen, Krankheiten kurieren und uns attraktiver machen sollen. Es kommt mir manchmal so vor, als wäre dieser oft überzogene Fokus auf Ernährung eine neue akzeptierte Form von Diäthalten. Erstaunlicherweise ist sie einer gesunden Einstellung zum Essen alles andere als dienlich.

Natürlich ist eine gesunde Ernährung kein Selbstläufer, aber wir sollten realistisch bleiben. Wenn wir für nahrhafte Mahlzeiten sorgen, hat das positive Auswirkungen auf die Gesundheit. Und da ist ein größerer Anteil an Gemüse auf dem Speiseplan bereits ein wichtiger Schritt. Über Matcha-Tee und Chiasamen kann man sich immer noch Gedanken machen.

Für mich ist »gut essen«, anders als häufig vermittelt, eine ganz simple Sache: hochwertige Lebensmittel kaufen, selbst kochen, den Schwerpunkt auf Gemüse und pflanzliche Erzeugnisse legen und auf den eigenen Körper hören – das ist alles. Derzeit machen mal wieder viele Behauptungen zum Thema Ernährung die Runde: Brot wird rundweg verteufelt, und Köche und Ernährungswissenschaftler erklären durchaus sinnvolle, preiswerte Grundnahrungsmittel pauschal für schädlich und ungesund. Ich halte das für kontraproduktiv, weil es unser Gefühl für diese Produkte verändert. Es belegt sie mit der Aura des Verbotenen und mit Schuld, was unsere Vorbehalte – letztlich aber auch unser Verlangen danach – nur noch größer macht.

Was ich sagen möchte: Hören wir auf, unsere Nahrung in Einzelteile zu zerlegen, von denen wir einige für generell schlecht erklären und andere über die Maßen loben. Rücken wir wieder das große Ganze in den Blick. Eine ausgewogene und möglichst naturnahe Ernährung ist der beste Weg. Das Heil im Extrem zu suchen ist keine nachhaltige Ernährungs- und Lebensweise. Worum es mir in diesem Buch geht, ist eine bewusste, flexible Ernährungsweise, die sich erfolgreich und genussvoll in den Alltag integrieren lässt, und das ein Leben lang.

Schnelle Küche
ganz entspannt

Zu Hause unterliege ich den gleichen Zwängen wie jeder andere. Trotz oder gerade wegen meines Hintergrundes habe ich nach der Arbeit keine große Lust, noch stundenlang am Herd zu stehen. Müde, ungeduldig und hungrig wie ich bin, bleibt mir da nur die Kunst der schnellen Küche. Und die möchte ich Ihnen in diesem Buch vermitteln. Die raffinierten Tricks, die Köche in petto haben, die Vereinfachungen, die smarten Schummeleien und Handgriffe, die die Dinge beschleunigen und das Essen in absehbarer Zeit auf den Tisch bringen. All das kann ganz entspannt und in geordneten Bahnen über die Bühne gehen, ohne dass Ihre Küche anschließend ein Schlachtfeld ist und kein Topf mehr im Schrank steht.

Ich weiß, dass sich diese Rezepte in angemessener Zeit realisieren lassen. Ich habe sie von Freunden – allesamt keine Profis – auf Herz und Nieren testen lassen, darum bin ich überzeugt, dass sie für jeden machbar sind.

Die 15-Minuten-Rezepte sind für das schnelle Abendessen konzipiert, schmackhaft und simpel, aus nur wenigen Zutaten, die ohne allzu große Schnippelei und Umschweife in einem Topf landen. Die Rezepte, für die ich 20 bis 30 Minuten veranschlagt habe, sind etwas anspruchsvoller und komplexer in Geschmack und Struktur und benötigen ein paar mehr Zutaten. Die 40-Minuten-Rezepte versprechen einen echten Festschmaus, ein Feuerwerk der Aromen und Farben, das jedem Restaurant Ehre machen würde.

In einem weiteren Kapitel stelle ich Ihnen Rezepte vor, die sich für den Vorrat eignen. Diese kann man einmal pro Woche zubereiten, für manches reicht auch einmal pro Monat. Die kleine Mühe lohnt sich wirklich, denn Sie werden mit einem Gefrier- oder Kühlschrank voller nahrhafter, preiswerter Genüsse, Snacks und Reserven belohnt. Die Vorräte sind

mittlerweile das Rückgrat meines Speiseplans – einmal pro Woche ein bisschen Zeit investieren, und mein Wochenvorrat an Kichererbsen für Hummus, Eintöpfe und vieles mehr ist gedeckt. Ich finde Kochen für den Vorrat übrigens ungemein befriedigend: Es ist toll zu wissen, dass ich schnell einen selbstgemachten süßen Snack zur Hand habe, wenn ich im Nachmittagstief stecke, statt nach einem Keks zu greifen.

Es gibt auch ein Kapitel mit schnellen Desserts und süßem Naschwerk, darunter ein Zehn-Minuten-Crumble aus der Pfanne. Nicht zu vergessen so manches rasche Frühstück, der ideale Start in den Tag mit interessanten Zutaten, die sich im Handumdrehen zusammenfügen lassen und das Beste aus meiner Lieblingsmahlzeit machen.

Beim Kochen geht es immer darum, die Arbeitsabläufe einfach zu halten, das dürfte für die meisten von Ihnen nichts Neues sein. Wenn ich die Leute frage, woran es bei einem Rezept gehapert hat, bekomme ich oft zur Antwort, die Zwiebeln seien angebrannt, als sie dabei waren, die Koriandersamen in der Speisekammer zu suchen, oder so ähnlich. Das Einmaleins der schnellen Küche heißt gelassen bleiben und sich gut organisieren. Meine Freunde werden lachen, wenn sie das lesen, denn ich bin nicht gerade bekannt dafür, gut organisiert zu sein, aber in der Küche werde ich zum General. Die Küche ist mein Reich, in dem ich nur schnell an mein Ziel gelange, wenn ich mich ruhig und gut strukturiert Schritt für Schritt durch die Abläufe arbeite.

Ich sehe Kochen als eine praktische Übung an, die geordnet und in einem ruhigen Fluss vonstattengeht, nicht überstürzt, hektisch und kopflos. Wenn Sie das beherzigen, werden Sie jeden einzelnen Moment dieser wunderbaren Alchemie genießen, die eine Menge Zutaten in eine köstliche Mahlzeit für Sie und Ihre Familie verwandelt.

Ihre Küche sollte natürlich entsprechend gerüstet sein. Das heißt nicht, dass Sie viele teure Geräte anschaffen müssten. Ein paar einfache, überall erhältliche Utensilien genügen schon (siehe Seite 20 bis 21).

Ich finde es hilfreich, wenn Zutaten ihren festen Platz in der Küche haben, sodass ich sie sofort zur Hand habe, wenn ich loslege. Nicht, dass ich erst eine halbe Stunde lang das komplette Gewürzregal umkrempeln muss. Ich verstaue meine Gewürze in kleinen Gläsern, die in Reichweite des Herdes im Regal stehen, was vieles vereinfacht.

Auch für ausreichend Platz sollte gesorgt sein. Die Arbeitsfläche in meiner Küche ist schnell mal vollgestellt. Bevor ich also mit dem Kochen anfange, räume ich alles zur Seite, bis ich bequem werkeln kann. Ein paar Geräte können etliche Arbeitsschritte erheblich beschleunigen. Im Grunde genügen einige Basics, wer jedoch ungeübt ist, etwa beim Schneiden und Zerkleinern, wird eine Küchenmaschine zu schätzen wissen. Und brennt häufig mal was an, ist es vielleicht Zeit für ein paar neue Pfannen. Diese Utensilien sind eine lohnende Investition ins gute Gelingen und damit letztlich auch in unser leibliches und seelisches Wohl.

Bevor Sie loslegen, sollten Sie das ausgewählte Rezept von Anfang bis Ende durchlesen, damit Sie wissen, was wann passiert und wie die Zutaten geschnitten und zubereitet werden. Dann holen Sie alle Geräte aus Schublade und Schrank und legen sie in Reichweite. Platzieren Sie die Zutaten in der Nähe des Schneidebretts, sodass gleich alles zur Hand ist. Diese Schritte sind der Schlüssel zu einem zügigen, reibungslosen Arbeitsablauf, und so offensichtlich das klingen mag, auch ich muss es mir jedes Mal aufs Neue ins Gedächtnis rufen.

Noch ein praktischer Profitipp, der die Arbeit beschleunigt: Stellen Sie eine Schüssel für Schalen und Schnittabfälle auf die Arbeitsfläche, damit Sie nicht ständig zwischen Schneidebrett und Abfalleimer hin- und herlaufen müssen. Außerdem sollte der Arbeitsbereich nah am Herd sein, sodass Sie mehrere Dinge gleichzeitig erledigen können.

Ich arbeite in vielen Rezepten mit großer Hitze. Das sollte Sie aber nicht beunruhigen, solange Sie Topf und Pfanne im Auge behalten. Sie werden also häufig lesen, dass Sie das Kochgeschirr sehr stark erhitzen sollen. Außerdem benutze ich häufig den Wasserkocher, gewissermaßen mein bester Freund in der Küche. Kochendes Wasser statt kaltes oder mäßig warmes aus dem Hahn macht vieles noch einen Tick schneller.

Das mag ein bisschen nach Hektik klingen, aber diese kleinen Maßnahmen bewirken genau das Gegenteil. Sie werden lernen, sich ganz entspannt und systematisch mit flinken, geschmeidigen Handgriffen durch ein Rezept zu arbeiten.

Und darum geht es mir beim Kochen – um nahr- und schmackhaftes Essen ohne viel Schnickschnack, das sich in absehbarer Zeit und angenehmer Weise auf den Tisch bringen lässt. Es geht darum, die verfügbare Zeit – so knapp sie auch sein mag – sinnvoll zu nutzen, um die Mahlzeiten so genussvoll wie möglich zu gestalten. Machen Sie das Beste aus Ihrer Zeit und schöpfen Sie aus dem Reichtum gesunder saisonaler Zutaten, die Ihnen guttun. Sie werden fantastisch essen und Ihre Lebensqualität steigern.

annajones.co.uk

@we_are_food

Zubehör für die schnelle Küche

Ich verlasse mich in meiner Küche auf einige wenige Geräte. Manche waren spottbillig, andere ein bisschen kostspieliger, doch sie alle helfen dabei, dass das Kochen schneller von der Hand geht und mehr Freude macht.

SPARSCHÄLER & JULIENNE-SCHNEIDER
Der Sparschäler ist das wohl am häufigsten eingesetzte Werkzeug in meiner Küche und das billigste dazu. Ich schneide damit auch Gemüse in lange Streifen für Salate und Nudeln. Daneben habe ich einen Julienne-Schneider, um Gemüse wie Zucchini in feine Streifen zu schneiden. Er erledigt die Arbeit genauso gut wie der gerade sehr trendige Spiralschneider, ist aber preiswerter und nimmt weniger Platz in Anspruch. Ich benutze die Ganzmetallausführung von Lakeland.

GUTE BRATPFANNEN
Eine gute Bratpfanne hält ein Leben lang. Ich besitze zwei gute beschichtete Pfannen von 22 bzw. 26 cm Durchmesser, dazu eine schwere gusseiserne und eine Grillpfanne. Meine Lieblingsmarken sind GreenPan (mit schadstofffreier Keramikbeschichtung) und de Buyer.

GROSSER SUPPENTOPF
Ich koche jede Woche Suppe, Fond oder Kichererbsen, da ist ein großer Kochtopf unverzichtbar. Er ermöglicht es, größere Mengen für eine ganze Woche oder zum Einfrieren zuzubereiten. Ein gusseisernes Modell mit dickem Boden wäre meine Wahl, zum Beispiel von Le Creuset, doch jeder andere große robuste Topf tut es auch.

STAPELBARE GLÄSER
Ein großer Trumpf meiner Küche ist, dass alles griffbereit und leicht zu finden ist. Ich verstaue meine Gewürze in kleinen Gläsern, die in einem Regal gleich neben meinem Herd stehen, so sind sie immer schnell zur Hand. Trockene Zutaten fülle ich aus gleichem Grunde in große Gläser um.

REIBEN – KASTENREIBE & FEINE MICROPLANE-REIBE
Ich verwende sie jeden Tag. Eine gute stabile Kastenreibe macht Sie um acht bis zehn Euro ärmer und ist ideal zum Reiben von Käse und Gemüse. Microplane-Reiben sind etwas ausgefeilter und teurer, halten aber ein Leben lang und sind eine unschätzbare Hilfe, wenn man Zesten reißen oder Knoblauch, Chili, Ingwer oder Hartkäse reiben möchte.

GUTE MESSER & WETZSTAHL ODER -STEIN
Die größte Bremse in der schnellen Küche sind mangelnde Schneidekünste, und die stehen in direktem Zusammenhang mit der Qualität und Schärfe Ihrer Messer. Ich verwende vier Messer: ein kleines Küchenmesser (etwa 12 cm Klingenlänge), ein kleines gezahntes Gemüsemesser (für Tomaten und Früchte), ein größeres Kochmesser (etwa 21 cm) für festschaliges Gemüse wie Kürbis und ein gutes Brotmesser. Außerdem habe ich einen Wetzstein, um sie scharf zu halten. Ich bevorzuge japanische Messer von Kin, die sind nicht gerade billig, doch es

geht noch deutlich teurer. Sie bleiben lange scharf und sind unverwüstlich. Bei kleinen Sägemessern greife ich zu Opinel, die sehr günstig sind.

LEISTUNGSSTARKER STANDMIXER Ich setze den Mixer täglich für Smoothies, Suppen, Nussbutter und Hummus ein. Der König der Mixer ist der Vitamix, der einen extrem leistungsstarken Motor hat und Nüsse in Sekundenschnelle in Nussbutter verwandelt. Die Geräte sind jedoch sehr teuer, darum verkneife ich mir, sie Ihnen ans Herz zu legen. Wer aber viel Zeit in der Küche verbringt, sollte über diese Investition mal nachdenken. Auch andere Hersteller bieten solide Mixer unterschiedlicher Preisklassen – gönnen Sie sich den besten, den Sie sich leisten können und wollen.

KÜCHENMASCHINE Mixer *und* Küchenmaschine, ist das nicht zu viel des Guten? Keineswegs, denn sie erledigen ganz unterschiedliche Arbeiten. Der Mixer püriert und verflüssigt Zutaten, während die Küchenmaschine hackt, häckselt und stückelt und mit dem entsprechenden Zubehör auch raspelt, hobelt und schneidet sowie Glasuren und Kuchenteige anrührt. Wenn ich Ihnen eine Sache wirklich empfehle, dann eine Küchenmaschine. Ich habe seit zwölf Jahren eine Magimix, und sie läuft immer noch wie geschmiert. Magimix bietet eine große Auswahl an robustem Zubehör, aber auch andere Marken wie KitchenAid haben gute Maschinen. Auch hier hat Qualität ihren Preis, und an der sollten Sie nicht sparen.

STABMIXER Wer weder Mixer noch Küchenmaschine erübrigen kann oder zu wenig Platz für große Geräte hat, kann in den meisten Fällen auch zu einem guten Stabmixer greifen. Man benötigt vielleicht ein bisschen mehr Geduld, doch er erledigt den Job klaglos. Ich verwende den Stabmixer für Dressings, schnelle Pestos und zum Pürieren von Suppen, er ist überaus nützlich. Und er kostet nicht die Welt.

KÜCHENSCHERE Zum Aufschneiden von Verpackungen und für manch andere Tätigkeiten liegt bei mir eine scharfe Küchenschere bereit. Wer nicht so fix im Umgang mit dem Messer ist, kann kleinere Zutaten wie Kräuter oder Frühlingszwiebeln auch ruckzuck mit der Schere schneiden.

Ein paar Anmerkungen zu den Zutaten

KOKOSÖL Ich verwende gerne Kokosöl, das ein mildes Aroma und einen höheren Rauchpunkt als viele andere Öle und Fette hat, sodass beim Erhitzen weniger Inhaltsstoffe verloren gehen. Wenn Sie es nicht mögen, können Sie es in der Regel durch einfaches Olivenöl ersetzen.

GHEE Ich verwende Ghee (geklärte Butter bzw. Butterschmalz) anstelle von Butter. Im Grunde ist Ghee von der Molke und dem Milcheiweiß befreite Butter und reich an den Vitaminen A, D, E und K. Es hat einen hohen Rauchpunkt, hält sich Monate und schmeckt fabelhaft.

OLIVENÖL In meiner Küche stehen zwei Sorten, ein einfaches Olivenöl zum Braten und ein aromatisches natives Olivenöl extra für Dressings etc. Letzteres setze ich NIE hohen Temperaturen aus, weil es einen niedrigen Rauchpunkt hat und bei großer Hitze schädliche freie Radikale entstehen.

EIER Für meine Rezepte kommen durchweg mittelgroße Eier aus Freilandhaltung oder Bio-Erzeugung zum Einsatz. Veganer können bei den meisten Backrezepten die Eier durch 1 Esslöffel Chiasamen verrührt mit 3 Esslöffeln Wasser ersetzen. Die Mischung kurz stehen lassen, bis sich eine Art Gel gebildet hat.

SALZ Ich verwende britische Meersalzflocken – Halen Môn aus Anglesey ist mein Lieblingssalz, es trägt eine geschützte Ursprungsbezeichnung, damit ist garantiert, dass es aus Waliser Gewässern stammt und unbehandelt ist.

SÜSSUNGSMITTEL Ich habe einen Vorrat an verschiedenen Süßungsmitteln. Sie haben zwar mehr Nährstoffe als gewöhnlicher weißer Zucker, dennoch sollten sie sparsam dosiert werden. Natürliche Süßungsmittel sind tendenziell teurer, aber man kann ja auch erst einmal eine Sorte kaufen. Ich wechsle ständig zwischen Ahornsirup, Honig, Agavensirup, Kokosblütenzucker, Kokosblütennektar …

CONGRATULATIONS.

Bis der
Tisch
gedeckt
ist

Diese Rezepte sind für die Tage, an denen die Zeit knapp und der Hunger groß ist. Fünfzehn Minuten können wir alle erübrigen, um ein Essen auf den Tisch zu bringen. Diese Gerichte brauchen nicht länger, als es dauert, den Tisch zu decken. Und sie schmecken fantastisch: umwerfend gute One Pot Pasta, bunte Salate, kräutergefüllte Omeletts, farbenfrohe Suppen, fantasievoll belegte Sandwiches und supersimple Quesadillas.

One-Pot-Spaghetti mit Grünkohl, Tomaten und Zitrone

15
MINUTEN

Dieses Gericht ist eine Offenbarung. Die Sauce entsteht wie durch Zauberhand aus Tomaten und dem Nudelwasser, da alles zusammen zubereitet wird. Kein großes Tamtam, ein einziger Topf und eine Riesenschüssel voll Pasta.

Über Nudeln und Gluten liest man oft nichts Gutes. Ich finde, ab und zu hat ein Teller Nudeln seine absolute Berechtigung. Ich greife gerne zu traditioneller Pasta aus Hartweizengrieß, aber genauso oft auch zu ungewöhnlichen Sorten. Probieren Sie unbedingt mal Spaghetti aus Mais-, Kichererbsen- oder Buchweizenmehl, sie sind glutenfrei, im Geschmack von ganz eigenem Charakter und eine willkommene Abwechslung für alle, die gern und häufig Nudeln essen.

Wichtig für das Gelingen ist, das Wasser genau abzumessen und ein geeignetes Gargeschirr zu verwenden. Sie benötigen eine große Schmorpfanne, in der die rohen Spaghetti »ausgestreckt« Platz haben. Eine große und tiefe Brat- oder Wokpfanne tut es auch.

FÜR 4 GROSSE PORTIONEN

400 g Spaghetti oder Linguine
400 g Kirschtomaten
abgeriebene Schale von 2 großen unbehandelten Zitronen
100 ml Olivenöl
2 gehäufte TL Meersalz (bei feinem Tafelsalz etwas weniger)
400 g Grünkohl oder Spinat
Parmesan (ich nehme vegetarischen; nach Belieben)

• Den Wasserkocher füllen und einschalten. Sämtliche Zutaten und Geräte bereitlegen. Sie benötigen eine große, tiefe Pfanne mit Deckel.

• Die Pasta in die Pfanne legen. Die Tomaten halbieren und darüber verteilen, alles mit der Zitronenschale bestreuen, mit dem Öl übergießen und salzen. Nun 1 Liter heißes Wasser aus dem Kocher zugießen, den Deckel auflegen und das Wasser zum Kochen bringen. Sobald das Wasser aufwallt, den Deckel abnehmen und alles 6 Minuten sprudelnd kochen lassen. Die Pasta alle 30 Sekunden mit einer Küchenzange wenden.

• Inzwischen den Kohl oder Spinat von harten Stielen und Blattrippen befreien und grob zerpflücken. Das Gemüse nach Ablauf der 6 Minuten in die Pfanne geben und 2 Minuten mitgaren.

• Wenn das Wasser fast vollständig verkocht ist, die Pfanne vom Herd nehmen, die Pasta mit der Sauce auf vier Schüsseln verteilen und nach Belieben mit etwas Parmesan bestreuen.

Tomaten-Miso-Suppe mit Sesam

15 MINUTEN

Diese leckere Suppe dauert auch nicht länger, als kurz in den Laden um die Ecke zu laufen und eine Dose Tomatencremesuppe aus dem Regal zu angeln, schmeckt aber viel besser, und gesünder ist sie auch. Eine Tomatensuppe von frischem, klarem Geschmack, der dank der kurzen Garzeit kräftig und natürlich bleibt. Hier sind Miso und Tahini mit von der Partie, die ich besonders gern mit Tomaten kombiniere. Die erdig-cremige Tahini-Note und das salzige Aroma des Misos unterstreichen den klaren Tomatengeschmack ganz wunderbar. Im Winter, wenn frische Tomaten nicht in Bestform sind, kann man sie komplett durch Dosenware ersetzen (zwei Dosen à 400 g).

Dazu habe ich mir ein schnelles Topping ausgedacht, das die Suppe geschmacklich noch aufwertet. Ist die Zeit knapp, tut es auch etwas gehacktes Koriandergrün.

FÜR 4 PERSONEN

4 Frühlingszwiebeln
Kokos- oder Olivenöl
500 g Rispentomaten
1 Dose stückige Tomaten (400 g)
2 EL Misopaste (ich verwende dunkles Gerstenmiso)
1 EL Tahini

FÜR DAS TOPPING
1 EL flüssiger Honig
1 EL Tahini
1 EL Misopaste
Saft von ½ Zitrone
4 EL Sesamsamen
1 kleines Bund Koriandergrün

• Den Wasserkocher füllen und einschalten. Sämtliche Zutaten und Arbeitsutensilien bereitlegen und einen großen Topf bei niedriger Temperatur erhitzen.

• Die Frühlingszwiebeln in Stücke schneiden, mit etwas Kokos- oder Olivenöl in den Topf geben und bei mittlerer Temperatur einige Minuten andünsten, bis sie langsam Farbe nehmen. Hin und wieder umrühren. Die Rispentomaten je nach Größe halbieren oder vierteln und dazugeben, wenn die Frühlingszwiebeln so weit sind. Die Dosentomaten hinzufügen, die Dose mit kochend heißem Wasser ausspülen und in den Topf ausleeren. Die Misopaste unterrühren und die Mischung zum Kochen bringen.

• Inzwischen schon mal das Topping vorbereiten. Honig, Tahini, Miso und den Zitronensaft in einer Schüssel verrühren und zur Seite stellen. Die Sesamsamen in einer Pfanne goldgelb rösten, das Koriandergrün hacken.

• Sobald die Suppe aufkocht, ist sie auch schon fertig. Vom Herd nehmen, das Tahini hineingeben und das Ganze mit dem Stabmixer sorgfältig pürieren; bei Bedarf noch etwas salzen. Das süßlich-fruchtige Aroma der Tomaten sollte sich mit der salzigen Würze des Misos und dem erdig-cremigen Tahini die Waage halten. Die Suppe auf vier Schüsseln verteilen, mit dem Miso-Honig-Mix, den Sesamsamen und dem Koriandergrün garnieren und servieren.

Pikante Erbsen-Panir-Fladenbrote

15 MINUTEN

Diese leckeren Fladen gehen ultraschnell, strotzen vor Geschmack und sind bei mir erste Wahl, wenn ich Appetit auf kräftige Aromen, aber wenig Zeit habe. Hier wird ein süßlich-zitroniges Erbsenpüree auf warme Fladenbrote gehäuft und mit knackigem Blumenkohl und aufregenden Gewürzen gekrönt. Wer mag, kann noch ein Stückchen knusprig gebratenen Panir obendrauf legen (auf Seite 248 zeige ich, wie man ihn selbst macht).

FÜR 4 FLADENBROTE

1 kleines Bund Frühlingszwiebeln
1 EL Kokosöl
250 g Erbsen (TK)
1 kleiner Blumenkohl
1 kleine Handvoll Curryblätter
2 TL Senfsamen
1 TL gemahlene Kurkuma
2 unbehandelte Zitronen
1 grüne Chilischote
1 kleines Bund Koriandergrün
Meersalz und frisch gemahlener schwarzer Pfeffer
150 g Panir (schnittfester indischer Frischkäse; nach Belieben)
4 Rotis oder Chapatis (indisches Fladenbrot)
1 kleines Bund frische Minze

• Den Wasserkocher füllen und einschalten. Sämtliche Zutaten und Arbeitsutensilien bereitlegen. Eine Grillpfanne bei hoher Temperatur erhitzen.

• Die Frühlingszwiebeln in feine Röllchen schneiden und in der Pfanne in etwas Kokosöl bei mittlerer Temperatur kurz anbraten, bis sie nur leicht Farbe genommen haben. Die Erbsen in einer hitzebeständigen Schüssel mit kochendem Wasser übergießen und 5 Minuten ziehen lassen.

• Den Blumenkohl in kleine Röschen zerteilen, mit Curryblättern und Gewürzen zu den Frühlingszwiebeln in die Pfanne geben und weitere 2 bis 3 Minuten anbraten, bis er seinen Rohgeschmack verloren hat und rundherum mit dem würzigen Öl überzogen ist. Die Temperatur erhöhen, den Saft einer Zitrone hineinpressen und vollständig verkochen lassen. Die Pfanne vom Herd nehmen.

• Die Chilischote und die Korianderstiele hacken, die Blätter beiseitelegen. Die Erbsen abgießen und mit der abgeriebenen Schale der anderen Zitrone und dem Saft der halben Frucht sowie der gehackten Chili, den Korianderstielen und je einer kräftigen Prise Salz und Pfeffer zerstampfen.

• Wird der Panir verwendet, den Blumenkohl in eine Schüssel umfüllen, die Pfanne wieder auf den Herd stellen und etwas Kokosöl darin stark erhitzen. Den Panir hineinbröckeln und bei hoher Temperatur 1 bis 2 Minuten knusprig braten.

• Die Roti- oder Chapati-Brote in einer Pfanne oder über einer Gasflamme aufbacken, bis sie am Rand knusprig sind. Mit dem Erbsenpüree, dem Blumenkohl und dem gebratenen Panir belegen. Minze- und Korianderblätter hacken, darüberstreuen und die Fladenbrote servieren.

Weiches Kräuteromelett

15 MINUTEN

Dieses Omelett ist meine Rettung, wenn ich auf Reserve laufe. Dazu ist es eine raffinierte Art, übrige frische Kräuter zu verwerten.

Omeletts sind das Turbo-Abendessen schlechthin und eines meiner Lieblingsgerichte überhaupt – ein tolles Omelett lässt sich in weniger als 15 Minuten auf den Tisch bringen. Zahlreiche Anregungen, wie man sie füllen kann, finden Sie auf Seite 34 und 35. Ich mag Omelett am liebsten weich, wenn das Ei so eben gestockt ist, und mit nichts als einer großzügigen Handvoll duftig-zarter Kräuter gefüllt. Manchmal spare ich mir die Füllung ganz und genieße das Omelett schlicht und schnörkellos. Dazu gibt's als Kontrast pfeffrigen Rucola in einer würzigen Vinaigrette.

Was immer Sie an frischen Kräutern zur Hand haben, kommt in Frage. Ich nehme gern einen Mix aus Basilikum, Minze, Dill und Estragon. Das Allerwichtigste ist die Qualität der Eier, da gibt es kein Wenn und Aber. Bio- oder Freilandeier mit leuchtend gelbem Dotter sind die beste Wahl.

FÜR 2 PERSONEN

4 Freiland- oder Bio-Eier
Meersalz und frisch gemahlener schwarzer Pfeffer
2 kleine Bund gemischte Kräuter wie: Minze, Petersilie, Dill, Schnittlauch, Estragon, Kerbel, Basilikum
etwas Butter oder Kokosöl

FÜLLUNG

1 kleine Handvoll Ziegenkäse, Feta oder Ricotta
1 kräftige Prise abgeriebene Zitronenschale (unbehandelt)
1 Handvoll zerpflückter Spinat oder anderes grünes Blattgemüse

ZUM SERVIEREN

einige Handvoll Rucola oder Brunnenkresse

• Sämtliche Zutaten und Arbeitsutensilien bereitlegen. Benötigt wird eine große beschichtete Pfanne.

• Die Eier in eine Schüssel schlagen, mit einer kleinen Prise Salz und reichlich Pfeffer würzen und mit einer Gabel verschlagen. Alle Kräuter fein hacken und unter das Ei rühren.

• Die Pfanne bei mittlerer Temperatur vorheizen. Sobald sie heiß ist, die Butter oder das Öl hineingeben, kurz erhitzen und die Pfanne neigen, damit das Fett gleichmäßig zerläuft.

• Wieder auf den Herd stellen, eine Gabel bzw. einen Spatel bereithalten, das Ei eingießen und etwa 20 Sekunden ohne zu rühren garen, bis es zu stocken beginnt. Nun das Ei vom Rand zur Mitte schieben und die Pfanne dabei leicht neigen, sodass es wieder zurück an den Rand fließt. Diesen Vorgang rundherum fünf- oder sechsmal wiederholen, bis sich das Ei in eine sonnengelbe Hügellandschaft verwandelt hat. Das Omelett anschließend fertig garen, bis es fast gestockt ist, das dürfte noch 1 bis 2 Minuten dauern.

• Soll das Omelett gefüllt werden, ist jetzt der Moment gekommen. Die Füllung auf einer Omeletthälfte verteilen, die andere Hälfte darüberschlagen und weitere 30 Sekunden garen.

• Das Omelett sollte in der Mitte gerade gestockt, aber noch weich und cremig und außen nur stellenweise ganz leicht gebräunt sein. Sobald es perfekt ist, auf einen vorgewärmten Teller gleiten lassen und mit einem knackigen Salat sofort servieren.

Sommer-Salat

15
MINUTEN

Diesen Salat gönne ich mir, wenn es eigentlich zu heiß zum Essen ist und schnell eine erfrischende Mahlzeit hermuss. Ich habe ihn zum ersten Mal an einem dieser drückend schwülen Sommertage in London zubereitet, wenn die Luft in der aufgeheizten Stadt steht und man von Swimmingpools und Eis träumt. Jetzt trällere ich dabei jedes Mal den bekannten Song von Kool and the Gang, Sie wissen schon... *oh it's too hot*...

Wichtig ist, die Zutaten gut durchzukühlen. Schauen Sie nach rohen rotschaligen Erdnüssen. Im Sommer weiche ich immer ein paar Handvoll über Nacht in kaltem Wasser ein und bewahre sie im Kühlschrank als kalten Snack auf. Auch in Wok-Gerichten oder auf dem morgendlichen Obst sind die Nüsse lecker. Sie sind erfrischend und saftig, ganz anders als geröstete Erdnüsse. Sie bekommen sie im Reformhaus und im indischen Lebensmittelhandel.

Soll der Salat etwas sättigender sein, können Sie abgekühlten braunen Basmatireis oder dünne Reisnudeln dazu servieren.

FÜR 4 PERSONEN

50 g rohe Erdnusskerne
(siehe Text oben)
2 Karotten
200 g Wassermelone
1 Handvoll Kirschtomaten
1 Salatgurke
1 kleiner Romanasalat oder
½ Eisbergsalat
1 Bund Koriandergrün

FÜR DAS DRESSING
½ rote Chilischote
1 EL Sojasauce oder Tamari
2 Limetten
etwas flüssiger Honig

• Sämtliche Zutaten und Arbeitsutensilien bereitlegen. Die Erdnüsse in Eiswasser einweichen und in den Kühlschrank stellen, während Sie die anderen Dinge erledigen.

• Die Karotten schälen, mit einem Sparschäler in lange Streifen hobeln und in eine Schüssel mit etwas Eiswasser legen.

• Die Wassermelone in mundgerechte Stücke schneiden, sehr kernreiche Partien und die harte äußere Schale entfernen. Die Kirschtomaten halbieren. Beides in einer Salatschüssel vermengen und in den Kühlschrank stellen.

• Die Gurke mit dem Sparschäler ebenfalls in lange Streifen schneiden, das weiche Kerngehäuse nicht verwenden. Die Gurkenstreifen zu Wassermelone und Tomaten in die Schüssel geben. Den Salat in Streifen schneiden und das Koriandergrün abzupfen.

• Die rote Chili für das Dressing hacken und in einer kleinen Schüssel mit der Sojasauce, dem Saft der beiden Limetten und etwas Honig verrühren. Das Dressing probieren und eventuell mit mehr Limettensaft, Honig und Sojasauce abschmecken, bis Säure, Süße und Schärfe ausgewogen sind.

- Die Salatschüssel und die Erdnüsse aus dem Kühlschrank nehmen. Erdnüsse und Karotten sorgfältig abtropfen, unter den Salat mengen und alles mit dem Dressing übergießen. Die Salatstreifen unterheben und mit dem Koriandergrün bestreuen. An einem kühlen Fleckchen genießen und in Gedanken die Füße im Pool baumeln lassen.

10 leckere Omelettfüllungen

Omelett ist so etwas wie der Inbegriff der schnellen Mahlzeit. Hier sind meine zehn Lieblingsfüllungen für Omelett, folgen Sie einfach diesem Schema, dann kann praktisch nichts schiefgehen: Hauptgemüse – Extragemüse – Aromaakzent – Zusatzaroma – Topping.

Wie ich Omelett zubereite, lesen Sie auf Seite 28, und immer dran denken – nicht an der Qualität der Eier sparen.

	HAUPTGEMÜSE	→	EXTRAGEMÜSE
1	100 g Spinat dünsten		mit 50 g halbierten Kirschtomaten
2	1 rote Zwiebel klein schneiden und weich dünsten		1 Handvoll klein geschnittenes grünes Gemüse zugeben
3	Reste von gegarten Kartoffeln in Scheiben braten		mit einigen roten gerösteten Paprika aus dem Glas
4	100 g grünes Blattgemüse anbraten		½ zerdrückte Avocado zugeben
5	1 Handvoll Pilze anbraten		1 Handvoll Spinat dazugeben
6	Grünen Spargel klein schneiden und anbraten		mit 1 in feine Scheiben geschnittenen Zucchini
7	Etwas geriebenen Kürbis anbraten		mit 1 Handvoll gegarter Kichererbsen
8	1 Handvoll Erbsen garen		mit 1 Handvoll Dicker Bohnen
9	Geriebene Karotte andünsten		mit 1 Handvoll gehackter Minze
10	1 kleine Stange Lauch weich dünsten		1 Handvoll Pilze zugeben

AROMAAKZENT →	ZUSATZAROMA →	TOPPING
einige Basilikumblätter zugeben	dazu 25 g geröstete Pinienkerne	großzügig mit geriebenem Pecorino bestreuen
Blätter von 2 Zweigen Thymian hinzufügen	noch 1 Schuss Balsamico dazu	mit etwas zerkrümeltem Ziegenkäse bestreuen
eine Handvoll gehackte Petersilie zugeben	mit einer kräftigen Prise geräuchertem Paprika würzen	mit geriebenem Manchego bestreuen
einige Blätter Basilikum hineinzupfen	abgeriebene Schale und Saft von ½ Zitrone zugeben	mit zerbröckeltem Feta bestreuen
½ gehackte Chili untermengen	den Saft von 1 Zitrone hineinpressen	mit geriebenem Parmesan bestreuen
1 EL Pesto unterrühren	die geriebene Schale von ½ Zitrone zugeben	mit zerkrümeltem Ziegenkäse bestreuen
1 TL Harissa unterrühren	die geriebene Schale von 1 Zitrone zugeben	mit zerbröckeltem Feta bestreuen
1 kleine Handvoll gehackter Minze zugeben	den Saft von ½ Zitrone hineinpressen	mit 1 guten Schuss Olivenöl beträufeln
einige geröstete Mandeln unterrühren	den Saft von ½ Zitrone hineinpressen	mit zerkrümeltem Feta oder Panir bestreuen
einige Estragonblätter oder Dillspitzen hinzufügen	1 TL Senf unterrühren	mit 1 kleinen Handvoll geriebenem Cheddar bestreuen

Mild-pikante Süßkartoffel-Quinoa-Bowls

15 MINUTEN

Hier ist das Ergebnis eines dieser Momente, in denen man ein paar Dinge aus dem Kühlschrank hervorkramt und willkürlich zu einer schnellen Mahlzeit zusammenwürfelt. Und heraus kommt etwas wirklich Bemerkenswertes. Eigentlich stammt das Rezept von John. Er versteht sich blendend darauf, schnell mal etwas Nahrhaftes zu kochen, und ist wohl der Einzige, den ich kenne, der aus tiefster Überzeugung jederzeit einer Schüssel mit Gemüse den Vorzug vor allem anderen gibt.

Dieses Gericht lässt sich in 15 Minuten auf den Tisch bringen und verwendet Quinoa in einer Weise, die ich nie in Betracht gezogen hätte, dabei schmeckt es so gut. Hier bekommen Kokos und Kurkuma Rückendeckung von mineralstoffreichem Blattgemüse und spritzigem Zitronensaft. Gute, schnelle und leckere Kost.

Ich verwende Mangold, aber auch Frühkohl oder Spinat sind eine Option. Kokoscreme statt Kokosmilch sorgt für ein intensiveres Aroma, sie bietet sich für schnelle Zubereitungen an.

FÜR 3 PERSONEN

150 g Quinoa

1 TL gekörnte Gemüsebrühe oder ½ Brühwürfel

4 Frühlingszwiebeln

1 Knoblauchzehe

Kokosöl

2 TL Senfsamen (ich verwende schwarze)

2 Karotten

1 Süßkartoffel

100 g Kokoscreme

1 TL gemahlene Kurkuma

200 g Kichererbsen aus der Dose (½ Dose) oder 250 g gegarte Kichererbsen (siehe Seite 241 bis 245)

400 g Mangold oder Frühkohl

1 Spritzer Zitronensaft

• Den Wasserkocher füllen und einschalten. Sämtliche Zutaten und Arbeitsutensilien bereitlegen.

• Die Quinoa in einem Messbecher oder einem anderen Gefäß abmessen (merken Sie sich die Stelle, bis zu der sie reicht), kurz kalt abspülen und in einen großen Topf geben. Die doppelte Menge kochendes Wasser abmessen und über die Quinoa in den Topf gießen. Die gekörnte Brühe oder den Brühwürfel dazugeben, bei hoher Temperatur zum Kochen bringen und zugedeckt 10 bis 12 Minuten köcheln lassen, bis die Quinoa das Wasser fast vollständig aufgenommen hat und die kleinen gewellten Kerne aus der Samenhülle hervortreten.

• Inzwischen die Frühlingszwiebeln in dünne Röllchen schneiden. Den Knoblauch schälen und in feine Scheiben schneiden. Etwas Kokosöl in einem Topf bei mittlerer Temperatur erhitzen und die Frühlingszwiebeln einige Minuten darin andünsten. Knoblauch und Senfsamen zugeben und mitdünsten, bis die Samen zu platzen beginnen.

• Die Karotten schälen, längs halbieren und in dünne Scheiben schneiden, mit der Süßkartoffel ebenso verfahren. Wichtig ist, dass die Scheiben wirklich dünn sind, damit das Gemüse schnell gar wird. Karotten- und Süßkartoffelscheiben zu den Frühlingszwiebeln in den Topf geben, nach 1 Minute die Kokoscreme, die Kurkuma, die abgetropften Kichererbsen und 400 ml kochendes Wasser hinzufügen und mit einer kräftigen Prise Salz würzen. Zum Kochen bringen und 5 Minuten garen, bis die Süßkartoffel weich ist.

• Ab und zu nach der Quinoa schauen – sie sollte mittlerweile sämtliches Wasser aufgenommen haben und aufgequollen sein. Ist sie so weit, den Herd ausschalten und zugedeckt stehen lassen.

• Nun noch die Mangold- oder Kohlblätter ablösen und in feine Streifen schneiden, die Stiele ebenfalls klein schneiden. In einer Pfanne ganz wenig Kokosöl erhitzen und die klein geschnittenen Stiele 1 Minute andünsten. Die Blätter zugeben und zusammenfallen lassen – das dauert 2 bis 3 Minuten.

• Sobald die Süßkartoffel gar ist, die Quinoa unterrühren. Das Ganze auf Schüsseln verteilen, mit dem Mangold oder Kohl garnieren und mit einem Spritzer Zitronensaft abrunden.

Quesadillas mit Röstpaprika und weißen Bohnen

10 MINUTEN

Wie viele mexikanische Gerichte gelten Quesadillas als käselastiges, ungesundes Essen für Faule. Sie sind in der Tat im Handumdrehen fertig, und wenn man sie nicht nur mit Käse füllt, werden sie sogar zu einem vollwertigen und richtig köstlichen Genuss.

Hier habe ich mich von der klassischen mexikanischen Quesadilla entfernt und ein paar spanische Elemente ins Spiel gebracht. Geröstete Paprikaschoten, geräuchertes Paprikapulver und weiße Bohnen, sie erinnern mich an Sommertrips nach Barcelona – und die können ja gar nicht schlecht sein!

Veganer lassen den Käse einfach weg und verdoppeln dafür den Anteil der Bohnen, die alles zusammenhalten; eventuell mag es der eine oder andere auch etwas kräftiger gewürzt. Ich mache diese Quesadillas meist zum Mittagessen, sie sind jedoch sättigend genug, um auch als Hauptmahlzeit zu bestehen, etwa mit einem grünen Salat mit Sherryessig.

Wer Quesadillas für eine Party plant, wie ich es oft mache, kann problemlos gleich eine größere Menge der Füllung zubereiten. Die gefüllten Quesadillas lassen sich bis zum Braten gestapelt im Kühlschrank aufbewahren.

FÜR 2 PERSONEN (ERGIBT 1 GUT GEFÜLLTE QUESADILLA)

2 Frühlingszwiebeln
Olivenöl
½ TL geräuchertes Paprikapulver
50 g gegarte weiße Bohnen
100 g geröstete rote Paprikaschoten aus dem Glas
1 unbehandelte Zitrone
½ Bund Petersilie
50 g Manchego (vegane Alternative siehe Text oben)
2 Vollkorn- oder Körner-Tortilla-Wraps
1 Handvoll Kirschtomaten

- Sämtliche Zutaten bereitlegen.

- Die Frühlingszwiebeln in feine Röllchen schneiden. Eine Pfanne bei mittlerer Temperatur erhitzen. Etwas Olivenöl, die Frühlingszwiebeln und den geräucherten Paprika hineingeben und einige Minuten dünsten, bis die Mischung allmählich Farbe zu nehmen beginnt.

- Inzwischen die weißen Bohnen in einer Schüssel mit einer Gabel zerdrücken. Die abgetropften roten Paprikaschoten grob hacken und die Hälfte unter die Bohnen mengen. Die Zitronenschale in das Gemüse reiben, die Petersilie grob hacken und die Hälfte dazugeben. Den Manchego hineinreiben und die gebräunten Frühlingszwiebeln untermengen.

- Die erste Tortilla auf die Arbeitsfläche legen, etwas Füllung daraufgeben und gleichmäßig verteilen. Mit der zweiten Tortilla bedecken. Eine Pfanne erhitzen, die Quesadilla einlegen und auf jeder Seite einige Minuten braten – ich mache das ohne Fett, wer die Quesadillas gern knusprig mag, gibt etwas Öl dazu. Wenn Ihnen das freihändige Wenden zu heikel ist, nehmen Sie einfach einen Teller zu Hilfe.

• Während die Quesadilla gart, für die Salsa die Tomaten grob würfeln, mit den übrigen Paprikaschoten und der Petersilie vermengen und den Saft von einer halben Zitrone hineinpressen.

• Die fertig gebratene Quesadilla aus der Pfanne heben und in sechs Stücke schneiden. In die Tischmitte stellen und die Salsa zum Darüberlöffeln dazureichen.

Erbsen-Kokos-Suppe

15 MINUTEN

Wenn ich hungrig und ungeduldig bin und nichts im Kühlschrank habe, schafft diese simple Suppe Abhilfe.

Für eine richtige Hochgeschwindigkeitssuppe ist die Wahl des richtigen Topfes wichtig. In einem kleinen, hohen Topf braucht Suppe ewig, bis sie kocht, daher empfehle ich einen mit ausreichend großer Grundfläche. Gusseisen ist ideal, da es die Hitze gut und gleichmäßig verteilt und selbst die sprudelnd kochende Suppe nicht so leicht ansetzt. Natürlich können Sie nehmen, was immer Sie haben, doch ist ein hoher Topf mit dickem Boden in jedem Fall eine lohnende Anschaffung.

Wer gerade keine Frühlingszwiebeln hat, kann zu einer gewöhnlichen Zwiebel greifen, sie benötigt vielleicht beim Andünsten etwas länger.

FÜR 4 BIS 6 PERSONEN

1 Bund Frühlingszwiebeln
1 TL Kokosöl
1 kg Erbsen (TK)
1 Dose Kokosmilch (400 ml)
1 EL gekörnte Gemüsebrühe oder ½ Brühwürfel
1 Bund Basilikum oder Koriandergrün (oder eine Mischung aus beidem)
1 Zitrone

ZUM SERVIEREN
natives Olivenöl extra

• Den Wasserkocher füllen und einschalten. Sämtliche Zutaten und Arbeitsutensilien bereitlegen. Einen großen Suppentopf mit Deckel bei mittlerer Temperatur erhitzen.

• Die Frühlingszwiebeln sehr fein hacken, mit dem Kokosöl in den Topf geben und bei hoher Temperatur 2 Minuten dünsten, bis sie weich sind.

• Die Erbsen, die Kokosmilch, die gekörnte Brühe oder den Brühwürfel sowie 750 ml kochendes Wasser zugeben, zugedeckt zum Kochen bringen und 2 bis 3 Minuten bei hoher Temperatur kochen.

• Die Suppe vom Herd nehmen, den Großteil der Kräuter – samt Stielen – und den Zitronensaft hineingeben. Alle Zutaten mit dem Stabmixer sorgfältig pürieren, bis die Suppe cremig ist.

• Die Suppe auf Schüsseln verteilen, mit den restlichen Kräutern und ein paar Tropfen Olivenöl abrunden und servieren.

Aufgießsuppe

10 MINUTEN

Dies ist schnelle Küche in Bestform. Klein geschnittenes Gemüse, feine Fadennudeln und jede Menge Würziges verwandeln sich in ein Süppchen, das praktisch fertig ist, sobald das Wasser kocht. Das Garen erledigt ein heißer Schwall aus dem Wasserkocher, also keine Töpfe, nur ein paar Schalen und ein bisschen Schnippeln und Hacken.

Sie können zur Abwechslung das Gemüse nach eigenem Gusto mischen und kombinieren, aber es sollten Sorten sein, die keine langen Garzeiten benötigen – Blattgemüse, dünn geschnittene Karotten, geriebener Kürbis oder in Scheiben geschnittene Champignons sind allesamt bestens geeignet.

Eine gesunde Mahlzeit, ideal für die Mittagspause. Einfach im Kühlschrank aufbewahren und im Büro mit kochendem Wasser aufgießen.

FÜR 1 PERSON

50 g dünne Reis-Vermicelli (ich verwende braune) oder Fadennudeln

1 kleines Stück frischer Ingwer

1 EL Kokoscreme

1 gehäufter EL weiße Misopaste

1 Schuss Sesamöl

1 EL Sojasauce oder Tamari

1 Sternanis

1 Frühlingszwiebel

1 rote Chilischote

1 kleine Handvoll grünes Blatt-gemüse

½ Zucchini

1 kleine Handvoll Zuckerschoten

ZUM SERVIEREN

einige Stängel Basilikum oder Koriandergrün

1 EL geröstete Sesamsamen

• Den Wasserkocher füllen und einschalten, sämtliche Zutaten bereitlegen. Sie benötigen zwei hitzebeständige Schüsseln mit einem Teller zum Zudecken.

• Sobald das Wasser kocht, die Vermicelli in eine der Schüsseln legen und mit kochendem Wasser bedecken. Zugedeckt ziehen lassen.

• Den Ingwer schälen und in die andere Schüssel reiben. Kokoscreme, Misopaste, Sesamöl, Sojasauce oder Tamari und den Sternanis zugeben. Die Frühlingszwiebel und die Chili in ganz feine Röllchen bzw. Ringe schneiden und den größten Teil in die Schüssel geben. Das Blattgemüse in Streifen, die Zucchini in dünne Scheiben und die Zuckerschoten in Stücke schneiden. Alles in die Schüssel geben.

• Die Nudeln nach 3 Minuten abtropfen und unter das Gemüse mengen. Wird die Suppe später gegessen, sämtliche Zutaten in ein Glas mit Schraub-verschluss schichten und zur gegebenen Zeit fertigstellen. Wenn es so weit ist, wieder Wasser zum Kochen bringen, die Mischung damit übergießen, sodass sie eben bedeckt ist, und gründlich durchrühren.

• Die Suppe mit den übrigen Chiliringen und den restlichen Frühlings-zwiebelröllchen, etwas Basilikum oder Koriandergrün und gerösteten Sesamsamen garnieren und servieren.

Büro-Salate

①	②	③
ETWAS HERZHAFTES ALS BASIS	**EIN ODER ZWEI GEMÜSE DAZU**	**EIN PAAR BLÄTTER**
↓	↓	↓
QUINOA	AVOCADO	RUCOLA
/	/	/
PERLGRAUPEN	KAROTTE	SPINAT
/	/	/
CANNELLINI-BOHNEN	ZUCKERSCHOTEN	ROMANASALAT
/	/	/
BRAUNER REIS	ROHER MAIS	GRÜNES BLATTGEMÜSE
/	/	/
HIRSE	TOMATEN	GRÜNKOHL
/	/	/
KLEIN GEZUPFTES ROGGENBROT	GERÖSTETES WURZELGEMÜSE	ERBSENSPROSSEN

BEISPIEL

Mittagessen am Schreibtisch oder unterwegs kann ziemlich fade und eintönig sein. Mit diesen schnellen Salaten nach dem Baukastenprinzip wird das von nun an anders. Getreide, Körner oder Hülsenfrüchte sorgen für die sättigende Grundlage und ganz nebenbei noch für die nötige Stabilität, sodass der Transport problemlos ist.

Wählen Sie einfach aus jeder Spalte ein Element aus und stapeln Sie Schicht für Schicht, beginnend mit den schwereren Zutaten (Getreide, Körner etc.) hin zu den leichteren (Blätter, Sprossen) in ein großes Glas oder eine Tupper-Dose.

Fehlt noch ein Dressing, das Sie in einem Marmeladenglas oder in einer kleinen, mit Frischhaltefolie ausgelegten Schüssel anrühren. Anschließend die Ecken der Folie zusammenführen und verknoten – fertig ist der Dressingportionsbeutel. Ich mische gern eine der Aromaoptionen mit 1 Esslöffel Olivenöl und 1 kräftigen Spritzer Zitronensaft. Ein Dressing erhöht den Nährwert des Salates, da das Öl bestimmte Inhaltsstoffe für den Körper erst verwertbar macht.

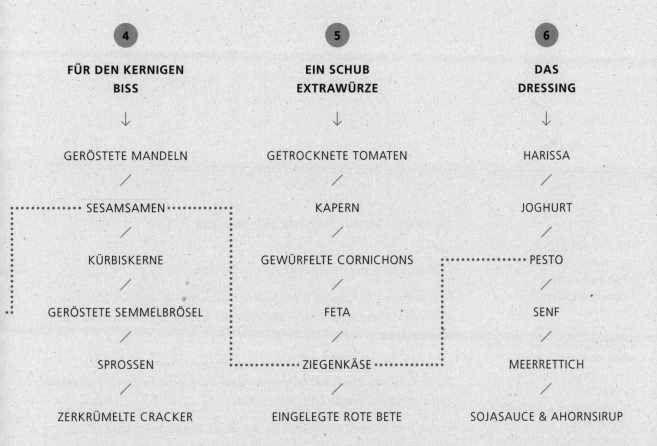

4

**FÜR DEN KERNIGEN
BISS**

↓

GERÖSTETE MANDELN

/

SESAMSAMEN

/

KÜRBISKERNE

/

GERÖSTETE SEMMELBRÖSEL

/

SPROSSEN

/

ZERKRÜMELTE CRACKER

5

**EIN SCHUB
EXTRAWÜRZE**

↓

GETROCKNETE TOMATEN

/

KAPERN

/

GEWÜRFELTE CORNICHONS

/

FETA

/

ZIEGENKÄSE

/

EINGELEGTE ROTE BETE

6

**DAS
DRESSING**

↓

HARISSA

/

JOGHURT

/

PESTO

/

SENF

/

MEERRETTICH

/

SOJASAUCE & AHORNSIRUP

Lieblingssandwiches

10 MINUTEN

Sandwiches sind unschlagbar. Sie sind ruckzuck gemacht, meistens ziemlich günstig und solange man gutes Brot verwendet und ein bisschen Gemüse hineinpackt, sind sie durchaus auch nahrhaft und gesund.

Jeder hat sein Lieblingssandwich, diese beiden gibt es in meiner Küche am häufigsten. Sie erfordern volle fünf Minuten Arbeit, aber für das bisschen Extrazeit werden Sie reich belohnt. Die Zutatenmengen sind für ein Sandwich bemessen, lassen sich aber problemlos ausbauen. Besonders gut schmecken beide Kandidaten auch mit Roggenbrot.

GRÜNKOHL, HONIGKAROTTEN UND HUMMUS

FÜR 1 SANDWICH

1 Handvoll Grünkohl
2 getrocknete Tomaten
Zitronensaft
natives Olivenöl extra
Meersalz und frisch gemahlener schwarzer Pfeffer
1 kleine Karotte
etwas Honig
2 Scheiben gutes Sauerteigbrot
1 EL Hummus
1 Handvoll Blattsalat, in Streifen geschnitten (ich nehme Romanasalatherzen)

• Sämtliche Zutaten bereitlegen.

• Den Grünkohl mit den getrockneten Tomaten, 1 Spritzer Zitronensaft, 1 Esslöffel Olivenöl sowie je einer Prise Salz und Pfeffer im Mixer zu einem Mus pürieren.

• Als Nächstes die Karotte schälen und in feine Scheiben schneiden. Mit dem Honig, etwas Olivenöl sowie Salz und Pfeffer in einen Topf geben und kurz garen, bis sie eben weich sind.

• Das Brot toasten, 1 Scheibe dick mit dem Grünkohlmus bestreichen, die andere mit Hummus. Die Hummus-Scheibe mit den Karotten und den Salatscheiben belegen und das Sandwich zusammenklappen.

FÜR 1 SANDWICH
(UND 1 KLEINES GLAS PESTO)

SALBEI-ZITRONEN-PESTO, PECORINO & HONIG

FÜR DAS SCHNELLE SALBEIPESTO

100 g rohe Mandelkerne
(möglichst eingeweicht)

abgeriebene Schale von 1 unbehandelten Zitrone und Saft von ½ Frucht

2 Zweige Salbei

1 Prise Meersalz

2 EL natives Olivenöl extra

frisch gemahlener schwarzer Pfeffer

2 Scheiben Mehrkorn- oder
Sauerteigbrot

50 g Pecorino in dünnen Scheiben
(laktosefrei)

1 TL dicker Honig

natives Olivenöl extra

• Sämtliche Zutaten bereitlegen.

• Mit dem Salbeipesto beginnen. Sämtliche Zutaten im Mixer zu einem stückigen Pesto pürieren und gegebenenfalls mit weiterem Salz und etwas Pfeffer abschmecken.

• Eine Pfanne bei mittlerer Temperatur erhitzen. Eine Scheibe Brot dick mit dem Pesto bestreichen und mit dem Pecorino belegen. Die andere Scheibe mit Honig bestreichen und das Sandwich zusammenklappen. Von beiden Seiten mit Olivenöl beträufeln und in der Pfanne goldbraun rösten und, falls nötig, mit einem Spatel leicht andrücken.

• Das goldbraun getoastete Sandwich in zwei Hälften schneiden und genießen.

Fladenbrot mit Avocado, Tahini & Olivenpüree

10 MINUTEN

Was ich auch zubereite, ich versuche Avocados hineinzuschmuggeln. Ich liebe diesen buttrig-cremigen Schmelz. In den vergangenen fünf Jahren hat sich der Avocadotoast wohl auf jede Frühstücks- und Lunch-Karte des Landes gedrängelt. Ich bin praktisch mit Avocado auf Toast aufgewachsen, zweifellos war es meine Mutter, die mir mein Faible für Avos in die Wiege gelegt hat.

Da ist es vielleicht an der Zeit, für ein bisschen frischen Wind in Sachen Avocado zu sorgen, dabei natürlich ihre bewährten Stärken als unkomplizierter Genuss zu nutzen, aber neu zu variieren durch den Einsatz ungewohnter Partner. Hier zerdrücke ich sie mit Tahini, Oliven und Zitronensaft zu einem meiner neuen Lieblingslunches.

Dieser Dip schmeckt genauso gut auf Toast. Ich verdopple gern die Mengen und serviere ihn mit selbstgemachten Tortilla-Chips, ein toller Snack für eine größere Runde.

FÜR 2 PERSONEN ALS LUNCH ODER FÜR 4 PERSONEN ALS SNACK

2 reife Avocados
Meersalz und frisch gemahlener Pfeffer
½ Zitrone
1 Clementine oder ½ Orange
2 EL Tahini
2 Handvoll Kalamata-Oliven
½ kleine Knoblauchzehe

ZUM SERVIEREN
4 Fladenbrote oder Tortillas
Chiliflocken
geröstete Kreuzkümmelsamen
frische Kräuter (ich nehme Dill, Basilikum oder Petersilie)
Feta (nach Belieben)

- Sämtliche Zutaten bereitlegen.

- Die Avocados halbieren und entsteinen. Das Fruchtfleisch auslösen, in eine Schüssel geben und mit je einer kräftigen Prise Salz und Pfeffer würzen. Den Zitronensaft und den Clementinen- oder Orangensaft darüber auspressen. Das Tahini zugeben und alles zu einer groben, teilweise noch stückigen Masse zerdrücken.

- Die Oliven entsteinen, grob hacken und dazugeben. Den Knoblauch ganz fein hacken oder reiben, ebenfalls hinzufügen und alles behutsam miteinander vermengen.

- Die Fladenbrote oder Tortillas in einer Pfanne oder über der offenen Gasflamme aufbacken; sobald sie von einer Seite leicht gebräunt sind, mit einer Küchenzange umdrehen. Über einer offenen Flamme dauert das nur ein paar Sekunden, in der Pfanne 30 Sekunden bis 1 Minute.

- Die Fladenbrote oder Tortillas vierteln und etwas Avocado-Dip daraufhäufen. Mit Chiliflocken, gerösteten Kreuzkümmelsamen und ein paar Kräuterblättchen bestreuen. Wer möchte, kann noch etwas Feta darüberbröseln.

Kalte Avocadosuppe mit Gurke und Fenchel

10–15 MINUTEN

Einfacher geht's wirklich nicht, diese Suppe zählt zu den schnellsten Gerichten in meinem Repertoire. Ich esse sie gern an heißen Tagen oder wenn ich Lust auf etwas Erfrischendes und Leichtes habe. Dabei plädiere ich dafür, dass man sich diese Art von frischen Genüssen auch im Winter nicht versagen sollte. Ich wurde schon im Januar nach der weihnachtlichen Völlerei vor dem Kamin mit einer Schüssel dieser kalten Suppe gesichtet.

Ich verwende hier Avocadoöl. Wer keines hat, kann es durch natives Olivenöl extra ersetzen, doch lohnt sein herrlich buttriges Aroma wirklich danach zu suchen. Man kann es anstelle von Olivenöl zum Abrunden von Suppen oder für Dressings verwenden.

FÜR 2 PERSONEN ALS HAUPTGERICHT ODER FÜR 4 ALS VORSPEISE

1 reife Avocado
1 Salatgurke
½ große Fenchelknolle
2 EL griechischer Joghurt oder Kokosjoghurt
Saft von ½ Zitrone
1 Handvoll Eiswürfel
Meersalz und frisch gemahlener schwarzer Pfeffer
einige Dillspitzen
einige Basilikumblättchen
½ grüne Chilischote
1 Handvoll geröstete Kürbiskerne
natives Olivenöl extra oder Avocadoöl

- Sämtliche Zutaten bereitlegen.

- Die Avocado entsteinen, das Fruchtfleisch auslösen und in den Becheraufsatz des Mixers geben. Die Gurke und den Fenchel grob würfeln und ebenfalls hineingeben. Joghurt, Zitronensaft, Eiswürfel und je eine kräftige Prise Salz und Pfeffer hinzufügen. Alles auf hoher Stufe pürieren, bis eine glatte hellgrüne Suppe entstanden ist. Die Suppe eventuell mit weiterem Zitronensaft oder Salz abschmecken – sie sollte von dezentem, erfrischendem Aroma mit einer unterschwelligen Zitrusnote sein.

- Die Suppe auf Schüsseln verteilen und mit Dillspitzen, kleinen Basilikumblättchen, gehackter Chili, einigen Kürbiskernen und einem anständigen Schuss Olivenöl garnieren. An ganz heißen Tagen dürfen Sie noch ein paar Eiswürfel hineingeben.

Fertig in
zwanzig
Minuten

Alltagstaugliches Essen und Gemüse in allen Regenbogenfarben, wenn Sie mal einen Augenblick mehr Zeit haben. Dabei geht es herzhaft zur Sache: Üppige Salate, Kartoffelpuffer und Hausmacherbohnen, blitzschnelle Asia-Nudeln, Regenbogen-Bowls, gefüllt mit allem, was gut und gesund ist, schnelle Eintöpfe, farbenfrohe Nachos, würzige Zitronenzucchini und ein schneller Quinoa-Risotto.

Frühsommerlicher Gemüsesalat mit Green-Goddess-Sauce

20 MINUTEN

Kokosnüsse und Avocados sind zwei meiner Lieblingszutaten, und glücklicherweise vertragen sie sich prächtig. Hier verbünden sie sich zu einem fabelhaften Salat, der ebenso frisch und belebend wie sättigend ist. Die Sauce ist von dem berühmten »Green-Goddess«-Dressing inspiriert, das ich in San Francisco, wo ich aufgewachsen bin, so gern aß. Meine Version bringt etwas Kokosmilch und einen Tick Reisessig und Sojasauce ins Spiel.

Nehmen Sie voll ausgereifte Avocados, dieser Salat ist eine Liebeserklärung an ihren cremigen Schmelz und ihr Aroma. Falls es keinen grünen Spargel gibt, greife ich zu violettem langstieligem Brokkoli. Und wenn der Hunger ganz besonders groß ist, sorgen kalte Buchweizennudeln, Quinoa oder brauner Reis auf meinem Teller für Abhilfe.

FÜR 4 PERSONEN

1 Bund grüner Spargel
Olivenöl
400 g Zuckerschoten
300 g Edamame-Bohnen
300 g junger Spinat
1 reife Avocado
50 g geröstete weiße oder schwarze Sesamsamen

FÜR DAS DRESSING

½ reife Avocado
4 EL Kokosmilch
etwas flüssiger Honig oder Agavensirup
1 grüne Chilischote
1 kleines Bund Basilikum
1 kleines Bund Koriandergrün
2 EL Tamari oder helle Sojasauce
4 EL Reisessig

• Den Wasserkocher füllen und einschalten. Sämtliche Zutaten und Arbeitsutensilien bereitlegen.

• Eine Pfanne bei hoher Temperatur erhitzen. Den Spargel in 1 cm dicke Scheiben schneiden, die Spitzen ganz lassen. Etwas Öl in die Pfanne träufeln und den Spargel darin einige Minuten andünsten, damit sich der Rohgeschmack verflüchtigt. Vom Herd nehmen.

• Die Zuckerschoten in eine Schüssel legen (ich halbiere sie längs, man kann sie aber auch ganz lassen). Die Edamame-Bohnen hinzufügen, mit kochendem Wasser bedecken und beiseitestellen.

• Nun zum Dressing. Das Fruchtfleisch der halben Avocado in den Mixer geben (oder in eine Schüssel und mit dem Stabmixer arbeiten). Kokosmilch, Honig oder Agavensirup, Chili, jeweils die Hälfte von Basilikum und Koriandergrün (samt Stielen) sowie die Sojasauce und den Essig hinzugeben und pürieren, bis eine glatte, leuchtend grüne sämige Sauce entstanden ist. Falls nötig, mit mehr Sojasauce, Essig oder Honig abschmecken.

• Den Spinat in eine Schale geben. Zuckerschoten und Edamame sorgfältig abtropfen und zusammen mit dem Spargel hinzufügen. Die Avocado halbieren und entsteinen. Nun das Fruchtfleisch beider Hälften mit einem Messer mehrmals kreuzweise bis zur Schale einschneiden. Die entstandenen Würfel mit einem Löffel herauslösen und in die Schale geben. Den Salat mit dem Dressing übergießen und mit den restlichen Kräutern und Sesamsamen bestreuen.

Weiße Bohnen mit Fenchel, Zitrone und Tomaten

20 MINUTEN

Beim Griechen um die Ecke gibt es Gigantes zum Mitnehmen – Riesenbohnen in Tomatensauce, Dill und reichlich Olivenöl. Und wenn ich zu faul zum Kochen bin, esse ich mich daran satt, dazu genieße ich Fladenbrot. Und so mache ich sie selbst, eher als eine Art schneller Eintopf mit Zitrone, gebräuntem Fenchel und ein paar Fenchelsamen – der Ouzo-Geschmack lässt grüßen. Ich gebe nicht so viel Öl hinzu wie die Griechen, wer es etwas gehaltvoller mag, darf zum Schluss einen großzügigen Schluck darübergeben. Dazu serviere ich Feta, warmes Fladenbrot und Blattsalat.

FÜR 4 PERSONEN

1 große Fenchelknolle
Olivenöl
1 kleines Bund Frühlingszwiebeln
2 Knoblauchzehen
200 g Kirschtomaten
1 Zitrone
½ TL Fenchelsamen
1 EL getrockneter Oregano oder
1 kleine Handvoll frisch gehackter
Oregano
1 Prise getrocknete Chiliflocken
1 EL flüssiger Honig
1 EL Rotweinessig
2 Dosen weiße Bohnen (à 400 g)
oder 250 g getrocknete weiße
Bohnen, gegart (siehe Seite 241
bis 245)
1 kleines Bund Dill

• Vom Fenchel die harten äußeren Blätter entfernen und die Knolle längs durch den Strunk in 1 cm dicke Scheiben schneiden.

• Eine große schwere Pfanne bei mittlerer bis hoher Temperatur vorheizen und 1 kräftigen Schuss Olivenöl hineingeben. Sobald die Pfanne heiß ist und das Öl Bläschen bildet, die Fenchelscheiben einlegen, gleichmäßig in der Pfanne verteilen und etwa 2 Minuten braten, bis sie gebräunt sind. Wenden und von der anderen Seite 2 Minuten bräunen. Inzwischen die Frühlingszwiebeln und den Knoblauch hacken. Wenn der Fenchel gebräunt ist, Frühlingszwiebeln und Knoblauch hinzugeben und einige Minuten unter Rühren garen.

• Die Tomaten würfeln, die Zitrone in Spalten schneiden. Beides samt Fenchelsamen, Oregano, Chiliflocken, Honig und Essig in die Pfanne geben und die Flüssigkeit etwa 1 Minute einkochen lassen. Anschließend die Bohnen und 100 ml Wasser hinzufügen und alles 5 Minuten erhitzen.

• Den Dill hacken und über das Gemüse streuen. Nach Wunsch mit einem anständigen Schuss Olivenöl abrunden.

Süßkartoffelpuffer mit Bohnen

20 MINUTEN

Nichts Aufregendes hier, nur eine schnelle Mahlzeit, die auch als Brunch eine gute Figur macht. Wer mag, kann noch ein Spiegelei obendrauf legen.

Wer vegan lebt oder keine Eier isst, kann zum Binden der Puffer anstelle der Eier 2 Esslöffel Chiasamen mit 6 Esslöffeln Wasser verrühren.

FÜR 2 PERSONEN

1 Schalotte oder ½ rote Zwiebel
etwas Olivenöl
2 Süßkartoffeln (etwa 500 g)
Meersalz und frisch gemahlener
schwarzer Pfeffer
½ TL Kreuzkümmelsamen
2 Freiland- oder Bio-Eier
½ TL geräuchertes Paprikapulver
100 g Kirschtomaten
1 Dose Cannellini-Bohnen (400 g)
1 Schuss Balsamico-Essig
einige Zweige frischer Thymian

- Die Schalotte oder Zwiebel schälen, fein hacken und in einer heißen Pfanne in etwas Öl 4 bis 5 Minuten bräunen.

- Inzwischen die Süßkartoffeln in eine große Schüssel raspeln und kräftig salzen und pfeffern. Die Kreuzkümmelsamen und die Eier dazugeben und alles sorgfältig vermengen.

- Sobald die Zwiebeln braun zu werden beginnen, das geräucherte Paprikapulver hinzufügen und 1 weitere Minute anbraten. Die Tomaten grob würfeln und dazugeben, dann die abgetropften Bohnen und 1 Spritzer Balsamico hinzufügen sowie die abgezupften Thymianblätter. Kräftig salzen und pfeffern und 5 Minuten garen, bis die Sauce eingedickt ist und die Tomaten zerfallen sind.

- In einer großen Pfanne etwas Öl erhitzen. Die Süßkartoffelmasse in vier etwa gleich große Portionen teilen und mit den Händen zu Puffern formen. Vorsichtig in die Pfanne legen und bei niedriger bis mittlerer Temperatur 4 bis 6 Minuten braten, bis die Unterseite goldbraun ist. Mit einem Pfannenwender umdrehen und weitere 4 bis 6 Minuten braten. Dabei sanft andrücken, damit sie besser zusammenhalten.

- Die Süßkartoffelpuffer mit den Bohnen und – wer möchte – einem Spiegelei oder Blattsalat servieren.

Reissalat mit Grünkohl und Sumach

25 MINUTEN

Dieser fantastische Salat ist einem Salat abgeguckt, den ich mal in einem Café in Los Angeles gegessen habe. Das *Sqirl* ist einer dieser Läden, in denen man sich quer durch die Karte essen möchte, von den Drinks wollen wir gar nicht erst anfangen. Auf meiner letzten Reise nach L.A. war ich dort fünfmal, nicht schlecht für jemanden, der keine Routine mag. Dies ist eine Spielart meines Lieblingsgerichts auf der Karte. Sie besticht durch raffinierte Aromen wie Sumach und Limette, während Grünkohl und Reis für Substanz und Struktur sorgen.

Der Reis wird gleich dreifach gegart, was ziemlich verrückt klingt, aber für angenehm kernigen Biss sorgt. Übrigens lassen sich auch Reisreste dafür verwenden – das erste Garen ist dann schon mal erledigt. Man kann den Salat mit einem pochierten Ei oder mit Schafskäse und Fladenbrot ergänzen, falls der Hunger größer ist.

Denken Sie daran, dass brauner Reis etwa 20 Minuten zum Garen benötigt.

FÜR 4 PERSONEN ALS LEICHTE MAHLZEIT, FÜR 2 ALS HAUPTGERICHT

100 g Basmatireis (ich verwende braunen)
200 g Grünkohl (grün oder violett)
abgeriebene Schale und Saft von 1 unbehandelten Zitrone
Meersalz
3 Frühlingszwiebeln
2 EL Kokosöl
abgeriebene Schale und Saft von 1 unbehandelten Limette
1 EL Sumach (nach Belieben)
2 EL gutes Olivenöl
1 TL flüssiger Honig
frisch gemahlener schwarzer Pfeffer
6 Medjool-Datteln

• Den Wasserkocher füllen und einschalten. Sämtliche Zutaten und eine große Bratpfanne bereitstellen.

• Den Reis in einem kleinen Topf in kochendem Salzwasser garen – das dauert bei weißem Basmatireis 10 bis 15 Minuten.

• Inzwischen den Grünkohl von Stielen und harten Blattrippen befreien, in Streifen schneiden oder von Hand in kleine Stücke zerpflücken und in eine Schüssel geben. Zitronenschale und -saft sowie eine kräftige Prise Salz hinzufügen und alles mit den Händen 1 Minute durchkneten, damit der Kohl etwas weicher wird. Die Frühlingszwiebeln fein hacken und dazugeben.

• Den Reis, sobald er gar ist, sorgfältig abtropfen. Eine große Pfanne stark erhitzen. Wenn sie heiß ist, den Reis hineingeben – ohne Fett – und einige Minuten braten, damit die Restflüssigkeit verdampft.

• Den Reis aus der Pfanne schütten. Die Pfanne wieder auf den Herd stellen und den Reis in zwei Portionen in jeweils der Hälfte des Kokosöls erneut braten, bis er leicht gebräunt und knusprig ist. Auf Küchenpapier abtropfen und leicht salzen.

- Nun zum Dressing. Limettenschale und -saft mit dem Sumach, falls verwendet, 2 Esslöffeln Olivenöl, dem Honig und je einer Prise Salz und Pfeffer in ein Glas mit Schraubverschluss geben, fest verschließen und kräftig schütteln, bis alles gleichmäßig vermengt ist.

- Die Datteln entsteinen, grob hacken und unter den Kohl mengen. Den fast abgekühlten Reis dazugeben und mit dem Dressing übergießen. Sorgfältig durchheben und servieren.

Bun Cha mit Zitronengras, Erdnüssen und Kräutern

20 MINUTEN

Wer im Osten Londons wohnt, kann sich den Verlockungen der zahllosen, teils ausgezeichneten vietnamesischen Restaurants, die die Straßen von Hackney säumen, kaum entziehen. Außerhalb der Stadt ist es eher schwierig, die frische, farbenfrohe Küche zu finden, die ich so liebe.

Bun Cha ist ein aromatisch duftender, delikater Reisnudelsalat. Ich habe mir das Original aus Hanoi vorgenommen und daraus meine eigene, mit Chilis frisierte Tofu-Version gemacht, halb Nudeln, halb Salat, aber durch und durch Geschmack. Ich gönne sie mir, wenn es heiß ist oder ich etwas Reines und Reinigendes brauche. Hier tummelt sich das ganze Aufgebot meiner liebsten Zutaten in derselben Schüssel – knackiger Tofu, buntes frisches Gemüse, natürlich Avocados und aromatische Kräuter.

Wer sie bekommt, kann dieses Bun Cha mit asiatischen Kräutern wie Thai-Basilikum, Minze, Koriandergrün und Pasilla-Chili in die nächste Liga katapultieren, ich habe es mit Minze und Koriandergrün eher einfach gehalten.

FÜR 2 PERSONEN

FÜR DEN TOFU
200 g fester Tofu
1 rote Chilischote
1 Knoblauchzehe
½ Stängel Zitronengras
1 EL Sojasauce oder Tamari
1 Limette
1 EL Erdnussbutter
Kokosöl

FÜR NUDELN UND GEMÜSE
125 g Reis-Vermicelli (Fadennudeln)
½ Eisbergsalat
1 große Karotte
½ Salatgurke
2 Frühlingszwiebeln
½ reife Avocado
1 kleines Bund Koriandergrün
50 g ungesalzene Erdnusskerne
1 kleines Bund Minze oder andere Kräuter (siehe Text oben)

FÜR DAS DRESSING
2 TL flüssiger Honig oder Ahornsirup
1 EL Sojasauce oder Tamari
Saft von 2 Limetten

• Zuerst den Tofu in 0,5 cm dicke Scheiben schneiden und in eine Schüssel legen. Die Chilischote, den Knoblauch und das Zitronengras fein hacken. Die Hälfte von Chili und Knoblauch beiseitelegen, den Rest mit dem Zitronengras zum Tofu in die Schüssel geben. Die Sojasauce und den Saft einer halben Limette hinzufügen und beiseitestellen.

• Den Saft der anderen Limettenhälfte mit der Erdnussbutter und einem Schuss Wasser verrühren und beiseitestellen.

• Die Vermicelli in einer Schüssel mit kochendem Wasser bedecken und 3 Minuten ziehen lassen oder nach der Packungsanleitung vorgehen.

• Nun das Gemüse klein schneiden – Sie können das in der Küchenmaschine oder mit dem Gemüsehobel erledigen, um die Dinge zu beschleunigen. Den Salat in Streifen, die Karotte und die Gurke in Stifte schneiden. Die Frühlingszwiebeln in feine Röllchen, die Avocado in dünne Scheiben schneiden. Das Koriandergrün und die Erdnüsse grob hacken.

• Für das Dressing die beiseitegelegte Chili und den beiseitegelegten Knoblauch mit allen anderen Zutaten verrühren.

- In einer Pfanne etwas Kokosöl erhitzen. Den Tofu abtropfen lassen, die Marinade wird noch benötigt. Sobald die Pfanne heiß ist, den Tofu einlegen und von allen Seiten goldbraun braten. Die Erdnussbuttermischung und die Marinade hinzufügen, kurz durchschwenken und vom Herd nehmen.

- Die abgetropften Vermicelli auf zwei Schalen verteilen und mit dem Gemüse, dem Koriandergrün, den Erdnüssen, der Minze oder anderen Kräuterzweigen belegen. Zuletzt den Tofu samt Marinade darauf anrichten. Das Dressing darübergießen. Am Tisch durchmischen.

Gesunde Genießer-Bowls

Ich gönne mir so eine feine Bowl mindestens einmal pro Woche. Bowls sind schnelle, leichte und unglaublich wandlungsfähige Mahlzeiten, die sich je nach Jahreszeit und Appetit ganz einfach auf herzhaft, leicht oder erfrischend trimmen lassen. Ich habe die einzelnen Bausteine und ein paar Beispiele meiner Favoriten zusammengestellt. Schauen Sie sich die Rezepte für Bunte Gemüse-Bowl mit Halloumi und Harissa (Seite 76) und Avocado-Bohnen-Bowl mit Kochbananen (Seite 68) an, und Sie wissen, wovon ich spreche.

Hier ein paar Zutaten, die ich besonders gern verwende. Einfach aus jeder Spalte etwas auswählen, aus einem Teil Säure (Zitrone/Essig) und zwei Teilen Öl ein Dressing anrühren, fertig ist die leckere und gesunde Bowl.

DIE SÄTTIGENDE BASIS: GETREIDE/HÜLSENFRÜCHTE →	2 BIS 4 SAISONALE GEMÜSE →
Quinoa	Rote-Bete-Scheiben
Hirse	grünes Blattgemüse
Amaranth	gedünstete Karotten
Hülsenfrüchte	gerösteter Butternusskürbis
Perlgraupen	gebratene Kartoffeln
Soba-Nudeln	gebratene Champignons
	geraspelte Karotte
	gerösteter Sellerie
	Tomaten
	gebackener Blumenkohl
	gedämpfter Brokkoli
	blanchierter Grünkohl
	Avocado

EINIGE LIEBLINGS-KOMBINATIONEN

1	Quinoa →	Grünkohl Erbsen Brokkoli →	
2	brauner Reis →	Spinat Karotten Zuckerschoten →	
3	weiße Bohnen →	grünes Blattgemüse Süßkartoffeln Tomaten →	

EIN AROMAKICK	→	EIN TOLLES DRESSING	→	KRÄUTER	→	EIN KLEINES EXTRA OBENDRAUF
gebratene Zwiebeln		Miso		Petersilie		geröstete Nüsse
gedünsteter Lauch		Harissa		Koriandergrün		geröstete Samen
geröstete rote Paprika aus dem Glas		Tahini		frittierter Salbei		Croûtons
		Senf		Minze		Schafskäse
gedünstete Frühlingszwiebeln		Zitrussäfte		Dill		Ziegenkäse
		Pesto		frittierter Thymian		Manchego
angedünsteter Ingwer und Knoblauch		Hummus		frittierter Rosmarin		Parmesan
		Joghurt		Basilikum		zerkrümelte Cracker
eingelegter Rotkohl		Tsatsiki		Rucola		
Sauerkraut		Mango-Chutney				

....

gedünstete Frühlingszwiebeln	→	Harissa Zitrone natives Olivenöl extra	→	Minze Petersilie	→	geröstete Mandeln
Röstzwiebeln	→	Sesamöl Sojasauce Reisessig	→	Koriandergrün	→	geröstete Sesamsamen
geröstete rote Paprika	→	Zitrone Olivenöl geräuchertes Paprikapulver	→	Petersilie	→	getoastetes Sauerteigbrot, zerkrümelt

Avocado-Bohnen-Bowl mit Kochbananen

20–25 MINUTEN

Immer mal wieder bin ich völlig vernarrt in etwas und kann nicht aufhören, es zu essen. Dieses Jahr musste wochenlang die Kochbanane dran glauben. Sie füllt die Gemüseläden in meiner Gegend, und lange griff ich über sie hinweg, um ein paar Süßkartoffeln oder Pastinaken zu bekommen. Nun, das ist vorbei. Meine neue Süßkartoffel heißt Kochbanane; sie lässt sich im Handumdrehen vor- und zubereiten und versüßt mir so manches Essen. Dieses Rezept ist meine Liebeserklärung an die Kochbanane: Ich werde dich nie wieder links liegen lassen – versprochen.

Diese Bowl ist ein Tummelplatz einer ganzen Armada von Aromen – chili-infizierte, rauchige schwarze Bohnen, knusprig-karamellige Kochbanane, cremige Avocado, süßer Lauch und spritzige Limette. Eine geballte Ladung guter, gesunder Geschmack.

Das Rezept funktioniert auch mit braunem Reis anstelle von Quinoa. Ich gebe ihm den Vorzug, wenn das Ergebnis etwas sättigender ausfallen soll, er braucht aber deutlich länger, das sollte man bedenken.

FÜR 4 PERSONEN

200 g Quinoa
1 EL gekörnte Gemüsebrühe oder ½ Brühwürfel
1 grüne Chilischote
1 Dose schwarze Bohnen (400 g)
1 Prise gemahlener Zimt
2 große Stangen Lauch
Kokosöl
2 Handvoll Pilze (etwa 250 g; interessante Sorten)
2 reife Avocados
2 Limetten
2 große Kochbananen

• Den Wasserkocher füllen und einschalten. Sämtliche Zutaten und Arbeitsutensilien bereitlegen.

• Die Quinoa in einem Messbecher oder einem anderen Gefäß abmessen (merken Sie sich die Stelle, bis zu der sie reicht) und in einen Topf geben. Nun die doppelte Menge kochendes Wasser abmessen und über die Quinoa gießen. Die gekörnte Brühe oder den halben Brühwürfel hinzufügen, das Wasser bei hoher Temperatur zum Kochen bringen und 10 bis 12 Minuten köcheln lassen, bis die Quinoa das Wasser fast vollständig aufgenommen hat und das gewellte Korn aus der Samenhülle hervortritt.

• Die Chili hacken. Die schwarzen Bohnen samt Flüssigkeit in einen Topf ausleeren, die Hälfte der gehackten Chili und den Zimt dazugeben und köcheln lassen, bis die Mischung eingedickt und die Flüssigkeit fast vollständig verkocht ist.

• Inzwischen eine große Pfanne bei hoher Temperatur erhitzen. Den Lauch putzen, waschen und in Streifen schneiden. In der Pfanne in etwas Kokosöl 10 Minuten dünsten, bis er weich ist. Die Pilze in mundgerechte Stücke schneiden. Den Lauch, sobald er fertig ist, mit einer Schaumkelle in eine Schüssel geben. Die Pfanne wieder auf den Herd stellen und nun die Pilze darin in etwas Kokosöl knusprig braten. Zu dem Lauch in die Schüssel geben.

• Die Avocados halbieren, den Stein entfernen und das Fruchtfleisch mit der übrigen gehackten Chili und dem Saft einer Limette zerdrücken.

• Die Pfanne wieder auf den Herd stellen. Die Kochbananen schälen, in 1 cm dicke Scheiben schneiden und in der Pfanne braten, bis die Unterseite goldbraun karamellisiert ist. Umdrehen und von der anderen Seite goldbraun braten.

• Die Quinoa abtropfen und auf vier große Schalen verteilen. Lauch und Pilze sowie einige Löffel schwarze Bohnen und die gebratenen Kochbananen darauf anrichten. Mit einem ordentlichen Löffel Chili-Avocado-Püree krönen und mit Limettenspalten zum Auspressen servieren.

Süßkartoffelsuppe mit Limette und Erdnüssen

20–25 MINUTEN

Diese Suppe habe ich zum ersten Mal im Januar gekocht, als die Feiertage hinter uns lagen und ich das winterliche Essen leid war. Ich hatte Appetit auf etwas, das zugleich wärmte, sättigte, erfrischte und belebte. So entstand diese Suppe, von der ich nicht genug kriegen kann. Keine großartige Sache vielleicht, ihr Reiz liegt vielmehr in der überschaubaren Zahl von Zutaten und dem klaren, anregenden und zugleich herzhaften Aroma.

Die Suppe tut ihre Wirkung bereits im Alleingang, doch damit sie richtig rund wird, bereite ich dazu noch ein knuspriges Topping zu, das ich mit Limettenschale und ein paar Erdnüssen vermische, ein effektvolles geschmackliches Extra.

Der Clou ist die Erdnussbutter, sie macht die Suppe wunderbar cremig, sorgt für eine reichliche Portion Proteine und eine vollmundig-herzhafte Note. Kaufen Sie eine hochwertige Erdnussbutter ohne Zusätze wie Palmöl. Ich mache sie selbst und fülle sie in Töpfchen ab, sodass ich einen Monat Ruhe habe – sie schmeckt viel frischer und ist sicher auch nahrhafter, ein Aufwand, der sich auf dem Frühstückstisch und für Saucen und Suppen bezahlt macht. (Mein Nussbutterrezept siehe Seite 226)

FÜR 4 PERSONEN

FÜR DIE SUPPE
2 Stangen Lauch
Kokosöl
1 kg Süßkartoffeln (etwa 4 Stück)
1 daumengroßes Stück Ingwer
1 EL gekörnte Gemüsebrühe oder ½ Brühwürfel
1 EL Sojasauce oder Tamari
1 EL Ahornsirup
1 EL Erdnussbutter
Meersalz

FÜR DAS TOPPING
1 Schalotte
1 daumengroßes Stück Ingwer
Kokosöl
1 Handvoll geröstete ungesalzene Erdnusskerne
2 unbehandelte Limetten

• Den Wasserkocher füllen und einschalten. Sämtliche Zutaten und Arbeitsutensilien bereitlegen.

• Den Lauch putzen, waschen und in feine Streifen schneiden. Etwas Kokosöl in einem großen Topf zerlassen, den Lauch hineinwerfen und bei hoher Temperatur 3 bis 4 Minuten dünsten, bis er weich ist. Ab und zu umrühren.

• Während der Lauch gart, die Süßkartoffeln schälen und in 1 cm große Würfel schneiden. Den Ingwer schälen und reiben. Wenn der Lauch so weit ist, die Süßkartoffeln, den Ingwer und 1,5 Liter kochendes Wasser sowie die Brühe zugeben. Zum Kochen bringen und 10 Minuten garen, bis die Süßkartoffeln weich sind. Bei Bedarf noch etwas Wasser zugeben.

• Inzwischen für das Topping eine Pfanne bei hoher Temperatur erhitzen. Die Schalotte schälen und in feine Streifen schneiden, den Ingwer reiben. Etwas Kokosöl in der heißen Pfanne zerlassen, die Schalotte und den Ingwer hineingeben und knusprig braten. Die Erdnüsse grob hacken und in eine Schüssel geben. Die Schale einer Limette dazureiben.

• Sobald man die Süßkartoffeln am Topfrand zerdrücken kann, ist es so weit. Die Suppe im Topf mit einem Stabmixer pürieren, bis sie ganz glatt und cremig ist. Sojasauce, Ahornsirup, Erdnussbutter und etwas Limettensaft hineingeben und erneut mixen. Bei Bedarf mit mehr Limettensaft, Soja und Ahornsirup abschmecken; eine Prise Meersalz kann ebenfalls nicht schaden. Die Suppe sollte von vollem Aroma sein, mit einer ausgewogenen Balance zwischen der süßlichen Note der Süßkartoffeln und dem nussig-erdigen Geschmack der Erdnussbutter sowie mit einem kräftigen Anklang von Limette und Ingwer.

• Die Suppe in Schalen schöpfen, mit den knusprigen Schalotten und Erdnüssen garnieren und mit Limettenspalten zum Auspressen servieren.

Überbackene Polenta mit Safran

20 MINUTEN

Wohlig wärmende, sonnengelbe Safranpolenta wird hier gleich zweimal gegart – zuerst im Topf gekocht und anschließend unter dem Grill mit Tomaten und Schafskäse goldbraun und knusprig überbacken.

Die Polenta in diesem Rezept ist eher cremig wie ein Kartoffelpüree oder dicker Milchreis, nicht schnittfest, was sie noch delikater und einladender macht.

Ich liebe den nach Sonne duftenden Safran, er hat allerdings seinen Preis. Wer keinen im Regal hat, kann dieses Rezept auch ohne Safran zubereiten oder ihn durch Kräuter wie Thymian oder Oregano ersetzen. Natürlich schmeckt das Gericht anders als mit Safran, doch ist es dennoch lecker.

FÜR 4 PERSONEN

150 g Instant-Polenta
1 kräftige Prise Safranfäden
50 ml Olivenöl
750 ml heiße Gemüsebrühe
Meersalz und frisch gemahlener schwarzer Pfeffer
100 g Spinat
1 kleines Bund Basilikum
250 g Kirschtomaten
100 g Feta (nach Belieben)
1 unbehandelte Zitrone
1 Handvoll Rucola
1 Handvoll geröstete Pinienkerne

- Sämtliche Zutaten bereitlegen und den Grill auf hoher Stufe vorheizen.

- Die Polenta, den Safran und das Olivenöl in eine tiefe ofenfeste Pfanne von 25 cm Durchmesser geben. Bei mittlerer Temperatur nach und nach die Brühe zugießen und dabei beständig schlagen, damit sich keine Klümpchen bilden. In dieser Weise die Polenta unter ständigem Schlagen garen, bis sie Blasen wirft – das dauert 5 bis 6 Minuten. Kräftig salzen und pfeffern.

- Den Spinat in Streifen schneiden und das Basilikum grob hacken. Die Polenta vom Herd nehmen und Spinat und Basilikum unterrühren.

- Die Tomaten auf der Polenta verteilen und kräftig pfeffern (nicht salzen, falls noch der Schafskäse zum Einsatz kommt, sonst wird's zu salzig). Den Feta darüber zerkrümeln, falls verwendet, und die Schale der Zitrone darüberreiben.

- Die Pfanne unter den vorgeheizten Grill schieben und die Polenta 10 bis 12 Minuten überbacken, bis die Tomaten schrumpelig sind und der Feta goldbraun ist. Einige Minuten abkühlen lassen, anschließend mit dem Rucola und den Pinienkernen garnieren und zum Servieren in die Tischmitte stellen, sodass sich jeder selbst bedienen kann.

Winterwurzeln mit Soba-Nudeln und Gemüse-Pickle

20–25 MINUTEN

Soba-Nudeln kommen bei mir jede Woche auf den Tisch. Sie gehen schnell und hinterlassen nicht dieses Völlegefühl, dass man am liebsten das nächste Sofa ansteuern möchte, wie es oft bei traditioneller Pasta der Fall ist. Ich kombiniere sie mit was immer ich an Gemüse im Kühlschrank habe und mache daraus schnell etwas Säuerlich-Frisches, das gut zu dem von Natur aus leicht süßlichen Buchweizen passt.

Hier verwende ich Rote Bete und Karotten und bereite aus winterlichem Blattgemüse ein schnelles Pickle zu, aber jedes andere schnell garende Gemüse ist ebenso geeignet.

FÜR 2 PERSONEN

1 große Karotte
1 große Rote Bete
Olivenöl
1 daumengroßes Stück Ingwer
Meersalz
200 g Soba-Nudeln (ich nehme 100 Prozent Buchweizennudeln)
100 g Grünkohl, Mangold oder Frühkohl
4 EL brauner Reisessig
2 TL Ahornsirup
1 TL Sesamöl
2 EL Sojasauce oder Tamari
1 Limette
1 EL schwarze Sesamsamen plus mehr zum Servieren
1 kleines Bund Koriandergrün

- Sämtliche Zutaten bereitstellen.

- Die Karotte schälen und in dünne Scheiben oder streichholzgroße Stifte schneiden. Die Rote Bete schälen und in gleicher Weise zuschneiden. In einer Pfanne etwas Olivenöl erhitzen, den Ingwer schälen, grob hacken und 1 Minute darin andünsten. Die Karotte und die Rote Bete zugeben, gut salzen, etwa 100 ml Wasser zugießen und 5 bis 6 Minuten garen, bis die Flüssigkeit verkocht und das Gemüse weich ist.

- Inzwischen die Nudeln nach der Packungsanleitung garen, abgießen und kalt abschrecken.

- Den Kohl oder den Mangold in Streifen schneiden, mit dem Essig, einer Prise Salz und 1 Teelöffel Ahornsirup vermengen und mit den Händen kräftig durchkneten, damit die Aromen besser durchziehen.

- Sobald das Wasser der Karotte und der Roten Bete verkocht ist, das Sesamöl, Sojasauce oder Tamari, den anderen Teelöffel Ahornsirup, den Limettensaft und die schwarzen Sesamsamen untermengen. Die Nudeln und das warme Dressing dazugeben und unterrühren.

- Die Nudeln mit dem Gemüse-Pickle und dem gehackten Koriandergrün in Schalen anrichten, mit weiterem Sesam bestreuen und mit Limettenspalten zum Auspressen servieren.

Bunte Gemüse-Bowl mit Halloumi und Harissa

20 MINUTEN

Diese Bowl vereint ein paar geliebte alte Bekannte, ein umwerfendes Harissa-Dressing, gebratenen Halloumi mit Körnerkruste, Freekeh, mein neues Lieblingsgetreide, und natürlich Avocado. Je nach Jahreszeit variiere ich das Gemüse. Dieses Rezept ist meine Sommerversion, hier noch ein paar Anregungen für den Rest des Jahres:

Frühling – grüner Spargel, Erbsen, Frühkohl

Sommer – Tomaten, Gelbe Bete, Grünkohl

Herbst – Rote Bete, geriebene Karotte, Grünkohl

Winter – wie wär's mit einer Suppe?

Freekeh ist eine uralte Weizenart und bedeutet »gerieben« auf Arabisch. Im Jahre 2300 v. Chr., so die Legende, brannte eine Hütte mit jungem grünem Weizen ab. Erst dachten die Bauern, die Ernte sei ruiniert, doch als sie die verbrannten Spelzen der Körner abrieben, stellten sie fest, dass sie nicht nur essbar waren, sondern geröstet außerordentlich gut schmeckten. Wer kein Freekeh bekommt, kann zu jedem schnell garenden Getreide wie Hirse oder Quinoa greifen.

FÜR 4 PERSONEN

150 g Freekeh
Meersalz
Kokosöl
300 g (1 sehr große Handvoll) Kirschtomaten
4 Gelbe oder Rote Beten
200 g Grünkohl (ich nehme violetten)
1 Limette
1 reife Avocado
200 g Halloumi in Blockform
2 EL gemischte Samen (ich verwende Mohn und Sesam)
Saft von ½ Zitrone
frisch gemahlener schwarzer Pfeffer
1 kleines Bund Minze
1 kleines Bund Dill

FÜR DAS DRESSING
1 Bund Frühlingszwiebeln
1 TL flüssiger Honig
1 EL Harissa
2 EL natives Olivenöl extra
Saft von ½ Zitrone

• Den Freekeh in einem Messbecher oder einem anderen geeigneten Gefäß abmessen (merken Sie sich die Stelle, bis zu der er reicht) und in einer Schüssel mit kaltem Wasser bedecken. Die Körner zwischen den Händen reiben, anschließend abgießen und in gleicher Weise noch einmal waschen. Den Freekeh in einen Topf geben und die doppelte Menge Wasser zugießen. Leicht salzen, etwas Kokosöl dazugeben, zum Kochen bringen und 15 Minuten köcheln lassen, bis der Freekeh gar ist, aber noch etwas Biss hat.

• Inzwischen die Frühlingszwiebeln in feine Ringe schneiden und in etwas Kokosöl braten, bis sie etwas Farbe genommen haben. Mit allen anderen Zutaten für das Dressing vermengen, mit Salz und Pfeffer würzen und gut umrühren.

• Die Tomaten halbieren. Die Gelbe oder Rote Bete schälen und auf einem Gemüsehobel in hauchdünne Scheiben schneiden – oder Sie trainieren Ihre Messerkünste. Den Grünkohl von den Stielen befreien, in Streifen schneiden und in eine Schüssel geben. Den Limettensaft und eine Prise Salz hinzufügen und alles mit den Händen kräftig durchkneten.

• Die Avocado halbieren und entsteinen. Das Fruchtfleisch in der Schale mit einem kleinen Messer der Länge nach in Scheiben vorschneiden.

• Eine Pfanne erhitzen und den Halloumi in dünne Scheiben schneiden. Die Samen bereitstellen. Den Halloumi in der heißen Pfanne von einer Seite goldbraun braten – das dauert etwa 1 Minute, umdrehen und von der anderen Seite bräunen. Den Halloumi mit den Samen bestreuen und mehrmals wenden, bis er rundherum gleichmäßig bedeckt ist. Vom Herd nehmen.

• Den Freekeh, sobald er gar ist, abtropfen und mit dem Zitronensaft, etwas Olivenöl und je einer Prise Salz und Pfeffer würzen. Die Minze und den Dill hacken und unterziehen.

• Den Freekeh in Schalen schöpfen, das bunte Gemüse und den Halloumi darauf anrichten und mit einem ordentlichen Löffel Harissa-Dressing überziehen.

Grüner Gemüsesalat mit Mimosa-Dressing

20–25 MINUTEN

Mein erster Job als Köchin führte mich in ein altehrwürdiges Restaurant in Kensington, das *Daphne's*. Es war angeblich Prinzessin Dianas Lieblingslokal – Sie wissen, was ich meine. Gestärkte Tischdecken, Chablis und altgediente liebenswürdige Ober, die quasi schon zum Inventar gehörten. Es herrschte andächtige Stille und ging ziemlich nobel zu bei einfachen geradlinigen Pasta-Gerichten und Salaten.

Ich arbeitete in der Vorspeisen- und Dessertküche gleichzeitig, eine echte Feuertaufe. Ich erinnere mich noch gut an das Hausdressing, eine Mimosa-Vinaigrette aus gutem Chardonnay-Essig, Öl und Kräutern. In einem heißen Sommer muss ich es über Tausende von Salaten gegossen haben. Gerade an warmen Tagen besticht es mit seiner Schlichtheit auf grünem Gemüse.

Diesen Salat habe ich mit Eiern zu einer Hauptmahlzeit ausgebaut. Es sind russische Eier, die ich klein schneide – klingt merkwürdig, geht aber ganz schnell und bewahrt den leichten Charakter des Salates. Veganer können stattdessen einige Kartoffeln kochen und reiben – schmeckt auch sehr gut.

FÜR 4 PERSONEN

6 Freiland- oder Bio-Eier
500 g grüner Spargel
200 g Brokkoli (violetter oder langstieliger)
Meersalz
½ Schalotte
2 EL guter Chardonnay-Essig (notfalls tut es gewöhnlicher Weißweinessig)
1 EL natives Olivenöl extra
1 EL Dijonsenf
frisch gemahlener schwarzer Pfeffer
1 reife Avocado
1 großes Bund Dill oder Fenchelkraut
1 unbehandelte Zitrone
griechischer Joghurt oder Crème fraîche (nach Belieben)

ZUM SERVIEREN
gutes Roggenbrot

• Den Wasserkocher füllen und einschalten, sämtliche Zutaten bereitlegen.

• Die Eier in einem Topf mit kochendem Wasser bedecken. Das Wasser bei mittlerer Temperatur erneut zum Kochen bringen und die Eier 7 Minuten garen.

• Als Nächstes die holzigen Enden der Spargelstangen abschneiden und wegwerfen (man kann sie auch für eine Brühe verwenden). Den Spargel bis unterhalb der Spitzen in 1 cm dicke Stücke schneiden, die Spitzen ganz lassen. Den Brokkoli in gleicher Weise zuschneiden, die Röschen ganz lassen.

• Spargelspitzen und Brokkoliröschen in einem großen Topf mit kochendem Wasser bedecken, kräftig salzen und 3 Minuten köcheln lassen. Die klein geschnittenen Spargelstangen und Brokkolistiele dazugeben und noch 1 Minute weitergaren.

• Die Schalotte fein hacken und in einer großen Schüssel mit dem Essig, dem Öl, dem Senf und einer kräftigen Prise Salz und Pfeffer sorgfältig verrühren.

- Das Gemüse, wenn es gegart ist, abgießen und unter fließendem Wasser kurz kalt abschrecken. Anschließend noch warm in dem Dressing wenden. Die Avocado halbieren, entsteinen und in der Schale in dicke Scheiben schneiden. Herauslösen und zu dem Gemüse in das Dressing geben.

- Die Eier nach 7 Minuten abgießen und kalt abschrecken, sodass man sie anfassen kann. Den Dill oder das Fenchelkraut grob hacken. Die Eier pellen und in eine Schüssel raspeln. Mit Salz und Pfeffer würzen, die Zitronenschale darüberreiben, Dill oder Fenchelkraut hinzufügen und alles behutsam vermengen. Wer möchte, kann noch 1 Esslöffel griechischen Joghurt oder Crème fraîche zugeben.

- Den Gemüsesalat mit den Eiern und mit gebuttertem Roggenbrot (siehe Seite 254, nach Geschmack) servieren.

Kohl-Limetten-Nachos
mit Chili-Cashew-Creme

20–25 MINUTEN

Wann immer ich Nachos bestelle, bin ich enttäuscht. Überall der gleiche Haufen versalzener Tortilla-Chips, bergeweise Käse, zäh wie Gummi, ein Nichts von Salsa und ein kümmerlicher Klecks Guacamole.

Nachos haben etwas Besseres verdient, zumal sie mit anderen Zutaten geschickt kombiniert viel Potenzial haben. Hier gesellen sich zu frisch aufgebackenen Tortilla-Chips knackiger Kohl, erfrischt mit Limette, eine kräftige grüne Chili-Cashew-Creme, dazu frischer Mais und Koriandergrün. Etwas Käse ist ebenfalls dabei, aber die Nachos schmecken auch ohne ihn super.

Für dieses Rezept rate ich von reinen Mais-Tortillas, wie man sie für mexikanische Gerichte verwendet, ab, sie werden trocken im Ofen. Gute Vollkorn-Tortillas mit Körnern oder ein glutenfreies Produkt sind eine geeignete Wahl, ebenso wie weiche Mais-Tortillas. Werfen Sie einen Blick auf die Packung, viele Produkte enthalten unnötige Zusatzstoffe. Wenn nicht klar ersichtlich ist, was drin ist, schauen Sie nach etwas anderem.

FÜR 4 PERSONEN ALS HAUPT-GERICHT ODER FÜR 6 ALS SNACK

100 g rohe ungesalzene Cashewkerne

6 weiche Vollkorn-Tortillas (siehe Text oben)

Oliven- oder Rapsöl

Meersalz und frisch gemahlener schwarzer Pfeffer

½ TL geräuchertes Paprikapulver

200 g Grünkohl

2 unbehandelte Limetten, plus Limetten zum Servieren

2 grüne Chilischoten

1 Bund Koriandergrün

2 Maiskolben

1 reife Avocado

100 g guter Cheddar oder Manchego

- Den Ofen auf 220 °C (200 °C Umluft/Gas Stufe 7) vorheizen. Den Wasserkocher füllen und einschalten. Sämtliche Zutaten bereitlegen. Die Cashewkerne in einer Schüssel mit kochendem Wasser bedecken und beiseitestellen.

- Die Tortillas übereinanderstapeln und durch die Mitte halbieren; anschließend vierteln, dann in Achtel schneiden, sodass sie die typische dreieckige Form von Tortilla-Chips haben. Auf einem extragroßen Backblech gleichmäßig verteilen, darauf achten, dass sie möglichst nicht übereinanderliegen. Mit etwas Öl beträufeln und leicht mit Salz, Pfeffer und dem geräucherten Paprikapulver bestreuen.

- Den Kohl entstielen, grob in Stücke zupfen und auf einem weiteren großen Blech verteilen. Die Schale einer Limette darüberreiben, mit ein wenig Öl beträufeln und mit Salz und Pfeffer würzen.

- Beide Bleche für 10 bis 15 Minuten in den Ofen schieben, bis der Kohl knusprig ist und die Tortillas gut gebräunt sind.

• In der Zwischenzeit die Cashew-Creme zubereiten. Dafür ist ein leistungsstarker Standmixer hilfreich. Mit einem Stabmixer und einem hohen Rührbecher sollte es aber auch gehen. Die Cashews abtropfen und mit dem Saft der abgeriebenen Limette und einer kräftigen Prise Salz in den Mixer geben. Die grob gehackten grünen Chilis hinzufügen (die Samen gegebenenfalls entfernen, wenn Sie es nicht zu feurig mögen), die Stiele des Koriandergrüns dazugeben.

• 130 ml Wasser zugießen und alles bei hoher Geschwindigkeit einige Minuten mixen, bis eine glatte grünliche Creme entstanden ist. Eventuell mit Salz, Limettensaft und Chili abschmecken. Erscheint die Creme etwas dick, noch 1 Esslöffel Wasser einarbeiten.

• Die Maiskörner mit einem scharfen Messer von den Kolben schneiden – ich stelle sie dazu aufrecht in eine Schüssel, damit sich die Körner nicht davonmachen können. Die Avocado entsteinen, in der Schale in Scheiben schneiden und mit dem Saft der verbliebenen halben Limette beträufeln.

• Tortillas und Kohl – wenn sie so weit sind – aus dem Ofen nehmen und den Backofengrill einschalten. Den Kohl auf den Tortillas verteilen, mit dem geriebenen Käse bestreuen und unter dem Grill einige Minuten goldbraun überbacken, bis der Käse Blasen wirft.

• Die Cashew-Creme über Kohl und Tortillas klecksen, die Avocadoscheiben aus der Schale lösen und darüber verteilen und mit dem Mais und Koriandergrün bestreuen. Mit Limettenspalten zum Auspressen servieren.

Knuspriger Zitronenreis mit Sesam und Pistazien

25 MINUTEN

Wie gut doch ein simpler schmackhafter Pilaw tut – ein behutsam, aber zugleich kräftig gewürzter Topf Reis. Hier wird er etwas länger gegart als gewöhnlich, damit sich am Topfboden eine knusprige Kruste bildet, *tahdig* genannt, quasi der Reishimmel, wie ich finde. Wer es eilig hat, darf diesen Schritt auslassen. In Ermangelung von eingelegten Zitronen kann man sich mit der geriebenen Schale einiger frischer Früchte behelfen.

FÜR 4 PERSONEN

150 g brauner Basmatireis
etwas Kokosöl
1 kräftige Prise Safranfäden
6 Kardamomkapseln
4 EL Sesamsamen (etwa 30 g)
50 g Pistazienkerne
4 eingelegte Zitronen
1 Granatapfel

ZUM SERVIEREN
1 kleines Bund Petersilie
1 kleines Bund Dill
100 g Joghurt
1 unbehandelte Zitrone
einige Handvoll Rucola oder Brunnenkresse

- Sämtliche Zutaten bereitlegen. Den Wasserkocher füllen und einschalten.

- Den Reis in einem Messbecher abmessen und anschließend unter fließendem kaltem Wasser etwa 1 Minute abspülen. In einem Topf etwas Kokosöl bei mittlerer Temperatur erhitzen und den Reis darin einige Minuten anbraten. Mit dem Messbecher die doppelte Menge kochendes Wasser zugießen, den Safran und den zerstoßenen Kardamom unterrühren, den Deckel auflegen und den Reis 15 Minuten garen, bis er das Wasser aufgenommen hat und locker und fluffig ist.

- Während der Reis gart, den Sesam und die Pistazien in einer Pfanne rösten, bis sie leicht gebräunt sind und aromatisch duften. Die eingelegten Zitronen halbieren, das Fruchtfleisch herauslösen und wegwerfen, die Schale fein hacken. Die Granatapfelkerne auslösen. Dazu schneide ich die Frucht in zwei Hälften, halte sie mit dem Fruchtfleisch nach unten über eine Schüssel und klopfe mit einem Holzlöffel gegen die Rundung, bis sie herauspurzeln. Die Petersilie und den Dill fein hacken. Den Joghurt mit dem Saft und der abgeriebenen Schale der Zitrone und den Kräutern verrühren, kräftig würzen.

- Sobald der Reis so weit ist, drei Mulden hineinbohren, jeweils etwas Kokosöl hineingeben und bei hoher Temperatur weitere 8 Minuten garen, bis sich am Boden eine Kruste gebildet hat. Den Reis auf eine Platte häufen. Pistazien, Sesam, Zitronenschale und die Granatapfelkerne untermengen, in Schalen anrichten und mit einem Klecks Kräuterjoghurt und etwas Rucola oder Brunnenkresse servieren.

Schwarzaugenbohnen mit Mangold und Kräuterpesto

20–25 MINUTEN

Dieser schnelle Eintopf hat palästinensische Wurzeln. Bei der Mangold-farbe haben Sie die Wahl zwischen dem gewöhnlichen grünen Mangold mit hellem Stiel oder den in allen Farben leuchtenden buntstieligen Sorten. Kaum ein Gemüse bietet einen vergleichbaren Regenbogen von Möglich-keiten.

Schwarzaugenbohnen hatten in meiner Küche bisher zu Gunsten von schwarzen Bohnen, Cannellini-Bohnen und Riesenbohnen meist das Nachsehen. Das hat sich geändert, mittlerweile sind sie mein absoluter Favorit. Hin und wieder gebe ich als geschmackliches Extra noch etwas Tahini hinzu.

FÜR 4 PERSONEN

FÜR DIE BOHNEN
1 Stange Lauch
1 EL Kokosöl oder Olivenöl
2 Knoblauchzehen
1 kräftige Prise Chilipulver oder gehackte getrocknete Chili
2 Dosen Schwarzaugenbohnen (à 400 g)
1 TL gekörnte Gemüsebrühe oder ½ Brühwürfel
1 kräftige Prise geriebene Muskatnuss
½ unbehandelte Zitrone
200 g Mangold (gewöhnlicher oder buntstieliger)
Meersalz und frisch gemahlener schwarzer Pfeffer

FÜR DAS KRÄUTERPESTO
1 großes Bund Koriandergrün
2 grüne Chilischoten
2 Knoblauchzehen
30 g Walnusskerne
1 EL flüssiger Honig oder Ahornsirup
2 EL gutes Olivenöl
Saft von ½ Zitrone

• Den Wasserkocher füllen und einschalten. Sämtliche Zutaten bereitlegen und einen großen Topf vorheizen.

• Den Lauch waschen, in dünne Streifen schneiden und in dem Topf in 1 Esslöffel Kokosöl oder Olivenöl einige Minuten dünsten, bis er weich ist. Den Knoblauch schälen, in feine Scheibchen schneiden, mit dem Chili dazugeben und einige Minuten angehen lassen, bis der Knoblauch braun zu werden beginnt. Die Schwarzaugenbohnen samt Flüssigkeit sowie die Brühe und 200 ml kochendes Wasser hinzufügen und leicht zum Sieden bringen. Mit Muskatnuss würzen, den Saft der halben Zitrone hineinpres-sen, die ausgepresste Fruchthälfte mit hineingeben und alles etwa 10 Minuten köcheln lassen. Inzwischen die Mangoldblätter von den Stielen schneiden. Die Stiele in feine Streifen schneiden und unter die Bohnen mengen. Die Blätter ebenfalls in Streifen schneiden und beiseitelegen.

• Alle Zutaten für das Kräuterpesto im Mixer zu einer glatten grünen Paste zermahlen und kräftig mit Salz und Pfeffer würzen.

• Sobald die Bohnen weich und aromatisch sind und die Sauce sämig eingekocht ist, die Mangoldblätter unterrühren, gut salzen und pfeffern und noch einige Minuten köcheln lassen. In Schalen schöpfen und etwas Kräuterpüree darübergeben. Für ganz Hungrige gibt es Reis oder Fladen-brot dazu.

Blumenkohlreis mit pikanten Cashewkernen

20 MINUTEN

Blumenkohl ist ein ausgesprochen feines und wohltuendes Gemüse. Ich esse ihn entweder gern mit Lorbeer und Käse, was sein sanftmütiges Naturell unterstreicht, oder wähle das andere Extrem und verordne ihm eine Dosis impulsiver Gewürze und temperamentvoller Aromen – Blumenkohl ist ein bemerkenswert anpassungsfähiger Geschmacksträger.

Hier mache ich Reis aus meinem Blumenkohl, eine bei gesundheitsbewussten Essern beliebte Methode. Vielfach wird er roh gegessen, was nicht so mein Ding ist. Ich mag ihn lieber in der Pfanne goldbraun und knusprig gebraten und mit meinem südindischen Lieblingsduo – Senfsamen und Curryblätter – gewürzt. Ein paar Radieschen sorgen für ein frisches Element, würzige Cashewkerne für knusprigen Biss. Ein Gericht, bei dem sich gesund und lecker treffen.

Wer keine Curryblätter findet, lässt sie einfach weg, eine geschmackliche Alternative habe ich bislang nämlich nicht gefunden. Übrigens funktioniert das Rezept auch mit Brokkoli.

Zum Süßen empfehle ich Kokosnektar, den nährstoffreichen Saft der Kokospalme. Man gewinnt ihn, indem – ähnlich wie bei Ahornsirup – der Stamm des Baumes angeritzt und der Saft abgezapft wird. Er ist reich an Nährstoffen und Aminosäuren und hat einen niedrigen GI (glykämischer Index), lässt also den Blutzucker nicht in die Höhe schießen wie gewöhnlicher Zucker. Ich setze ihn überall ein, wo eine Spur Süße gewünscht ist.

FÜR 4 PERSONEN

1 mittelgroßer Blumenkohl (etwa 600 g)
1 rote Zwiebel
Kokosöl
2 Knoblauchzehen
1 daumengroßes Stück Ingwer
1 EL schwarze Senfsamen
1 große Handvoll frische Curryblätter
Meersalz
100 g Cashewkerne
1 kleines Bund Radieschen
1 kleines Bund Koriandergrün
einige Handvoll Erbsensprossen oder zarte Salatblätter
etwas Kokosnektar oder Honig
1 Prise Garam masala
abgeriebene Schale und Saft von 1 unbehandelten Zitrone

ZUM SERVIEREN (NACH BELIEBEN)
4 Chapati- oder Roti-Fladenbrote
Limetten-Pickle oder Mango-Chutney

• Sämtliche Zutaten bereitlegen und die Küchenmaschine startklar machen.

• Den Blumenkohl von den Blättern und dem harten Strunk befreien, grob in Stücke schneiden und in der Küchenmaschine mit der Impulstaste zermahlen, bis er eine reisähnliche Konsistenz hat.

• Eine extragroße Bratpfanne bei hoher Temperatur vorheizen (notfalls kann man auch mit zwei kleineren arbeiten). Die Zwiebel schälen, in feine Streifen schneiden und mit reichlich Kokosöl in der Pfanne 5 Minuten sanft dünsten, bis sie weich ist. Ab und zu umrühren. Inzwischen den Knoblauch und den Ingwer grob hacken. Knoblauch, Ingwer, Senfsamen und die Curryblätter zu den Zwiebeln in die Pfanne geben, einige Minuten dünsten und großzügig mit Meersalz würzen.

- Nun die Temperatur kräftig erhöhen. Den »Blumenkohlreis« hineingeben und braten, bis er leicht gebräunt ist. Alle paar Minuten umrühren, damit er gleichmäßig Farbe nimmt – alles in allem dauert das etwa 10 Minuten.

- Inzwischen die Cashewkerne in einer weiteren Pfanne rösten, bis sie leicht gebräunt sind. Die Radieschen in dünne Scheibchen schneiden, das Koriandergrün abzupfen und beides mit den Erbsensprossen oder den Salatblättern vermengen.

- Wenn die Cashewkerne geröstet sind, etwas Kokosnektar oder Honig und eine Prise Garam masala unterrühren, vom Herd nehmen.

- Den Blumenkohlreis, sobald er appetitlich braun ist, auf einer Platte anrichten. Die Cashews und den Salat darauf verteilen und mit der Limettenschale und dem -saft abrunden. Gegen den großen Hunger können Sie Fladenbrot wie Chapati oder Roti und etwas Limetten-Pickle oder Mango-Chutney dazu servieren.

Zucchini-Spaghetti mit Pistazien, Kräutern und Ricotta

25 MINUTEN

Zunächst widerstrebte es mir, Ihnen ein Rezept für Nudeln aus Gemüse aufzutischen. Jedes Trendlokal, jeder Gesundheitsapostel der Gastroszene hat sie auf der Karte, und kein Kochbuch, das auf Rohkost oder gesundes Essen schwört, kommt an ihnen vorbei. Aber sie gehen nun mal so schön schnell und einfach, und schmecken tun sie auch. Ein Spiralschneider ist kein Muss, falls Sie keinen haben. Ich besitze zwar einen, greife aber trotzdem oft zum Sparschäler oder Messer, statt ihn hervorzukramen. Ein Julienne-Schneider kostet weder die Welt, noch braucht er viel Platz. Und er erledigt die Arbeit genauso gut.

Veganer lassen den Ricotta entweder weg oder ersetzen ihn durch in gleicher Weise gebackenen Seidentofu.

- Den Ofen auf 200 °C (180 °C Umluft/Gas Stufe 6) vorheizen. Den Wasserkocher füllen und einschalten, sämtliche Zutaten bereitlegen.

- Den Ricotta auf ein Backblech schütten. Die Schale einer Zitrone darüberreiben, mit den Chiliflocken bestreuen, mit dem Honig beträufeln und 15 Minuten im Ofen backen, bis der Ricotta goldbraun karamellisiert ist.

- Die Pistazien im Ofen 3 bis 5 Minuten rösten. Eine Pfanne bei hoher Temperatur vorheizen und eine der beiden anderen Zitronen in dünne Scheiben schneiden, die Kerne entfernen. Die Scheiben in der heißen Pfanne in 1 Esslöffel Olivenöl braten, bis sie von beiden Seiten gebräunt sind.

- Die Pistazien aus dem Ofen nehmen und in den Becheraufsatz des Standmixers geben, die Minze und das Basilikum hineinzupfen und den Saft einer halben abgeriebenen Zitrone hineinpressen. Leicht salzen, 4 Esslöffel Olivenöl und 1 Esslöffel kaltes Wasser hinzufügen und mit der Impulstaste zu einem groben Pesto pürieren. In eine Schüssel umfüllen.

- Jetzt zu den Zucchini. Das Gemüse mit einem Julienne-Schneider oder einem Spiralschneider in Spaghetti schneiden. Alternativ können Sie die Zucchini auch mit dem Sparschäler oder auf einem Gemüsehobel in lange Streifen schneiden, anschließend aufeinanderlegen und dann mit dem Messer in lange dünne Streifen schneiden. Das geht wirklich ganz einfach und schnell, also nicht abschrecken lassen. Die »Spaghetti« in einer hitzebeständigen Schüssel mit kochendem Wasser bedecken und 2 bis 3 Minuten ziehen lassen.

FÜR 4 PERSONEN

250 g Ricotta
3 unbehandelte Zitronen
1 kräftige Prise getrocknete Chiliflocken
1 TL flüssiger Honig
60 g Pistazienkerne
natives Olivenöl extra
1 kleines Bund Minze
1 kleines Bund Basilikum
Meersalz
4 große oder 6 kleine Zucchini

• Die gebratenen Zitronenscheiben, sobald man sie anfassen kann, grob hacken und unter das Pesto rühren. Den Ricotta aus dem Ofen nehmen.

• Die Zucchini-Spaghetti gut abtropfen und unter das Pesto mengen. Den Ricotta darüber zerbröckeln und das Gericht mit geriebener Zitronenschale und nach Belieben ein paar Tropfen Öl abrunden.

Gerösteter Brokkoli mit Gurkenstreifen und Erdnusssauce

20 MINUTEN

Dieser Ausbund an Frische und Geschmack basiert je zur Hälfte auf einer herrlichen Schale Dan-Dan-Nudeln, die ich einst in Los Angeles aß, und einem gebackenen Blumenkohl, den ich einige Wochen später zubereitet habe. Ziel war es, sein rauchiges Aroma und die erdnussige Süße auf einem Teller zu vereinen.

Anstelle richtiger Nudeln habe ich mit dem Sparschäler aus Gurken fix ein paar Bandnudeln gehobelt – sie sorgen für eine angenehm erfrischende Note und sind eine erstklassige Ergänzung zum röstig-rauchigen Brokkoli und zur üppig-cremigen Erdnusssauce. Wenn der Hunger groß ist, serviere ich Jasminreis oder richtige Nudeln dazu.

Bei Erdnussbutter empfiehlt sich ein genauerer Blick auf die Liste der Zutaten – da sollte nichts anderes stehen als Erdnüsse und vielleicht ein bisschen Salz. Findet sich dort noch mehr, zurück ins Regal damit. Ich verwende die grobe Variante *(crunchy)*, aber feine Erdnussbutter *(creamy)* geht auch; das überlasse ich Ihren persönlichen Erdnussbutter-vorlieben. Auf Seite 226 finden Sie mein Nussbutterrezept.

Bei den Gurkenbandnudeln bleibt das Innere der Gurken mit dem Kern-gehäuse übrig. Ich würfle es gewöhnlich und versenke es als aromatisches Extra in meinem Trinkwasser im Kühlschrank, manchmal mixe ich es auch klein und mache daraus Gurkeneiswürfel für Gin Tonic – schmeckt lecker.

FÜR 4 PERSONEN

FÜR DEN BROKKOLI
400 g violetter Brokkoli oder 1 großer herkömmlicher Brokkoli
etwas Kokosöl
3 Knoblauchzehen
3 Salatgurken
1 EL flüssiger Honig
1 EL Tamari oder helle Sojasauce
1 rote Chilischote
1 EL Sesamöl
1 unbehandelte Limette

FÜR DIE ERDNUSS-INGWER-SAUCE
6 EL gute Erdnussbutter
1 daumengroßes Stück Ingwer
2 EL Reisessig
abgeriebene Schale und Saft von 1 unbehandelten Limette
1 EL Tamari oder Sojasauce
1 EL Ahornsirup

• Den Wasserkocher füllen und einschalten. Sämtliche Zutaten bereitlegen.

• Den Brokkoli putzen und die Stiele längs einschneiden, so garen sie schneller. Herkömmlichen Brokkoli am Strunkende ein Stückchen kappen und dann längs in lange dünne »Bäume« schneiden. Den Brokkoli in einer Schüssel mit dem kochenden Wasser übergießen und 5 Minuten ziehen lassen. Anschließend abtropfen und beiseitestellen.

• Inzwischen in einer kleinen Pfanne etwas Kokosöl erhitzen. Den Knoblauch schälen, in dünne Scheiben schneiden und einige Minuten in dem Öl anbraten, bis er knusprig ist; aufpassen, dass er nicht verbrennt. Auf Küchenpapier abtropfen.

• Jetzt zu den Gurkenstreifen. Dafür die Gurken mit einem gewöhnlichen Sparschäler von jeder Seite in lange dünne Streifen hobeln, bis das wässrige Kerngehäuse sichtbar wird, das nicht geeignet ist. Die Schale können Sie nach Belieben auch wegwerfen (wie man das Innere verwerten kann, lesen Sie in der Einleitung zu diesem Rezept). Eine Grillpfanne bei hoher Temperatur erhitzen.

• Für die Erdnusssauce die Erdnussbutter mit 100 ml warmem Wasser verrühren. Den Ingwer schälen, hineinreiben, alle anderen Zutaten dazugeben und sorgfältig umrühren. Bei Bedarf noch etwas Wasser zugießen, wenn Sie es besonders cremig mögen.

• Den abgetropften Brokkoli in dem Honig und der Sojasauce wenden. Die Chili hacken und mit dem Sesamöl untermengen. Den Brokkoli in der Grillpfanne einige Minuten von jeder Seite grillen, bis er schön braun ist.

• Die Gurkenbandnudeln auf Teller oder Schalen verteilen und mit der Erdnussauce, dem Brokkoli und dem knusprigen Knoblauch garnieren. Mit der abgeriebenen Limettenschale abrunden und mit Limettenspalten zum Auspressen servieren.

Quinoa-Risotto mit Erbsenpüree und Blattgemüse

20–25 MINUTEN

Bei der Bezeichnung »Risotto« ist mir nicht ganz wohl. Ich habe ein gutes Jahr im *Fifteen* gearbeitet und umringt von gestandenen italienischen Köchen alles über den perfekten Risotto gelernt – das stete Rühren, die cremige Konsistenz, der ideale Reis, das Quellen, die finale Buttersalbung, der Parmesan... Ich mag aber nun mal nicht jeden Tag Risotto, darum hier meine Alternative für den Alltag – sie verheißt genau das wohlig-warme satt-zufriedene Gefühl, das ich bei Risotto so liebe, gepaart mit dem frischen Akzent von Erbsenpüree, Blattgemüse und reichlich frischen Kräutern.

Im Winter ersetzt ein Püree aus gerösteten Karotten oder Roter Bete und kurz in Fett frittiertes winterliches Blattgemüse die Erbsen, und anstelle der frischen Kräuter tritt ein Thymian-Rosmarin-Öl. Genauso lecker!

FÜR 4 PERSONEN

2 Stangen Lauch
Olivenöl
2 Knoblauchzehen
250 g Quinoa
200 ml Weißwein
1 Zitrone
1 EL gekörnte Gemüsebrühe oder ½ Brühwürfel
250 g Erbsen (TK)
200 g Frühkohl oder Spinat
50 g Pinienkerne
einige Stängel Minze
½ Bund Basilikum
Meersalz und frisch gemahlener schwarzer Pfeffer
100 g Ricotta oder Feta (nach Belieben)
60 g Parmesan (ich nehme vegetarischen)

• Den Wasserkocher füllen und einschalten. Sämtliche Zutaten bereitlegen.

• Den Lauch waschen und in feine Streifen schneiden. In einem Topf einige Esslöffel Olivenöl erhitzen und den Lauch andünsten, bis er Farbe zu nehmen beginnt. Den Knoblauch schälen, in feine Scheiben schneiden, dazugeben und 1 bis 2 Minuten Farbe nehmen lassen.

• Die Quinoa zugeben und einige Minuten anrösten, bis die Körner knistern und aufplatzen, das intensiviert das Aroma. Nach einigen Minuten den Weißwein und den Saft einer halben Zitrone zugießen und die Flüssigkeit verkochen lassen. Die Brühe und 600 ml kochendes Wasser zugeben und leicht zum Sieden bringen.

• Die Erbsen mit kochendem Wasser übergießen, damit sie auftauen. Den Kohl oder Spinat in feine Streifen schneiden und beiseitelegen. Die Pinienkerne in einer Pfanne rösten, bis sie leicht gebräunt sind.

• Die aufgetauten Erbsen abtropfen und in den Mixer geben. Die Minze und das Basilikum hineinzupfen, eine kräftige Prise Salz, den Saft der anderen Zitronenhälfte und 1 Esslöffel Olivenöl hinzufügen und mixen, bis die Mischung glatt ist.

- Wenn die Quinoa die Konsistenz von dünnem Porridge hat, einen Deckel auflegen und die Temperatur herunterstellen. Die Kohl- oder Spinatstreifen unterziehen und bei Bedarf noch etwas kochendes Wasser unter die Quinoa rühren, sodass sie die Konsistenz von sämigem Risotto hat. Kräftig mit schwarzem Pfeffer würzen – Salz ist kaum erforderlich, dafür sorgt die Brühe. Zum Warmhalten den Deckel auflegen.

- Den Quinoa-Risotto mit dem Erbsenpüree, den gerösteten Pinienkernen, nach Belieben dem zerbröckelten Ricotta oder Feta und etwas geriebenem Parmesan garnieren und servieren.

Buchweizen-Pancakes mit Roter Bete

25 MINUTEN

Buchweizen und Rote Bete machen diese Pancakes zu einer gehaltvolleren und herzhafteren Angelegenheit als normale Pancakes. Wer kein Buchweizenmehl bekommt, kann auch Dinkel- oder Weizenvollkornmehl nehmen.

Dies ist ein Feuerwerk der Farben in leuchtenden Rot-, Grün-, Orange- und Goldbrauntönen, ein echter Hingucker auf dem Teller. Man kann die Pancakes auch mit Karotten machen, in dem Fall garniert man sie am besten mit Mandeln und geriebener Limettenschale.

FÜR 4 PERSONEN BZW. 12 PANCAKES

250 g Buchweizenmehl
1 gehäufter TL Backpulver
250 bis 300 ml ungesüßte Mandelmilch oder gewöhnliche Milch
1 Freiland- oder Bio-Ei oder 1 EL
Chiasamen
Meersalz
1 mittelgroße Rote Bete, geschält
50 g geschälte Haselnusskerne
100 g schwarze Oliven
Kokosöl
125 g Ziegenquark oder Ziegen-
weichkäse
4 kleine Handvoll grüne Salatblätter
1 unbehandelte Orange

- Sämtliche Zutaten und Arbeitsutensilien bereitlegen.

- Das Buchweizenmehl und das Backpulver in eine Schüssel streuen. Zuerst 250 ml Milch einrühren, dann die Eier einarbeiten (oder die Chiasamen plus 3 Esslöffel kaltes Wasser) und leicht salzen. Auf einer feinen Reibe die Rote Bete hineinraspeln und den Teig quellen lassen, während Sie ein paar andere Dinge erledigen. Er wird mit der Zeit etwas dicker und sollte am Ende von zähflüssiger Konsistenz sein. Bei Bedarf noch etwas Milch unterrühren.

- Eine Pfanne bei hoher Temperatur erhitzen und die Haselnüsse darin goldbraun rösten. Beiseitelegen. Die Oliven entsteinen. Die Pfanne wieder auf den Herd stellen, 1 Esslöffel Kokosöl, dann die Oliven hineingeben und braten, bis sie knusprig zu werden beginnen. Aus der Pfanne nehmen und beiseitelegen.

- Zurück zu den Pancakes. Etwas Kokosöl in der Pfanne erhitzen, pro Pancake 2 Esslöffel Teig hineingeben – so viele Portionen, wie hineinpassen – und 2 bis 3 Minuten backen, bis sich an der Oberfläche Bläschen zeigen und die Ränder allmählich knusprig werden. Wenden und 1 bis 2 Minuten von der anderen Seite backen. Die fertigen Pancakes warm stellen, während Sie den Rest zubereiten. Wer es eilig hat, kann mit zwei Pfannen arbeiten.

- Die Pancakes, sobald alle fertig sind, auf vier Teller verteilen und mit dem Ziegenkäse oder -quark, den gerösteten Haselnüssen, einer Handvoll Salat und den gebratenen Oliven garnieren. Mit abgeriebener Orangenschale abrunden und servieren.

20-Minuten-Wok-Pfannen

Gehen Sie immer nach diesem Schema vor: Hauptgemüse, Extragemüse, Protein, Aroma, Reis/Nudeln, Würze/Dressing, etwas Biss

Sie benötigen einen guten Wok. Sämtliche Zutaten müssen fertig zugeschnitten griffbereit liegen. Wichtig ist, die Pfanne kräftig vorzuheizen. Zuerst kommt das Gemüse hinein, das am längsten benötigt. Einige Minuten pfannenrühren und beständig wenden, dann das restliche Gemüse und das Protein zugeben und garen, bis es zu bräunen beginnt. Jetzt die Aromabeigabe hinzufügen (kommt sie gleich zu Beginn hinein, verbrennt sie), dann den gegarten Reis oder die Nudeln und zuletzt das Dressing unterrühren. Das knusprige Element kommt erst auf dem Teller darüber.

HAUPTGEMÜSE	→	EXTRAGEMÜSE	→	PROTEIN
BROKKOLI		GRÜNES BLATTGEMÜSE		TOFU
SÜSSKARTOFFELN		BROKKOLI PAK CHOI		TEMPEH
KÜRBIS		ZUCKERSCHOTEN SPINAT		SEITAN
KOHL		KAROTTEN		PANIR
GRÜNES BLATTGEMÜSE		FRÜHLINGS-ZWIEBELN BOHNENSPROSSEN		EI (VERSCHLAGEN)
PILZE		ZUCKERSCHOTEN GRÜNES BLATTGEMÜSE		TOFU

AROMA	→	REIS/NUDELN	→	WÜRZE/DRESSING	→	ETWAS BISS
INGWER CHILI KNOBLAUCH		JASMINREIS		SESAMÖL SOJASAUCE		SESAMSAMEN
INGWER KNOBLAUCH		SOBA-NUDELN		MISOPASTE LIMETTE AHORNSIRUP		SCHWARZE SESAMSAMEN
INGWER KNOBLAUCH FRÜHLINGS- ZWIEBELN		BRAUNER REIS		SESAMÖL REISWEIN AHORNSIRUP		CASHEWKERNE
INGWER CHILI KNOBLAUCH		BASMATIREIS		SENFSAMEN HONIG		GERÖSTETE GEHOBELTE MANDELN
INGWER CHILI KNOBLAUCH		REISBANDNUDELN		SOJASAUCE SESAMÖL CHILISAUCE		GERÖSTETE ERDNUSSKERNE
INGWER CHILI		EIERNUDELN		LIMETTE		

In einer halben Stunde lässt sich viel bewegen. Das ist immer noch schnelle Küche, aber mit mehr Raum für Raffinesse. Quinoa-Bratlinge, Kichererbsen-Pfannkuchen, Kürbis-Lauch-Pfanne, Bohnen-Mais-Küchlein, gefüllte Burritos mit Feta, gegrillte Zucchini-Ratatouille, ein umwerfendes Chili, schnelle Dinkelpizza, ein rauchiger Gemüse-Chowder, der nach mehr schmeckt, und gebratener Panir mit Chili – und das ist noch lange nicht alles.

Karotten-Kichererbsen-Pfannkuchen mit Zitronendressing

25 MINUTEN

Ein leichter und dennoch herzhafter Pfannkuchen aus Kichererbsenmehl und geriebenen Karotten, den ich oft mit meiner Schwester in Kalifornien zubereitet habe. Er bringt das Wesen der kalifornischen Küche auf den Punkt – schmackhaft, gesund, leicht und farbenfroh. Kichererbsenmehl ist billig und einfach zu finden, sei es im Bio-Laden, im Supermarkt oder unter der Bezeichnung *Gram Flour* oder *Besan* im Asia-Handel.

Die Rezeptmenge lässt sich problemlos verdoppeln oder verdreifachen. Der Teig hält sich im Kühlschrank bis zum nächsten Tag, muss dann allerdings eventuell mit etwas Wasser oder Milch wieder auf die richtige Konsistenz gebracht werden. Für eine vegane Variante ersetzen Sie den gekörnten Frischkäse in der Sauce durch eingeweichte und gemahlene Cashewkerne.

FÜR 2 PERSONEN

FÜR DEN PFANNKUCHEN
150 g Kichererbsenmehl
Meersalz und frisch gemahlener schwarzer Pfeffer
230 ml Milch nach Wahl (ich nehme ungesüßte Mandelmilch)
2 EL natives Olivenöl extra
2 mittelgroße Karotten
Ghee oder Kokosöl

FÜR DIE SAUCE
8 Cornichons
1 grüne Chilischote
einige Stängel Petersilie
einige Stängel Dill
4 EL körniger Frischkäse oder griechischer Joghurt
½ EL vegetarische Worcestersauce
1 Spritzer Chilisauce
abgeriebene Schale von ½ unbehandelten Zitrone

ZUM SERVIEREN
einige Handvoll Sprossen
einige Handvoll junge Blattsalate

• Mit dem Teig beginnen. Das Kichererbsenmehl in eine große Schüssel sieben und eine großzügige Prise Salz und etwas Pfeffer zugeben. Die Mandelmilch und das Olivenöl einrühren und den Teig zugedeckt quellen lassen, während Sie die Sauce zubereiten.

• Die Cornichons und die Chilischote fein hacken. Petersilie und Dill abzupfen und hacken. Die Zutaten in eine kleine Schüssel geben, den körnigen Frischkäse, die Worcester- und die Chilisauce sowie die Zitronenschale hinzufügen, alles gründlich vermengen und mit Salz und Pfeffer abschmecken.

• Die Karotten schälen, raspeln und unter den Pfannkuchenteig ziehen. Eine große beschichtete Pfanne bei hoher Temperatur vorheizen und 1 Teelöffel Ghee oder Kokosöl darin zerlassen. Den Teig dazugießen und 4 bis 5 Minuten backen, bis er gestockt ist und am Rand braun und knusprig zu werden beginnt. Umgedreht einen Teller auflegen, zum Schutz der Hand mit einem Küchentuch fixieren und den Pfannkuchen darauf stürzen. Zurück in die Pfanne gleiten lassen und von der anderen Seite 4 bis 5 Minuten backen.

• Den Pfannkuchen in Stücke schneiden, mit Sprossen, Salatblättern und einem Löffel Sauce garnieren und servieren.

Quinoa-Gemüse-Bratlinge mit Sumach-Joghurt

30–35 MINUTEN

Diese Bratlinge schmecken herzhaft gut, ohne gleich pappsatt zu machen.

Auf keinen Fall den Joghurt mit Zitrone und Sumach weglassen, er bringt die kleinen Dinger erst richtig in Fahrt. Ich mische hier gern verschiedenfarbige Quinoa, so sehen die grün und abendrot gefleckten Bratlinge noch aparter aus. Die Masse hält sich gut im Kühlschrank, falls sie nicht gleich verarbeitet wird, auch die fertigen Bratlinge sind gekühlt einige Tage haltbar. Sie schmecken auch zerpflückt mit etwas Salat in Fladenbrot oder einem Brötchen verstaut zum Lunch – mal was anderes als der ewig gleiche Burger.

Vegan wird das Ganze mit Seidentofu statt Schafskäse und mit 4 Esslöffeln Chiasamen anstelle der Eier, die Sie mit 12 Esslöffeln Wasser zu einer Art Gel verrühren. Würzen Sie etwas großzügiger.

FÜR 4 PERSONEN BZW. 8 BRATLINGE

1 Tasse rohe rote, weiße oder schwarze Quinoa (etwa 150 g) oder 2 Tassen gegarte Quinoa (300 g)
1 Stück Butternusskürbis (400 g)
1 Bund Frühlingszwiebeln
200 g Spinat, Mangold oder Grünkohl
60 g kernige Haferflocken
1 TL geröstete Kreuzkümmelsamen
200 g Feta
Meersalz und frisch gemahlener schwarzer Pfeffer
1 unbehandelte Zitrone
4 Freiland- oder Bio-Eier (Größe M)
1 kleines Bund Petersilie
1 kleines Bund Koriandergrün
natives Olivenöl extra

FÜR DEN SALAT
½ Salatgurke
4 reife Tomaten
1 Handvoll schwarze Oliven
4 Handvoll Blattsalat

FÜR DEN JOGHURT
150 g Joghurt nach Wahl (ich nehme griechischen oder Kokosjoghurt)
1 TL Sumach oder getrocknete Chili

• Den Wasserkocher füllen und einschalten. Sämtliche Zutaten und Arbeitsutensilien bereitlegen.

• Die Quinoa, wenn sie noch gegart werden muss, in einem Becher abmessen (merken, bis wohin sie reicht), kurz unter kaltem Wasser abspülen und in einen Topf geben. Mit dem Becher die doppelte Menge Wasser zugießen. Zum Kochen bringen und 10 bis 12 Minuten leise köcheln lassen, bis die Quinoa das Wasser fast vollständig aufgenommen hat und das wellige Korn aus der Samenhülle quillt.

• Inzwischen den Kürbis schälen, entkernen und raspeln. Das Fruchtfleisch auf die Quinoa geben (unterrühren ist nicht nötig, es wird auf der Quinoa gedämpft). Noch 2 bis 3 Minuten behutsam weitergaren, bis der Kürbis weich ist. Eventuell verbliebenes Wasser in einem Sieb abtropfen, Quinoa und Kürbis zurück in den Topf geben und noch einige Minuten dämpfen, damit die Restfeuchtigkeit verdampft – am Ende sollte es im Topf knistern. Die Mischung auf einem Blech ausbreiten, damit sie schneller abkühlt.

• Die Frühlingszwiebeln fein hacken, Spinat, Mangold oder Kohl in Streifen schneiden. Alles mit den Haferflocken und dem Kreuzkümmel in eine große Schüssel geben. Den Feta hineinbröckeln, mit etwas Salz, Pfeffer und der abgeriebenen Zitronenschale würzen und sorgfältig vermengen. Die abgekühlte Quinoa (eventuell ist sie noch leicht warm) und die Eier dazugeben, dann die Kräuter grob hacken und zufügen. Noch einmal gründlich durchmischen und in den Kühlschrank stellen, während Sie ein paar andere Arbeiten erledigen.

• Nutzen Sie die Zeit für den Salat: Die Gurke schälen, von den wässrigen Kernen befreien und in Scheiben schneiden, die Tomaten in Spalten oder Scheiben schneiden, die Oliven entsteinen. Das Ganze mit dem Saft einer halben abgeriebenen Zitrone, einem Schuss Olivenöl sowie etwas Salz und frisch gemahlenem schwarzem Pfeffer anmachen. Die Salatblätter auf vier Teller verteilen, den Tomaten-Gurken-Salat darauf anrichten.

• Den Joghurt mit etwas Meersalz und übrigem Zitronensaft verrühren, anschließend den Sumach oder die Chili untermischen.

• Die Quinoa-Masse aus dem Kühlschrank nehmen und mit den Händen zu acht Bratlingen formen. Das Öl in einer Pfanne bei mittlerer Temperatur erhitzen und die Bratlinge darin von jeder Seite etwa 4 Minuten goldbraun braten.

• Die Quinoa-Bratlinge mit einem großzügigen Klecks Joghurt und dem Salat servieren.

Bloody-Mary-Salat mit schwarzem Reis

35 MINUTEN

Schwarzer Reis ist auch unter dem geheimnisvollen Namen »verbotener Reis« bekannt. Er ist von herrlich fester Struktur und entwickelt bei dieser Zubereitung eine angenehme Sämigkeit, zu der die Bloody-Mary-Tomaten und ein Zwiebel-Pickle den perfekten Kontrast liefern. Liebstöckel wäre eine delikate Zugabe, falls Sie ihn im Garten haben oder beim Gemüsehändler sehen; er ist nicht ganz einfach zu finden, darum habe ich verzichtet.

Schwarzer Reis wird in Asien angebaut und ist meine neue Passion. Er wird gewöhnlich ungeschliffen mit der ballaststoffreichen schwarzen Samenhülle angeboten. Es ist diese äußere Schicht, die schwarzen Reis von anderen ungeschliffenen Reissorten unterscheidet, da der schwarze Farbstoff dieselben wertvollen Nährstoffe enthält, die man auch in dunklen Trauben und Blaubeeren findet, die reich an Antioxidantien sind. Er benötigt länger zum Garwerden als weißer Reis.

Im Winter esse ich schwarzen Reis gern mit Roter Bete statt Tomaten – das Farbspiel ist ein kleiner Winternachtstraum.

Wenn Sie Zeit haben, weichen Sie den Reis über Nacht in der doppelten Menge Wasser ein, wenn nicht, dann braucht er eben etwas länger. Mit Sellerieherz sind die zarten hellgelben inneren Stangen des Staudenselleries gemeint. Wer zu Meerrettich aus dem Glas greift, sollte die geriebene Variante ohne Sahne oder andere Zusätze wählen, die kräftiger schmeckt.

FÜR 4 PERSONEN

250 g schwarzer Reis
1 kleine rote Zwiebel
3 EL Sherry- oder Rotweinessig
Meersalz
500 g verschiedenfarbige Tomaten
1 Sellerieherz
100 g fleischige schwarze Oliven
2 EL natives Olivenöl extra
1 EL vegetarische Worcestersauce
1 TL Tabasco oder eine ähnliche Chilisauce
frisch gemahlener schwarzer Pfeffer
2 EL fein geriebener Meerrettich oder Meerrettich aus dem Glas
1 Zitrone

• Sämtliche Zutaten bereitlegen. Den Wasserkocher füllen und einschalten.

• Den Reis unter kaltem Wasser abspülen. In einem Topf mit 1 Liter kochendem Wasser bedecken und zugedeckt zum Kochen bringen. Die Temperatur reduzieren und den Reis etwa 30 Minuten sanft garen, bis er weich ist und sämtliches Wasser aufgenommen hat (nicht eingeweichter Reis kann bis zu 50 Minuten benötigen).

• Die rote Zwiebel schälen, in feine Streifen schneiden, in einer Schüssel mit 1 Esslöffel Essig und einer kräftigen Prise Salz würzen und alles mit den Händen kurz durcharbeiten, damit die Mischung gut durchzieht.

• Die Tomaten so zuschneiden, dass sie je nach Sorte, Farbe und Größe schön zur Geltung kommen. Den Sellerie in ganz feine Scheiben schneiden (das zarte Kraut für später beiseitelegen), die Oliven entsteinen und grob hacken. Sämtliche Zutaten in eine große Schüssel geben.

• Für das Dressing das Öl und die restlichen 2 Esslöffel Essig in einer kleinen Schüssel verrühren. Die Worcestersauce und den Tabasco oder die Chilisauce untermengen und über die Tomaten gießen. Alles mit etwas Salz und Pfeffer würzen, den Meerrettich darüberreiben oder verteilen, den Salat durchheben und kurz ziehen lassen.

• Den Reis, wenn er gar ist, abtropfen (eventuell ist das gar nicht nötig, wenn Sie exakt abgemessen haben), mit Salz und Pfeffer würzen und mit dem Zitronensaft beträufeln. Der Reis ist etwas dick und klebrig, wird durch den Zitronensaft aber geschmeidiger. Den Reis auf einer Platte anrichten, mit den Zwiebeln und den Tomaten garnieren und mit dem Selleriekraut dekorieren. Dazu passt ein einfacher Rucola- oder Brunnenkressesalat.

Bohnen-Mais-Küchlein

30 MINUTEN

Diese mit Kreuzkümmel gewürzten Küchlein gehen ganz schnell und einfach. Die Zutaten dafür habe ich fast immer im Haus, und zur Not kann man auch zu ungesüßtem Dosenmais greifen.

Der Avocadodip dazu wird mit dreierlei Zitrusfrüchten zubereitet, was ihn ganz besonders erfrischend macht. Dazu wird das Fruchtfleisch einfach gewürfelt, was wahre Wunder wirkt. Nur die bittere weiße Haut und den weißen Teil in der Mitte sollte man sorgfältig entfernen. Wenn es schnell gehen muss, kann man sich auch mit der abgeriebenen Schale und etwas Saft der Früchte begnügen. Ich serviere dazu einen grünen Salat mit Limettendressing. In Stücke zerteilt schmecken dieses Küchlein auch – wie Falafel – mit knackigem Salat und Hummus in Fladenbrot.

**FÜR 4 PERSONEN BZW.
8 KÜCHLEIN**

200 g Spinat oder anderes grünes Blattgemüse
1 Dose schwarze Bohnen (400 g)
2 Maiskolben
1 rote Chilischote
1 kleines Bund Koriandergrün
4 Freiland- oder Bio-Eier
Meersalz und frisch gemahlener schwarzer Pfeffer
1 Msp. Kreuzkümmelsamen
Kokosöl

FÜR DEN AVOCADODIP
2 reife Avocados
1 Limette
1 Zitrone
1 Orange

- Den Ofen auf 180 °C (160 °C Umluft/Gas Stufe 4) vorheizen und sämtliche Zutaten bereitlegen.

- Den Spinat oder das Blattgemüse in Streifen schneiden und in eine große Schüssel geben. Die abgetropften Bohnen hinzufügen und mit einer Gabel leicht zerdrücken.

- Die Maiskörner von den Kolben lösen – dazu halte ich den Kolben in eine Schüssel und schneide vorsichtig mit einem Messer die Körner herunter, so kullern sie nicht überall herum. Den Mais zu Spinat und Bohnen in die Schüssel geben.

- Die Chili und das Koriandergrün – samt Stielen – fein hacken und den größten Teil ebenfalls dazugeben, einen kleinen Rest für den Dip aufheben. Die Eier hineinschlagen und großzügig mit Salz und Pfeffer würzen.

- Eine Pfanne vorheizen und die Kreuzkümmelsamen darin 30 Sekunden rösten. Dazugeben und alle Zutaten sorgfältig vermengen.

- Etwas Kokosöl in der Pfanne erhitzen. Pro Küchlein 1 gehäuften Esslöffel der Masse hineingeben – also drei bis vier Küchlein auf einmal braten. Insgesamt sollte sie für 8 Küchlein reichen. Die Küchlein einige Minuten braten, bis sie von unten fest und goldbraun sind und auch der Rand etwas Farbe genommen hat. Wenden und von der anderen Seite braten. Die fertigen Küchlein auf ein großes Blech legen und im Ofen warm halten, während Sie den Rest braten.

- Während die Küchlein in der Pfanne brutzeln, die Avocados halbieren, den Kern entfernen, das Fruchtfleisch herauslösen und mit etwas Salz und Pfeffer zerdrücken. Die Zitrusfrüchte mit einem Messer sauber schälen, vierteln und das bittere Weiße in der Mitte entfernen. Das Fruchtfleisch grob würfeln und von etwaigen Schalenresten befreien. Mit der übrigen Chili und dem restlichen Koriandergrün in das Avocadomus geben und sorgfältig vermengen.

- Die Küchlein mit einem Klecks Avocadodip garnieren und mit einem grünen Salat servieren.

Kürbis-Lauch-Pfanne

30 MINUTEN

Dies ist mein Traum von Brunch. Ich kann nicht genug davon kriegen, darum kommt das Gericht auch gern mal zum Mittag- oder Abendessen auf den Tisch. Früher gab es sonntagabends immer Papas Restepfanne – nicht die berüchtigten Speckeier, sondern die Gemüsereste vom Sonntagsbraten, die in der Pfanne vor sich hin knuspern und einen herrlichen röstigen Satz am Pfannenboden erzeugen.

Eine Pfanne voller guter Sachen – braun gerösteter Kürbis, süßlich-karamelliger Lauch, goldene Kartoffeln und sonnig strahlende Spiegeleier, dazu ein Kräuter-Lauch-Dressing, das dem Ganzen die Krone aufsetzt. Obwohl mein Vater vermutlich zu einem Löffel Branston Pickle (einem britischen Relish aus dem Glas) greifen würde.

All das passiert binnen einer halben Stunde in der Pfanne. Ideal, um Reste von gegartem Wurzelgemüse zu verwerten, was die Zubereitung noch beschleunigt. Veganer lassen den Käse einfach weg und ersetzen die Eier durch 100 g eingeweichte Cashewkerne, die sie mit 100 ml kaltem Wasser statt Joghurt zermahlen. So mache ich es häufig für meine Familie – schmeckt fabelhaft.

FÜR 2 PERSONEN BZW. 4 MIT SPIEGELEIERN

2 Stangen Lauch
1 EL Kokos- oder Olivenöl
400 g neue Kartoffeln
½ mittelgroßer Butternusskürbis
ein paar Schnittlauchhalme
einige Stängel Petersilie
4 EL Crème fraîche oder Joghurt
½ Zitrone
Meersalz und frisch gemahlener schwarzer Pfeffer
1 Stückchen Lancashire oder Cheddar (nach Belieben)
4 Freiland- oder Bio-Eier (nach Belieben)

• Den Wasserkocher füllen und einschalten. Sämtliche Zutaten bereitlegen und eine große beschichtete Pfanne bei mittlerer Temperatur erhitzen.

• Den Lauch waschen, in feine Streifen schneiden und mit etwas Kokosöl in die Pfanne geben. Ab und zu umrühren.

• Während der Lauch dünstet, die Kartoffeln waschen, in 1 cm große Stücke schneiden und in einem großen Topf mit heißem Wasser aus dem Kocher bedecken. Wieder zum Kochen bringen und dann bei niedriger Temperatur 5 Minuten köcheln lassen.

• Den Kürbis entkernen und in etwa 1 cm große Stücke schneiden. Nachdem die Kartoffeln 5 Minuten gegart haben, den Kürbis hinzugeben und weitere 3 Minuten köcheln lassen, bis das Gemüse etwas weicher geworden ist. Anschließend in einem Sieb abtropfen und kurz abtrocknen lassen.

- Von dem Lauch 3 Esslöffel abnehmen und in einen hohen Rührbecher geben. Die Hitze unter der Pfanne mit dem restlichen Lauch erhöhen, noch etwas Fett, falls nötig, sowie Kartoffeln und Kürbis zugeben und alles goldbraun und knusprig rösten. Hin und wieder umrühren, jedoch nicht zu oft, damit das Gemüse Zeit hat, die gewünschte dicke goldbraune Kruste zu entwickeln.

- Die Kräuter hacken und unter die 3 Esslöffel Lauch mengen. Die Crème fraîche oder den Joghurt sowie den Saft der halben Zitrone und etwas Salz und Pfeffer hinzufügen und mit dem Stabmixer pürieren.

- Das Gemüse weiter in der Pfanne braten und wenden, bis es appetitlich gebräunt ist. Nun gibt es mehrere Möglichkeiten. Nicht mehr lange fackeln – schmeckt köstlich, wie es ist. Oder etwas Käse hineinbröckeln und schmelzen lassen. Dann 4 Eier in die Pfanne schlagen, den Deckel auflegen und die Eier 3 bis 5 Minuten zu Spiegeleiern braten, das Eiweiß soll gestockt, das Eigelb jedoch noch flüssig sein.

- Das Kräuter-Lauch-Dressing über die Gemüsepfanne träufeln und vor dem Genießen unterrühren.

30-Minuten-Süßkartoffelchili

30 MINUTEN

Das Reizvolle an einem typischen Chili ist, dass es Ewigkeiten auf dem Herd vor sich hin blubbert und dabei immer kräftiger im Geschmack wird. Dieses Chili ist anders, ein bisschen frischer und heller, doch nicht weniger aromatisch dank Chipotle-Paste, tollen Gewürzen und einem Topping aus Chilis und Kräutern. Ein Topf davon hält die ganze Familie eine Woche lang bei Laune – oder man friert es ein und freut sich auf mehrere *dinner for two*.

FÜR 6 PERSONEN

750 ml passierte Tomaten (Passata)

1 Dose Puy-Linsen (400 g)

1 Dose Adzuki-Bohnen (400 g)

50 g Quinoa

1 bis 2 EL Chipotle-Paste (je nachdem, wie scharf es sein soll)

1 große Süßkartoffel

1 Bund Frühlingszwiebeln (etwa 125 g)

2 Knoblauchzehen

Kokosöl oder Olivenöl

1 EL geräuchertes Paprikapulver

1 EL gemahlener Kreuzkümmel

1 EL gemahlener Koriander

1 Glas eingelegte geröstete rote Paprika (220 g)

ZUM SERVIEREN

1 bis 2 grüne Chilischoten, Samen entfernt

1 Bund Koriandergrün

einige Zweige frischer Oregano oder Thymian

1 Limette

natives Olivenöl extra

Meersalz

Kokosjoghurt oder guter griechischer Joghurt

• Sämtliche Zutaten bereitlegen, einen großen Topf und eine Pfanne bei mittlerer Temperatur vorheizen.

• Die passierten Tomaten, die Linsen, die Bohnen und die Quinoa in den Topf schütten und 400 ml kaltes Wasser zugießen. Die Chipotle-Paste zugeben und alles bei hoher Temperatur 10 bis 15 Minuten garen.

• Die Süßkartoffel schälen, vierteln und in feine Scheiben schneiden, die Frühlingszwiebeln in Ringe schneiden, den Knoblauch schälen. Frühlingszwiebeln und Süßkartoffeln in der Pfanne in etwas Kokosöl oder Olivenöl 5 Minuten anbraten. Mit dem geräucherten Paprika würzen und weitere 3 Minuten garen.

• Den Knoblauch auf einer feinen Reibe in die Tomaten-Quinoa-Mischung reiben, Kreuzkümmel und Koriander zugeben und unterrühren.

• Eine Kelle Chili über die Süßkartoffeln in die Pfanne schöpfen und gut umrühren, um den aromatischen Bratensatz vom Boden zu lösen. Anschließend alles in den Chilitopf gießen und zugedeckt weitere 10 Minuten leise köcheln lassen. Die Paprikaschoten aus dem Glas abtropfen, grob in Streifen schneiden und unterrühren.

• Während das Chili gart, die grünen Chilis, das Koriandergrün, den Oregano oder Thymian, den Limettensaft, 2 Esslöffel Olivenöl sowie 4 Esslöffel Wasser und eine Prise Salz in den Mixer geben und pürieren, bis die Mischung glatt ist.

• Das Süßkartoffel-Chili auf Schüsseln verteilen, mit dem Joghurt und der Chili-Kräuter-Würze abrunden und servieren.

Persische Erbsen-Kräuter-Küchlein mit Rote-Bete-Labneh

30 MINUTEN

Ich liebe die persische Art zu essen, die Gewürze, das gesellige Miteinander, die familiäre Atmosphäre. Mersedeh, eine meiner besten Freundinnen, stammt aus einer Familie hervorragender persischer Köche, und diese kleinen Küchlein, *kuku sabzi* genannt, eine Art persische Kräuter-Frittata, sind eine feste Größe auf ihren Familienfesten. Ich besorge mir meine Dosis mittlerweile an einem persischen Stand auf dem Broadway Market in Hackney, der die Dinger in appetitlich kleinen Portionen anbietet.

Hier ist meine Version. Ich schätze, sie weicht ganz schön vom Original ab (besonders wegen der Erbsen), dennoch ist sie meine Hommage an die persische Küche und Familie in ihrer bunten Vielfalt und Köstlichkeit. Bei guten *kukus*, so sagte man mir, kommt es darauf an, von jedem Kraut die gleiche Menge zu nehmen, sodass keines dominiert, und ihnen durch sanftes Garen zuerst etwas Wasser zu entziehen. Dazu gibt es bei mir Rote-Bete-Labneh (gesalzener Joghurt), Salat und Fladenbrot.

Ich habe das Rezept so bemessen, dass ein paar *kukus* übrig bleiben, damit Sie sehen, wie lecker sie am nächsten Tag mit einem Pickle und Tahini in einen Wrap gewickelt zum Lunch schmecken.

FÜR 4 PERSONEN

FÜR DIE KÜCHLEIN
1 großzügige Prise Safranfäden
400 g Erbsen (TK)
4 Frühlingszwiebeln
1 Bund Minze
1 Bund Dill
1 Bund Schnittlauch
1 Bund Petersilie
etwas Olivenöl
1 gehäufter TL gemahlener Koriander
6 Freiland- oder Bio-Eier
1 grüne Chilischote
Meersalz und frisch gemahlener schwarzer Pfeffer

FÜR DEN ROTE-BETE-LABNEH
2 kleine gegarte Rote-Bete-Knollen
8 EL guter dicker griechischer Joghurt
1 EL Tahini
1 unbehandelte Zitrone
1 kleine Handvoll Walnusskerne

• Den Ofen auf 220 °C (200 °C Umluft/Gas Stufe 7) vorheizen. Den Wasserkocher füllen und einschalten, sämtliche Zutaten und Arbeitsutensilien bereitlegen. Eine beschichtete Pfanne vorheizen. Außerdem benötigen Sie ein beschichtetes 12er-Muffinblech.

• Den Safran mit etwa 25 ml kochend heißem Wasser bedecken und einweichen. Die Erbsen in einer Schüssel ebenfalls mit heißem Wasser bedecken.

• Die Frühlingszwiebeln fein hacken, anschließend die Kräuter in etwa gleich fein hacken. Die Pfanne bei hoher Temperatur erhitzen und etwas Öl hineingeben. Die Frühlingszwiebeln und die Kräuter – bis auf einen kleinen Rest – sowie den gemahlenen Koriander hineingeben und unter Rühren 1 bis 2 Minuten dünsten, bis die Kräuter weich sind.

• Die Eier in einer großen Schüssel verschlagen. Den Safran samt Wasser, die abgetropften Erbsen und die Kräuter-Zwiebel-Mischung aus der Pfanne hinzugeben. Die Chili fein hacken und hinzufügen, mit Meersalz und Pfeffer würzen und gut verrühren.

- Jeweils ein paar Tropfen Öl in die Mulden des Muffinblechs träufeln und gleichmäßig darin zerlaufen lassen. Das Blech 30 Sekunden im Ofen vorwärmen, wieder herausnehmen und die Masse etwa zwei Drittel hoch einfüllen. Die Küchlein im Ofen 10 bis 12 Minuten backen, bis sie durchgegart und goldgelb sind.

- Inzwischen die Rote Bete in eine Schüssel reiben. Den Joghurt, eine kräftige Prise Salz, das Tahini sowie den Zitronensaft und die abgeriebene Schale zugeben und sorgfältig umrühren. Zuletzt mit den zerbröckelten Walnusskernen und den restlichen Kräutern bestreuen.

- Pro Person zwei Küchlein mit warmem Fladenbrot, ein paar Salatblättern und einem großzügigen Löffel Rote-Bete-Labneh servieren.

Kürbissalat mit Rösttomaten und gebratenen schwarzen Bohnen

30 MINUTEN

Dieser Salat setzt ganz auf Konsistenz. Nicht, dass er nicht auch fantastisch schmecken würde, doch wenn wir Zutaten für ein Essen zusammenstellen, denken wir eher selten an Eigenschaften wie Struktur und Konsistenz. Hier übernehmen das gebackene Kürbisscheiben, saftig weiche Rösttomaten und gepuffte schwarze Bohnen, die ein sagenhaft knuspriges, fast popcornartiges Element beisteuern.

FÜR 4 PERSONEN

1 Butternusskürbis (oder ein anderer Kürbis von ähnlicher Größe)
Olivenöl oder Kokosöl
Meersalz und frisch gemahlener schwarzer Pfeffer
Samen von 1 Kardamomkapsel
300 g Kirschtomaten
1 daumengroßes Stück Ingwer
1 Dose schwarze Bohnen (400 g)
50 g Kokosraspel

ZUM SERVIEREN

100 g guter griechischer Joghurt oder Kokosjoghurt
abgeriebene Schale und Saft von 1 unbehandelten Limette
Samen von 1 Kardamomkapsel

• Den Ofen auf 240 °C (220 °C Umluft/Gas Stufe 9) vorheizen und sämtliche Zutaten bereitlegen.

• Den Kürbis halbieren, von den Kernen befreien und in 1 cm dicke Spalten schneiden. Auf ein Blech legen, mit etwas Öl beträufeln und mit Salz, Pfeffer und den gemahlenen Kardamomsamen würzen. Im vorgeheizten Ofen 25 Minuten backen, bis der Kürbis goldbraun und gar ist. Nach der Hälfte der Zeit umdrehen.

• Die Kirschtomaten halbieren und auf ein weiteres Blech legen. Den Ingwer darüberreiben, mit etwas Salz und Pfeffer würzen, ein wenig Öl darüberträufeln und zu dem Kürbis in den Ofen schieben. Die Tomaten benötigen etwa 20 Minuten.

• Inzwischen die Bohnen gut abtropfen und mit Küchenpapier abtrocknen. Eine große Pfanne bei mittlerer Temperatur erhitzen. Sobald sie richtig heiß ist, die Bohnen hineingeben und unter gelegentlichem Wenden braten, bis sie knusprig sind und aufplatzen.

• Kurz bevor der Kürbis so weit ist, das Blech aus dem Ofen nehmen, das Gemüse mit den Kokosraspeln bestreuen, wieder einschieben und noch einige Minuten rösten.

• Den Joghurt mit der Limettenschale und dem Saft sowie den Kardamomsamen verrühren und mit Salz und Pfeffer würzen.

• Die Bleche aus dem Ofen nehmen und alles auf einer großen Platte anrichten. Mit Kardamom-Joghurt in Klecksen garnieren und eventuell mit weiterem Limettensaft abrunden.

10 Lieblingsabendessen aus 10 Lieblingsgemüsen

ROTE BETE

Rote-Bete-Grünkohl-Pfanne für 2 Personen

4 gegarte Rote-Bete-Knollen in Scheiben oder Spalten schneiden und 10 Minuten in Olivenöl dünsten • 2 Handvoll Grünkohl zugeben und garen, bis er zusammengefallen ist • Mit grob gehackten Walnusskernen und etwas Ziegenkäse nach Belieben garnieren und servieren.

BROKKOLI

Brokkolipfanne für 2 Personen

2 große Handvoll langstieligen violetten Brokkoli mit etwas Chili und Sojasauce in Öl braten • Die ausgelösten Fruchtfilets von 2 Orangen (ich nehme am liebsten Blutorangen) und etwas von ihrem Saft zugeben und durchschwenken • Auf gedämpftem Reis oder Nudeln servieren.

KARTOFFELN

Kartoffelpuffer für 2 Personen

250 g Kartoffel abbürsten, reiben und sorgfältig ausdrücken • Gehackten Dill, 2 Eier und etwas krümeligen Hartkäse, etwa Lancashire, untermengen • Die Masse zu kleinen Küchlein formen und in etwas Olivenöl von jeder Seite 4 Minuten braten • Mit einem Salat und Zitronenjoghurt servieren.

BLATTKOHL

Pasta mit Blattkohl für 2 Personen

Einen Blattkohl in Streifen schneiden und mit der abgeriebenen Schale von 1 Zitrone, 1 gehackten roten Chili und 1 gehackten Knoblauchzehe in Olivenöl schwenken • Sobald er zusammengefallen ist, 150 g gegarte Pasta untermengen • Mit geriebenem Parmesan oder Pecorino (vegetarisch) bestreuen.

KAROTTEN

Schnelle Karottensuppe für 2 Personen

4 Karotten fein würfeln und mit 1 gehackten roten Zwiebel weich dünsten • 1 Dose stückige Tomaten, den Saft 1 unbehandelten Orange und die ausgepressten Fruchthälften dazugeben und köcheln lassen, bis die Karotten weich sind • Die Orangenhälften herausnehmen und die Suppe pürieren.

ZUCCHINI

Zucchini-Kichererbsen-Eintopf für 2 Personen

1 rote Zwiebel in feine Streifen schneiden und in etwas Olivenöl andünsten • 2 Zucchini in dünne Scheiben schneiden und zugeben • 1 Handvoll halbierte Kirschtomaten hinzufügen und 10 Minuten garen • 1 Dose Kichererbsen (400 g) abtropfen und untermischen • Alles noch einmal erwärmen und mit Brot servieren.

PAPRIKASCHOTEN

Pikante Paprikapfanne mit Setzeiern für 2 Personen

1 Glas rote Paprikaschoten abtropfen und mit 1 gehackten Chilischote, 2 gehackten Tomaten und einer Prise Kreuzkümmelsamen in etwas Olivenöl braten • Sobald die Mischung weich ist, 2 Eier hineinschlagen und im 180 °C heißen Ofen (160 °C Umluft/Gas Stufe 4) 12 Minuten backen • Mit gehackter Petersilie bestreuen.

MAIS

Frische Maisküchlein für 2 Personen

Die Körner von 2 Maiskolben abschneiden • Mit 1 Ei, Meersalz, schwarzem Pfeffer und 1 Esslöffel Dinkelmehl vermengen • Gehackten roten Chili untermischen (nach Belieben) • Gehäufte Esslöffel der Masse in eine erhitzte Pfanne geben und von jeder Seite 2 Minuten braten • Mit Tomaten-Chutney und eventuell ein paar Scheiben Halloumi garnieren.

ERBSEN

Schnelle Erbsentoasts für 2 Personen

1 kg Erbsen palen oder 500 g TK-Erbsen verwenden • Mit kochendem Wasser übergießen, abtropfen und mit dem Saft von ½ Zitrone und etwas Olivenöl pürieren • Auf Toastbrot streichen und mit Ziegen- oder Schafskäse oder mit Zucchinistreifen garnieren.

ZUCKERSCHOTEN/SPINAT

Grünes Zitronengemüse

2 Handvoll Zuckerschoten und 2 große Handvoll Brokkoliröschen und Spinat mit ½ Knoblauchzehe sowie der abgeriebenen Schale und dem Saft von 1 unbehandelten Zitrone in Olivenöl dünsten • Mit braunem Reis servieren.

Burritos mit gebratenem Feta, grünem Chiligemüse und Limette

30 MINUTEN

Ein Traum von einem Burrito und eines dieser herrlichen Gerichte, die es fertigbringen, herzhaft und frisch, würzig und scharf, rauchig und süß harmonisch miteinander zu verbinden.

Ich mag keinen Reis in meinem Burrito, für mich ist er reiner Füllstoff. Ich packe lieber händeweise mit Chili gebratenes Grünzeug, Avocado und geröstete Bohnen mit Limettensaft hinein. Wer besonders hungrig ist, kann mit braunem Reis oder Quinoa für mehr Substanz sorgen.

....

• Sämtliche Zutaten bereitlegen. Sie benötigen eine große und eine mittelgroße Bratpfanne.

• Den Knoblauch schälen und mit der Chili klein schneiden. Beides in der mittelgroßen Pfanne in etwas Kokosöl andünsten, bis sie braun zu werden beginnen. Den geräucherten Paprika, die Borlotti-Bohnen samt Flüssigkeit und den Saft einer Limette dazugeben und alles 10 Minuten erhitzen.

• Die Kirschtomaten grob würfeln und mit dem Saft einer halben Limette und dem gehackten Koriandergrün vermengen. Die Avocados schälen und entkernen, das Fruchtfleisch mit dem Saft der anderen Limettenhälfte zerdrücken. Den Frühkohl entstielen und in Streifen schneiden. Den Oregano abzupfen.

• Den Feta oder Tofu mit der geriebenen Schale einer Limette und der einen oder anderen kräftigen Prise Chiliflocken bestreuen. In der großen Pfanne 1 Teelöffel Kokosöl erhitzen, Feta oder Tofu einlegen und von jeder Seite 3 Minuten bräunen. Möglichst wenig in der Pfanne bewegen, sonst zerfällt er.

• Den braun gebratenen Feta oder Tofu aus der Pfanne nehmen und warm stellen. Kohl, Oregano und noch etwas Fett, falls nötig, in die Pfanne geben, die abgeriebene Schale einer Limette, eine großzügige Prise Chiliflocken und 2 Esslöffel Wasser hinzufügen und alle Zutaten kochen, bis die Flüssigkeit verkocht ist und die Mischung knusprig zu werden beginnt.

• Die Bohnen in einer Schüssel anrichten. Das Kohlgemüse, wenn es so weit ist, in eine weitere Schüssel füllen, die Pfanne ausspülen und abtrocknen. Bei hoher Temperatur wieder auf den Herd stellen und die Tortillas darin rösten. Wenn Sie einen Gasherd haben, können Sie die Tortillas zum Rösten auch mit einer Küchenzange einige Sekunden über die offene Flamme halten.

FÜR 4 GESUNDE BURRITOS

2 Knoblauchzehen
1 rote Chilischote
Kokosöl
½ TL geräuchertes Paprikapulver
1 Dose Borlotti-Bohnen (400 g)
4 unbehandelte Limetten
2 Handvoll Kirschtomaten
1 kleines Bund Koriandergrün
2 reife Avocados
200 g Frühkohl oder grünes Blattgemüse
einige Zweige Oregano
200 g Feta oder fester Tofu
rote Chiliflocken
4 große Vollkorn- oder Körner-Tortillas

• Alle Zutaten auf den Tisch stellen. Die Burritos auf Teller legen und beim Belegen oben und unten etwas Platz lassen. Zuerst die warmen Bohnen daraufgeben und mit dem Kohl und einigen Scheiben Feta oder Tofu bedecken. Je 1 Esslöffel Tomatensalsa und etwas Avocadodip darüber verteilen, das untere und obere Ende der Tortilla über die Füllung legen, die Enden nach innen einschlagen und den Burrito aufrollen. Reste von Tomatensalsa und Avocadodip dazu servieren.

Graupensalat mit gegrillter Avocado

30 MINUTEN

Dieses Gericht liegt irgendwo zwischen frisch und herzhaft und erinnert mich an die Art von Essen, das ich aus San Francisco kenne, wo ich aufwuchs – leicht, heiter und kerngesund. Es vereint alles, was ich mit Kalifornien verbinde: ausgefallenes Getreide, leuchtende Zitrusfrüchte, Avocados, dazu Nüsse, Samen und alle möglichen Sprossen und Keimlinge.

Jedes Getreide kommt hier in Frage – ich mag den kernigen Biss von Perlgraupen, aber auch Quinoa, Hirse oder brauner Reis sind tolle Optionen. Veganer lassen den Feta weg und nehmen Kokosjoghurt. Ich verwende hier Basilikum, das bei mir meist erntebereit auf der Fensterbank wächst, jedes andere zarte Kraut tut es auch.

Dieser Graupensalat schmeckt auch am nächsten Tag köstlich und lässt sich gut mitnehmen, darum bereite ich gern eine Extraportion als Reiseproviant oder für den Lunch am nächsten Tag zu.

FÜR 4 PERSONEN

200 g Perlgraupen
Meersalz
abgeriebene Schale und Saft von
1½ unbehandelten Zitronen
50 g Mandeln
50 g Sonnenblumen- oder Kürbiskerne
2 reife Avocados
1 großes Bund Basilikum
200 g Joghurt oder Kokosjoghurt
frisch gemahlener schwarzer Pfeffer
100 g Feta
200 g Spinat oder anderes grünes
Blattgemüse

- Den Wasserkocher füllen und einschalten. Sämtliche Zutaten bereitlegen. Eine Grillpfanne bei hoher Temperatur erhitzen.

- Zuerst die Graupen gründlich unter kaltem Wasser abspülen und in einen Topf geben. Die doppelte Menge heißes Wasser zugießen, kräftig salzen, den Saft einer halben Zitrone hineinpressen und die ausgepresste Fruchthälfte mit hineingeben. Etwa 25 Minuten garen.

- Eine Pfanne bei mittlerer Temperatur erhitzen. Die Mandeln grob hacken und mit den Sonnenblumen- oder Kürbiskernen in der Pfanne goldbraun rösten.

- Die Avocados halbieren und entkernen. Mit den Schnittflächen nach unten in die Grillpfanne legen und rösten, bis sie appetitlich braun sind.

- Für eine schnelle Joghurtsauce die Basilikumblätter in Streifen schneiden und in einer kleinen Schüssel mit dem Joghurt, der abgeriebenen Schale und dem Saft der verbliebenen Zitrone sowie einer kräftigen Prise Salz und Pfeffer verrühren.

• Die Graupen, wenn sie gar sind, abtropfen und in eine große Schüssel füllen. Den zerbröckelten Feta und die gerösteten Mandeln und Körner darüber verteilen. Den Spinat oder das Blattgemüse in Streifen schneiden, dazugeben und alles gründlich vermengen. Mit Salz und Pfeffer würzen – aber sparsam, der Feta ist recht salzig.

• Den Graupensalat mit je einer warmen Avocadohälfte zum Auslöffeln, einem großzügigen Klecks Joghurtsauce und nach Belieben weiterem Basilikum servieren.

Gegrillte Zucchini-Ratatouille mit knusprigen Kichererbsen

30 MINUTEN

Dies ist eine ultraschnelle und unverschämt gute Variante von Ratatouille, die bei uns zu Hause früher eine feste Größe war. Zum Garen der Zucchini arbeite ich mit dem Grill statt mit dem Ofen, um ihnen ein Maximum an süßlich-rauchigem Aroma zu verleihen.

Ich serviere sie mit Salat und ein wenig Quinoa oder Brot als eigenständiges Gericht. Wer es etwas gehaltvoller mag, kann dazu gegrillten Halloumi oder gebackenen Ricotta (siehe Seite 90) reichen. Reste machen sich ausgezeichnet in einem Sandwich oder Omelett.

FÜR 4 PERSONEN

4 mittelgroße Zucchini

Meersalz und frisch gemahlener schwarzer Pfeffer

Olivenöl

1 rote Zwiebel

½ Bund Thymian

1 Glas geröstete rote Paprikaschoten (230 g)

550 g Kirschtomaten

2 Knoblauchzehen

1 Dose Kichererbsen (400 g) oder 250 g gegarte Kichererbsen (siehe Seite 241 bis 245)

1 unbehandelte Zitrone

• Den Grill auf hoher Stufe vorheizen, sämtliche Zutaten und Arbeitsutensilien bereitlegen. Bei diesem Rezept beschleunigt eine Küchenmaschine mit Raspelscheibe die Dinge erheblich. Andernfalls tut es auch eine Kastenreibe.

• Die Zucchini raspeln und gleichmäßig auf einem Blech verteilen. Mit Salz und Pfeffer würzen, mit Öl beträufeln und etwa 20 Minuten unter dem Grill rösten und bräunen. Alle paar Minuten durchmischen und wenden.

• Inzwischen eine Pfanne bei mittlerer Temperatur erhitzen. Die Zwiebel schälen, in feine Streifen schneiden und in der Pfanne mit dem abgezupften Thymian in etwas Olivenöl 5 Minuten andünsten.

• Die abgetropften roten Paprikaschoten und die Tomaten fein würfeln, den Knoblauch schälen und in feine Scheiben schneiden. Die leicht gebräunten Zwiebeln mit den Paprikaschoten, den Tomaten und dem Knoblauch auf den Zucchini verteilen, weitere 10 bis 15 Minuten im Ofen garen und alle 5 Minuten wenden.

• Etwas Olivenöl in der Pfanne stark erhitzen. Die Kichererbsen hinzufügen, gut salzen und pfeffern, mit der abgeriebenen Zitronenschale bestreuen und rundherum knusprig braten – das dauert etwa 10 Minuten. Dabei die Kichererbsen regelmäßig durchschwenken, damit sie gleichmäßig bräunen.

• Die Kichererbsen auf der braun gebratenen Zucchini-Ratatouille verteilen. Das Gericht mit einem Blattsalat mit Zitronendressing servieren.

10 einfache Ofenkartoffeln

SÜSSKARTOFFELN

2 Süßkartoffeln von je 250 bis 300 g waschen, abtrocknen und mit einer Gabel rundherum einstechen. Im 220 °C heißen Ofen (200 °C Umluft/Gas Stufe 7) 30 bis 45 Minuten backen, bis sie weich sind. **FÜR 2 KARTOFFELN:**

2 Tomaten, 1 Chilischote, 1 Bund Koriandergrün **IM MIXER PÜRIEREN.** Schwarze Bohnen, 1 Knoblauchzehe, Chili, eine Prise Zimt **ERHITZEN.** Ofenkartoffeln mit Bohnen, Chilisauce und Avocadopüree **GARNIEREN.**

Einige Handvoll Spinat **DÜNSTEN.** Getrocknete Tomaten **HACKEN.** Avocado **IN SCHEIBEN SCHNEIDEN.** Ofenkartoffeln mit Hummus, Spinat, Tomaten, Avocado und Zitronensaft **GARNIEREN.**

Eine Dose weiße Bohnen mit einer Prise geräuchertem Paprika und den Blättern einiger Zweige Thymian und abgeriebener Zitronenschale **ERWÄRMEN.** Petersilie **HACKEN.** Ofenkartoffeln mit warmen Bohnen, gehackter Petersilie und geriebenem Manchego **GARNIEREN.**

Eine Dose abgetropfte Kichererbsen in der Pfanne mit 1 Teelöffel Kreuzkümmel in etwas Öl knusprig **BRATEN.** Geröstete gehackte Paprikaschoten, Kirschtomaten, Petersilie, Basilikum und abgeriebene Zitronenschale **ZUGEBEN.** Auf die Backkartoffeln **HÄUFEN** und Feta darüberbröckeln.

Süßkartoffeln **HALBIEREN** und aushöhlen. Das Fruchtfleisch mit 1 Handvoll geriebenem Cheddar, gedünstetem Lauch, Schnittlauch und klein geschnittenem grünen Blattgemüse **VERMENGEN.** Die Mischung auf die Schalen **VERTEILEN.** Mit Käse **BESTREUEN** und 4 bis 5 Minuten unter dem Grill **ÜBERBACKEN.** Mit Joghurt, gewürzt mit Zitronensaft und Schnittlauch, **SERVIEREN.**

KARTOFFELN

2 mehligkochende Kartoffeln von je 300 bis 400 g waschen, abtrocknen und mit einer Gabel rundherum einstechen. Mit Öl und Salz einreiben und im 220°C heißen Ofen (200°C Umluft/Gas Stufe 7) 1 Stunde backen. **FÜR 2 KARTOFFELN:**

6 Cornichons, ½ Bund Petersilie, 2 Esslöffel Kapern und die abgeriebene Schale von 1 Zitrone **HACKEN.** Mit 1 Esslöffel Crème fraîche oder griechischem Joghurt **VERMENGEN,** salzen und pfeffern. In die Ofenkartoffeln **FÜLLEN** und mit Rucola **BEDECKEN.**

1 Dose weiße Bohnen **ERHITZEN.** Blätter von 1 Zweig Thymian, eine Prise Chilipulver und Salz **ZUGEBEN.** Ofenkartoffeln mit den Bohnen, geriebenem Cheddar und Chilisauce **GARNIEREN.**

½ Weißkohl, ½ Bund Petersilie und 1 Apfel **FEIN HACKEN.** 1 Karotte **REIBEN.** 1 rote Zwiebel schälen, **HACKEN** und mit dem Saft einer halben Zitrone und Salz einreiben. 1 Esslöffel Joghurt und den Saft einer halben Zitrone **VERRÜHREN.** Auf die Ofenkartoffeln **HÄUFEN.**

1 klein geschnittene Stange Lauch weich **DÜNSTEN.** Grünes Blattgemüse und Blätter von 2 Zweigen Thymian zugeben und **GAREN.** 1 Esslöffel körnigen Senf und 2 Esslöffel geriebenen Cheddar **UNTERRÜHREN.** Ofenkartoffeln mit Lauchgemüse und Käse **GARNIEREN.**

1 Esslöffel Senfsamen mit 1 Handvoll Curryblätter **RÖSTEN,** bis sie platzen. 1 Handvoll Spinat und gehackte Frühlingszwiebeln **ZUGEBEN** und 5 Minuten **GAREN.** Abgeriebene Schale von 1 Zitrone **UNTERMENGEN.**

Champignon-Cashew-Pizza

35 MINUTEN

Mein vegan lebender Bruder Owen liegt mir regelmäßig mit Dingen aus der guten alten Zeit in den Ohren, die er so vermisst. Meist ist es *banoffe pie*, eine Art Toffeetorte, oder aber Pizza, und dann mache ich ihm das Rezept hier. Ich koche und esse für mein Leben gern vegan – ich fühle mich danach immer federleicht und aufgeräumt, und weil es etwas mehr Aufmerksamkeit erfordert, bin ich beim Kochen noch mehr bei der Sache, das gefällt mir.

Die vegane Küche mag manchem zeitaufwendig und kompliziert vorkommen oder sogar fad und uninteressant, doch diese Pizza beweist das Gegenteil. Der Belag passt übrigens auch ausgezeichnet auf den Blumenkohlpizzaboden aus *A Modern Way to Eat*, eine glutenfreie Alternative. Ich gebe etwas Nährhefe in den Cashew-Ricotta, sie sorgt für geschmackliche Tiefe und strotzt vor Inhaltsstoffen. Wer sie nicht bekommt, lässt sie weg.

Nährhefe ist durch Hitze inaktivierte Hefe. Wie ihr Name unschwer verrät, strotzt sie vor Vitaminen besonders der B-Gruppe, darunter B12, an dem es in der veganen Ernährung schnell mal mangelt. Dazu ist sie reich an Folsäure, Selen, Zink und Eiweiß. Doch mehr als alles andere mag ich ihr Aroma – zutiefst würzig und *umami*.

FÜR 2 GROSSE PIZZAS

FÜR DIE PILZE
1 rote Zwiebel
Olivenöl
250 g Champignons
1 Knoblauchzehe
einige Zweige frischer Thymian

FÜR DEN CASHEW-RICOTTA
200 g Cashewkerne
Saft von ½ unbehandelten Zitrone
1 Knoblauchzehe
1 Prise Fenchelsamen
1 EL Olivenöl
1 EL Nährhefe (nach Belieben)

FÜR DIE PIZZA
300 g helles Dinkelmehl
150 ml lauwarmes Wasser
Meersalz
1 EL Olivenöl, plus Öl zum Garen
8 EL passierte Tomaten (Passata) von guter Qualität
1 kleine Handvoll schwarze Oliven, entsteint
1 kleine Handvoll Rucola

• Zuerst sämtliche Zutaten und eine große Bratpfanne mit dickem Boden bereitstellen – sie sollte etwa 26 cm Durchmesser haben. Den Grill auf Maximum vorheizen.

• Für die Pilze die rote Zwiebel schälen, in Streifen schneiden und mit etwas Öl in die Pfanne geben. Die Pilze in Stücke zupfen, den Knoblauch schälen und grob hacken. Beides mit dem Thymian in die Pfanne geben und 4 bis 5 Minuten braten, bis die Pilze goldbraun und durchgegart sind. Regelmäßig wenden. Aus der Pfanne nehmen und beiseitestellen.

• Als Nächstes für den Cashew-Ricotta sämtliche Zutaten im Mixer mit 3 Esslöffeln Wasser zermahlen, bis die Masse ganz glatt ist – das dauert je nach Leistung des Motors zwischen 2 und 5 Minuten. Die Creme sollte die Konsistenz von gewöhnlichem Ricotta haben. In eine Schüssel umfüllen und den Mixbecher auswaschen.

• Nun zum Teig. Das Mehl und das Wasser mit einer kräftigen Prise Salz und 1 Esslöffel Olivenöl in der Küchenmaschine mit der Impulstaste vermischen, bis sich die Zutaten zu einem Kloß verbunden haben. Anschließend kurz von Hand geschmeidig kneten.

• Die Pfanne bei mittlerer bis hoher Temperatur wieder auf den Herd stellen. Wenn Sie zwei Pfannen ungefähr derselben Größe haben, können Sie die Pizzas gleichzeitig backen, andernfalls backt man sie nacheinander, es geht ganz schnell. Den Teig in zwei Hälften schneiden, eine Hälfte zugedeckt beiseitelegen. Die andere auf der bemehlten Arbeitsfläche mit einem Nudelholz 1 cm dünn zu einem Kreis von etwa der Größe der Pfanne ausrollen.

• Etwas Öl in die heiße Pfanne träufeln, den Pizzaboden vorsichtig einlegen und etwa 3 Minuten backen, bis er von unten langsam fest zu werden beginnt, inzwischen den Boden rasch belegen.

• Die Hälfte der passierten Tomaten darauf verstreichen und mit Champignons, Cashew-Ricotta und Oliven belegen.

• Die Pizza 4 bis 5 Minuten unter den Grill schieben, bis der Teig durchgegart und der Cashew-Ricotta gebräunt ist. Die zweite Pizza auf die gleiche Weise backen.

• Zuletzt etwas Rucola darüberstreuen. Die Pizzas in große Stücke schneiden. Hausgemachte Glückseligkeit.

Rauchiger Gemüse-Chowder mit Kokosflocken

25–30 MINUTEN

Die ersten Jahre meines Lebens verbrachte ich am Stadtrand von San Francisco. Ich erinnere mich an fröhliche Ausflüge über die große rote Brücke in die Stadt, die mir wie ein Zauberland vorkam. Ein Muss auf diesen Ausflügen waren die Shirley Temples (Limonade mit Grenadine – ein schäumender Traum in Pink) und eine große Portion Chowder (eine dicke Suppe mit Fisch oder Muscheln), manchmal in ausgehöhltem Sauerteigbrot serviert, was ich als kleines Mädchen todschick und ziemlich vornehm fand.

Als nahrhafter Balsam für Leib und Seele reicht an einen guten Chowder so schnell nichts heran. Dies ist meine aktuelle Version, eine Suppe wie eine wärmende Decke, mit einer reizvollen rauchigen Note und geröstetem Kokos als würzigem Extra obendrauf.

Ich verwende hier Rauchsalz, um das rauchige Aroma zu unterstreichen. Das beste – Halen Môn – stammt von der Insel Anglesey an der Nordküste von Wales, wo ich viel Zeit verbracht habe und John zu Hause ist. Wenn kein Rauchsalz zur Hand ist, tut es gewöhnliches Meersalz genauso gut.

FÜR 4 BIS 6 PERSONEN

1 Zwiebel
1 Stange Sellerie
Kokosöl oder Olivenöl
2 Maiskolben
1 mittelgroße Süßkartoffel
1 kräftige Prise Rauchsalz
1 EL gekörnte Gemüsebrühe oder ½ Brühwürfel
½ großer Blumenkohl
2 Limetten

FÜR DAS KOKOS-TOPPING
1 Handvoll Kokosflocken
1 EL Ahornsirup
1 TL geräuchertes Paprikapulver

ZUM SERVIEREN
gutes Olivenöl
gehackte Kräuter wie Petersilie, Koriandergrün oder Kresse

• Den Ofen auf 200 °C (180 °C Umluft/Gas Stufe 6) vorheizen. Den Wasserkocher füllen und einschalten, sämtliche Zutaten bereitlegen und eine Grillpfanne bei hoher Temperatur erhitzen.

• Die Zwiebel schälen, mit dem Sellerie fein hacken und in einem großen Topf in 1 Esslöffel Kokos- oder Olivenöl 5 Minuten andünsten, bis das Gemüse weich ist.

• Gleichzeitig die Maiskolben in der erhitzten Pfanne rösten und regelmäßig umdrehen, bis sie von allen Seiten kräftig gebräunt sind.

• Den Mais im Auge behalten, inzwischen die Süßkartoffel schälen und in 1 cm große Stücke schneiden. Zu Zwiebeln und Sellerie in den Topf geben, mit dem Rauchsalz würzen und 1¼ Liter heißes Wasser aus dem Kocher zugießen. Gekörnte Brühe oder den Brühwürfel unterrühren und das Ganze leicht zum Sieden bringen. Den Blumenkohl in Stücke zerteilen, in die Suppe geben und köcheln lassen, bis die Süßkartoffel fast gar ist.

• Zwischendurch mal einen Blick auf den Mais werfen und weiter regelmäßig wenden, damit er von allen Seiten Farbe nimmt.

• Ein Backblech mit Backpapier auslegen und die Kokosflocken darauf-
streuen. Den Ahornsirup und den geräucherten Paprika darüber verteilen
und im Ofen goldbraun rösten – das dauert 4 bis 5 Minuten.

• Den rundherum gebräunten Mais vom Herd nehmen und etwas abkühlen lassen. Anschließend die Körner abschneiden – dazu halte ich den
Kolben in eine Schüssel, damit sie nicht überall in der Gegend herumflie-
gen.

• Die Hälfte des Maises unter die Suppe rühren und mit dem Stabmixer
pürieren, bis sie ganz glatt und cremig ist. Den Limettensaft hineinpressen
und die Suppe kräftig abschmecken. Mit dem restlichen Mais und den
gerösteten Kokosflocken bestreuen, mit etwas Olivenöl und ein paar
Kräutern garnieren und servieren.

Gebratener Panir mit Chili und glasierten Bohnen

30 MINUTEN

Dies ist ein superschnelles köstliches Curry, das mein Haus regelmäßig mit seinem unwiderstehlichen Duft erfüllt. Es ist würzig-scharf und sämig-süß und für mich das Beste, was man mit Panir, einem schnittfesten Frischkäse aus Indien, machen kann. Seine Wurzeln hat dieses Curry in Kaschmir, einer Region, die ich nie besucht habe, wohl aber meine Eltern, als ich klein war. Sie erzählen oft, wie schön es dort ist, und so stelle ich es mir vor, wenn ich diesen aromatischen wolkenzarten Panir genieße.

Auf Seite 248 zeige ich Ihnen, wie man Panir selbst herstellt. Es geht ganz einfach und ist eine tolle vegetarische Basiszutat, die in einer Vielzahl von Gerichten den Tofu ersetzen kann. Wer (wie ich oft) gekauften Panir verwendet, sollte ihn zuerst 5 Minuten in Wasser einweichen, damit er die Aromen besser annimmt. Kaschmir-Chilis bekommen Sie beim Inder und im gut sortierten Gewürzladen.

Veganer können dieses Curry mit festem Tofu zubereiten und werden nicht enttäuscht sein.

FÜR 4 PERSONEN

200 g Panir
1 mittelgroße Zwiebel
3 Knoblauchzehen
2 EL Kokosöl
500 g grüne Bohnen
1 EL Kreuzkümmelsamen
1 TL gemahlene Kurkuma
1 TL Kaschmir-Chilipulver
oder anderes mildes Chilipulver
1 gehäufter TL gemahlener
Koriander
4 Rispentomaten oder 200 g
Kirschtomaten
1 daumengroßes Stück frischer
Ingwer
1 Zitrone
1 EL flüssiger Honig
1 rote Chilischote

ZUM SERVIEREN
Meersalz
1 Zitrone
1 kleines Bund Koriandergrün
einige Chapatis oder andere
Fladenbrote

....

• Sämtliche Zutaten bereitlegen. Gekauften Panir in einer Schüssel in etwas Wasser einweichen.

• Die Zwiebel und den Knoblauch schälen und fein hacken. Das Kokosöl in einem Topf mit dickem Boden bei mittlerer Temperatur zerlassen, Zwiebel und Knoblauch hineingeben und etwa 5 Minuten dünsten, bis sie weich sind und braun zu werden beginnen.

• Die Enden der grünen Bohnen abschneiden.

• Alle trockenen Gewürze über Zwiebeln und Knoblauch in den Topf streuen und bei niedriger Temperatur unter Rühren ein wenig anrösten, damit sich ihr Aroma entfalten kann.

• Die Tomaten grob würfeln, den Ingwer schälen und grob hacken. Beides zu den anderen Zutaten in den Topf geben und bei hoher Temperatur 2 bis 3 Minuten dünsten.

• Die grünen Bohnen, den Zitronensaft und den Honig hinzufügen und rundherum sorgfältig in der Gewürzmischung wenden. Dann 100 ml Wasser zugießen und einige Minuten garen, bis sich der Rohgeschmack der Bohnen verflüchtigt hat, das Wasser verdampft ist und die Zutaten gleichmäßig mit der Sauce überzogen sind – das dauert etwa 4 Minuten.

• Die rote Chili fein hacken. Den Panir abtropfen, in 2 cm dicke Scheiben schneiden und unter das Curry mengen, sodass er von allen Seiten mit der würzigen Tomatensauce bedeckt ist.

• Das Curry großzügig mit Meersalz und dem Zitronensaft würzen und mit dem gehackten Koriandergrün bestreuen. Mit aufgebackenen Chapatis oder anderem Fladenbrot zum Stippen sowie mit Mango-Chutney und eventuell etwas Reis für die ganz Hungrigen servieren (der Blumenkohlreis auf Seite 88 passt gut).

Roggenpfannkuchen mit knusprig gebratenem Topinambur

30 MINUTEN

Diese herzhaften Roggenpfannkuchen werden mit kurzgebratenem Topinambur belegt; außerhalb der eher kurzen Saison kann man auch zu neuen Kartoffeln greifen.

Wer nicht oft Roggenmehl verwendet, sollte ihm mal eine Chance geben. Man kann daraus ein herrlich duftendes rustikales Brot backen (siehe Seite 254), aber auch Brownies und jede Art von Schokogebäck.

Ich bereite oft gleich die doppelte Menge Pfannkuchen zu und hebe den Vorrat im Kühlschrank auf, um ihn im Laufe der Woche zu Quesadillas und Burritos zu verarbeiten.

FÜR 4 PERSONEN BZW. 8 BIS 10 PFANNKUCHEN

FÜR DIE PFANNKUCHEN
110 g Roggenmehl
100 g Dinkelmehl
1 kräftige Prise Meersalz
3 Freiland- oder Bio-Eier
500 ml Wasser, bei Bedarf auch mehr
Olivenöl

FÜR DEN BELAG
400 g Topinambur oder neue Kartoffeln
4 Frühlingszwiebeln
2 EL Kapern
1 unbehandelte Zitrone
200 g Ricotta
60 g Rucola
1 rote Chilischote (nach Belieben)

• Sämtliche Zutaten und Arbeitsutensilien bereitlegen. Sie benötigen eine große beschichtete Pfanne.

• Für den Teig beide Mehle und das Salz in einer Schüssel vermengen. Die Eier hineinschlagen und mit einer Gabel grob einarbeiten, dann nach und nach das Wasser unterrühren. Der Teig mag etwas dünn erscheinen, er zieht aber noch ein wenig an, wenn man ihn 5 Minuten quellen lässt und sich inzwischen schon mal um den Belag kümmert.

• Den Topinambur oder die Kartoffeln auf einem Gemüsehobel oder mit einem scharfen Messer, wenn Sie genügend Übung haben, in hauchdünne Scheiben schneiden, Schälen ist nicht nötig. Die Frühlingszwiebeln fein hacken.

• In einer großen Pfanne das Olivenöl erhitzen, die abgetropften Kapern hineingeben und 4 Minuten knusprig braten. Mit einem Schaumlöffel herausnehmen und beiseitelegen.

• Nun die Topinambur- oder Kartoffelscheiben in der Pfanne bei hoher Temperatur unter häufigem Wenden etwa 10 Minuten braten, bis sie knusprig und goldbraun zu werden beginnen. Die Frühlingszwiebeln hinzufügen und weitere 3 Minuten braten, anschließend die Zitronenschale darüberreiben und den Saft der halben Frucht hineinpressen. Bei niedriger Temperatur warm halten, während Sie die Pfannkuchen backen.

• Eine mittelgroße Pfanne bei mittlerer Temperatur vorheizen. Mit etwas Öl ausreiben und nur so viel Teig eingießen, dass er den Boden dünn bedeckt. Die Pfanne behutsam schwenken, damit der Teig gleichmäßig zerläuft. Den Pfannkuchen einige Minuten backen, bis er unten goldbraun ist; mit einem Spatel wenden und von der anderen Seite bräunen.

• Wenn Sie viele Pfannkuchen backen, den Ofen bei niedriger Temperatur vorheizen und die fertigen Pfannkuchen auf einem Teller darin warm halten.

• Die Pfannkuchen mit dem Topinambur oder den Kartoffeln und den knusprigen Kapern belegen und etwas Ricotta darüber zerkrümeln. Den Rucola daraufhäufen und mit einem Spritzer Zitronensaft und nach Geschmack frisch gehackter roter Chili abrunden.

Bunter Wintersalat mit kandierten Nüssen und Samen

35 MINUTEN

Im Spätsommer geschehen scheinbar immer zur gleichen Zeit zwei Dinge: Ich fange an Socken zu tragen und höre auf Salat zu essen. Nicht dass mir kein Blättchen Rucola mehr zwischen die Zähne käme, bis die Sonne wieder scheint, doch plötzlich ist Salat keine richtige Mahlzeit mehr für mich. Dieser Salat ist eine Ausnahme. Er ist fast durch und durch Rohkost und ein Ausbund an Geschmack, doch kommt er so wunderbar herbstlich daher, dass ich ihn noch genieße, wenn längst schon die Wollmützen wieder im Einsatz sind. Ich verwende eine bunte Mischung verschiedener Sorten Karotten und Rote Bete, um Farbe auf den Teller zu bringen. Das sollten Sie auch tun, so wird Ihr Salat zu einem bezaubernden Hingucker.

FÜR 4 PERSONEN ALS HAUPT-GERICHT ODER 6 ALS BEILAGE

FÜR DEN SALAT
3 Karotten
3 Rote Beten
1 Romanasalat oder 1 Staude winterliches Blattgemüse
1 Birne
1 Handvoll Pecannüsse
1 Handvoll Kürbiskerne
etwas Ahornsirup
Meersalz und frisch gemahlener schwarzer Pfeffer
50 g Pecorino (nach Belieben)

FÜR DAS DRESSING
3 EL Olivenöl
abgeriebene Schale und Saft von 1 unbehandelten Zitrone
1 EL Tahini
1 EL Rotweinessig

- Alle Zutaten bereitlegen.

- Sämtliches Gemüse und die Birne schälen und so dünn wie möglich in Scheiben oder Streifen schneiden. Vor allem der Salat oder das Blattgemüse sollte möglichst fein geschnitten werden, ein Gemüsehobel kann da ganz hilfreich sein, aber ein scharfes Messer erledigt die Arbeit genauso gut.

- Ein kleines Tablett oder einen Teller mit Backpapier auslegen. Die Pecannüsse in einer Pfanne kurz anrösten, die Kürbiskerne zugeben und weiterrösten, bis sie aromatisch duften und braun zu werden beginnen. Etwas Ahornsirup und eine Prise Salz hinzufügen, umrühren und auf das Tablett schütten. Abkühlen lassen.

- Sämtliche Zutaten für das Dressing verrühren.

- Das klein geschnittene Gemüse in einer Schüssel mit Salz und Pfeffer würzen, mit dem Dressing beträufeln und alles sorgfältig durchmischen. Den Pecorino, falls verwendet, über den Salat hobeln. Mit den gerösteten Nüssen und Kernen bestreuen. Mit Fladenbrot und, wenn der Salat etwas sättigender sein soll, mit zerbröckeltem Feta oder zerpflücktem Mozzarella garniert servieren.

146

Vierzig-
Minuten-
Festessen

Diese Gerichte brauchen etwas länger, lassen sich aber mit etwa vierzig Minuten noch in überschaubarer Zeit umsetzen, also durchaus auch unter der Woche. Es sind ein paar mehr Zutaten nötig als bei den schnelleren Rezepten, doch durch die kleine Extrazeit entwickeln sie auch mehr geschmackliche Raffinesse und Komplexität. Mit dabei sind Spinat-Polpette mit Zitrone, eine Pilzpfanne mit Reis, Tsatsiki und Hummus, meine Lieblingslinsen mit Rösttomaten, herrliche Buddha-Bowls, Gemüse-Tacos mit Chili-Salsa, aromatischer Pho mit Anis, selbstgemachte Kichererbsen-Pasta, Avocado mit Zucchini-Pommes und Süßkartoffel-Gnocchi. Außerdem Pies aus der Pfanne und schnelle Aufläufe aus dem Ofen.

Gegrillte Pilze mit Reis, Tsatsiki und Hummus

40 MINUTEN

FÜR 4 PERSONEN

FÜR DEN REIS
200 g schwarzer Reis oder Wildreis
3 EL Korinthen
2 EL Weißweinessig
½ Bund Dill und/oder Estragon

FÜR DIE MARINIERTEN PILZE
800 g gemischte Pilze wie Kräuter-
seitlinge, Champignons und
Austernpilze
2 TL geräuchertes Paprikapulver
2 EL Ahornsirup oder flüssiger
Honig
Saft von ½ Zitrone
2 EL Sumach
1 kräftiger Schuss Olivenöl

FÜR DEN TSATSIKI
½ Salatgurke
½ TL Kreuzkümmelsamen
½ TL Fenchelsamen
150 g Joghurt nach Wahl
(ich nehme Kokos- oder griechischen Joghurt)
Saft von ½ Zitrone
Salz und frisch gemahlener
schwarzer Pfeffer

FÜR DEN HUMMUS
1 TL Koriandersamen
8 EL selbstgemachter oder gekauf-
ter Hummus von guter Qualität
Kerne von ½ Granatapfel

FÜR DIE OLIVEN-SALSA
1 Handvoll schwarze Oliven
(ich nehme Kalamata-Oliven)
1 Bund Koriandergrün
Öl

Dieses Gericht bereite ich gern für Gäste zu. Es ist ein unerwartetes Feuerwerk der Aromen und Farben mit vielen interessanten und originellen Elementen, die gemeinsam erst so richtig zur Geltung kommen.

Vor langer Zeit lernte ich von einem großartigen italienischen Koch, bei Pilzen etwas mutiger mit der Hitze zu sein – also eine richtig heiße Pfanne, nicht zu voll gefüllt und kräftig gewürzt. Glücklicherweise kommt diese Pilzbehandlung der schnellen Küche sehr entgegen. So schmecken mir Pilze nämlich am besten – kräftig gebräunt, mit Röstaroma und mit Biss. Für eine Extraportion Geschmack sorgt ein kurzes Bad in einer Marinade, während die Grillpfanne schon mal heiß wird. Wer keine hat, nimmt eine große Bratpfanne oder heizt den Grill an.

• Den Wasserkocher füllen und einschalten, sämtliche Zutaten bereitlegen und eine Grillpfanne erhitzen.

• Den Reis in einem Becher oder Messbecher (merken, bis wohin er reicht) unter kaltem Wasser abspülen und in einen Topf geben. Mit dem Becher die doppelte Menge heißes Wasser zugießen, den Deckel auflegen und den Reis leise köcheln lassen. Schwarzen Reis 30 bis 35 Minuten, Wildreis 20 Minuten garen. Die Korinthen in dem Weißweinessig einweichen.

• Große Pilze in dicke Scheiben schneiden und sämtliche Pilze in eine Schüssel geben. Die Zutaten für die Marinade hinzufügen und gründlich mit den Pilzen vermengen.

• Für den Tsatsiki die Gurke in eine Schüssel raspeln. Die Kreuzkümmel- und die Fenchelsamen in einer Pfanne rösten und dazugeben. Den Joghurt und den Zitronensaft unterrühren, mit einer kräftigen Prise Salz und Pfeffer würzen und beiseitestellen.

• Wenn die Grillpfanne zu rauchen beginnt, eine Schicht Pilze einlegen und grillen, bis sie von allen Seiten kräftig gebräunt, knusprig und durchgegart sind. Portionsweise vorgehen und die Pfanne nicht zu voll machen, sonst beginnen die Pilze zu kochen, statt zu braten. Gut aufpassen und die Pilze regelmäßig wenden, falls nötig, während Sie schon mal ein paar andere Dinge erledigen. Fertig gegrillte Pilze im mäßig warmen Ofen warm stellen, während Sie den Rest zubereiten.

• Die Koriandersamen in der Pfanne rösten und im Mörser grob zerdrücken. Unter den Hummus rühren und eventuell mit Salz und Pfeffer abschmecken. Mit den Granatapfelkernen bestreuen.

• Für die Oliven-Salsa die Oliven entsteinen und auf einem Brett mit dem Koriandergrün zu einer stückigen Salsa zerhacken. In eine Schüssel geben, mit Salz, Pfeffer und ein paar Tropfen Öl würzen und beiseitestellen.

• Den Reis, sobald er gar ist, abtropfen, die Korinthen samt Essig unterrühren und mit einer kräftigen Prise Salz und Pfeffer würzen. Den Dill und/oder Estragon hacken und unter den Reis ziehen.

• Den Reis auf Teller verteilen, die gegrillten Pilze darauf anrichten und das Ganze mit Oliven-Salsa, Hummus und Tsatsiki servieren. Dazu passt Fladenbrot.

Spinat-Polpette mit Zitrone

40 MINUTEN

Diese leichten leckeren Spinatklößchen mit Muskatnuss serviere ich zu Spaghetti und einer schnellen Tomatensauce. Wer es noch leichter möchte, kann sie auch mit Quinoa und einem grünen Salat genießen.

Ich verwende vegetarischen Parmesan. Falls Sie keinen bekommen, erfüllt auch jeder andere vegetarische Hartkäse den Zweck. Veganer können mit einem Löffel Nährhefe für die perfekte Illusion von Parmesan sorgen, benötigen allerdings ein paar mehr Semmelbrösel oder Haferflocken.

FÜR 4 PERSONEN

FÜR DIE SPINAT-POLPETTE
250 g Spinat
100 g gegarte Puy-Linsen
1 Freiland- oder Bio-Ei
1 kräftige Prise geriebene Muskatnuss
50 g Vollkornsemmelbrösel oder Haferflocken
50 g Parmesan (ich nehme vegetarischen)
abgeriebene Schale von 1 unbehandelten Zitrone
Salz und frisch gemahlener schwarzer Pfeffer
1 Knoblauchzehe

FÜR DIE SAUCE
1 Handvoll Mandelkerne
2 Knoblauchzehen
3 EL Olivenöl
1 unbehandelte Zitrone
1 kleines Bund Basilikum
350 g Kirschtomaten
300 g Spaghetti nach Wahl (ich nehme Vollkornnudeln)

• Den Ofen auf 200 °C (180 °C Umluft/Gas Stufe 6) vorheizen. Den Wasserkocher füllen und einschalten, sämtliche Zutaten bereitlegen.

• Den Spinat waschen und von harten Stielen befreien. Eine große Pfanne bei hoher Temperatur erhitzen. Sobald sie heiß ist, den Spinat darin garen, bis er zusammengefallen und das Wasser verdampft ist.

• Die Linsen gut abtropfen, wenn sie aus der Dose kommen, und im Mixer pürieren. Ei, Muskatnuss, Semmelbrösel oder Haferflocken, Parmesan, Zitronenschale sowie etwas Salz und Pfeffer zugeben. Den Knoblauch schälen, hacken und hinzufügen. Alle Zutaten mixen, bis sie gleichmäßig vermengt sind. Die Masse in eine Schüssel umfüllen und den Spinat unterheben.

• Die Masse vierteln und aus jeder Portion 8 kleine Klöße formen – insgesamt also 32 walnussgroße Klöße. Auf ein Backblech legen und 15 bis 20 Minuten im Ofen backen, bis sie goldbraun und knusprig sind.

• Für die Sauce die Mandeln, den geschälten Knoblauch und das Olivenöl im Mixer grob zerkleinern. Die abgeriebene Schale und den Saft der Zitrone, das abgezupfte Basilikum und die Kirschtomaten hinzufügen und alles zu einer Art Pesto pürieren; anschließend kräftig mit Salz und Pfeffer abschmecken.

- Wenn die Polpette etwa 10 Minuten im Ofen sind, einen großen Topf mit kochendem Wasser füllen, salzen und erneut zum Kochen bringen. Sobald es sprudelnd kocht, die Spaghetti hineingeben und nach der Packungsanleitung garen (gewöhnlich etwa 8 Minuten).

- Die Spaghetti abgießen, dabei etwas Kochwasser auffangen. Die Spaghetti sorgfältig mit dem Pesto mischen und bei Bedarf etwas Kochwasser unterrühren. Die Spaghetti auf Teller verteilen, die Spinat-Polpette darauf anrichten und nach Belieben mit weiterem Parmesan bestreuen.

Süßkartoffelauflauf »Silver Lake«

40 MINUTEN

Ich habe fast das halbe Buch bei meiner Schwester in Silver Lake, Los Angeles, geschrieben. Mittendrin war Thanksgiving, und zufällig war der gesamte Jones-Clan zugegen. Wir haben Thanksgiving nie gefeiert, doch in echter Jones-Manier ließen wir uns nicht lumpen, tischten massenhaft Speisen auf und genossen sie zusammen mit unseren Freunden aus L.A. Es war eine Mischung aus Rezepten, an denen ich gerade eifrig gewerkelt und gefeilt hatte, und einigen amerikanischen Klassikern, die zu probieren der Anlass gerade recht kam.

Schon als Kind faszinierte mich der Süßkartoffelauflauf, der zu Thanksgiving die Tafeln schmückt, und wer könnte das nicht nachvollziehen? Er ist der Traum jedes vernaschten kleinen Mädchens – aufgeschlagener Süßkartoffelbrei mit Marshmallows überbacken, und das geht auch noch als reguläre Mahlzeit durch, wie sonderbar und wunderbar zugleich!

Das ist meine Version, die ein ganzes Stück vom Original abweicht. Deutlich weniger süß (keine Marshmallows), immerhin sind Süßkartoffeln dabei sowie Kräuter und eine knusprige Kruste aus Pecannüssen. Ich esse den Auflauf regelmäßig mit einem zitronig angemachten grünen Salat als frischen Akzent gegen die Süße der Kartoffeln.

FÜR 4 PERSONEN

4 mittelgroße Süßkartoffeln
2 Stangen Lauch
Olivenöl oder Kokosöl
einige Zweige Salbei
einige Zweige Thymian
2 große Handvoll Spinat (etwa 150 g)
frisch geriebene Muskatnuss
Salz und frisch gemahlener schwarzer Pfeffer

FÜR DIE KRUSTE

2 Scheiben gutes Brot (oder 2 Handvoll kernige Haferflocken)
1 Handvoll Pecannüsse (etwa 50 g)
einige Zweige Thymian
2 EL Olivenöl oder Kokosöl
1 EL Ahornsirup
abgeriebene Schale von 1 unbehandelten Zitrone

FÜR DIE CASHEW-CREME

100 g ungesalzene Cashewkerne
300 ml ungesüßte Mandelmilch

• Den Ofen auf 220 °C (200 °C Umluft/Gas Stufe 7) vorheizen. Den Wasserkocher füllen und einschalten, sämtliche Zutaten und Arbeitsutensilien bereitstellen. Sie benötigen eine mittelgroße Auflaufform in der Art, wie man sie für Lasagne verwendet.

• Eine Pfanne bei hoher Temperatur erhitzen. Einen großen Topf auf den Herd stellen, mit kochendem Wasser aus dem Kocher füllen und leicht salzen.

• Die Süßkartoffeln waschen und in ½ cm dünne Scheiben schneiden (Schälen ist nicht nötig). Die Lauchstangen längs halbieren, waschen und in feine Streifen schneiden. Sobald das Wasser wieder kocht, die Süßkartoffeln hineingeben und 10 Minuten garen, bis sie weich sind, jedoch noch nicht zerfallen.

• Den Lauch mit etwas Olivenöl oder Kokosöl in die heiße Pfanne geben. Die grob gehackten Salbeiblätter hinzufügen, den Thymian hineinzupfen und alles bei mittlerer Temperatur etwa 10 Minuten dünsten, bis der Lauch weich ist.

- Inzwischen für die Kruste das Brot oder die Haferflocken im Mixer zu Bröseln zerkleinern. Die Pecannüsse und den abgezupften Thymian zugeben und erneut mixen, bis alles etwa gleich fein zerkleinert ist. Das Öl, den Ahornsirup und die Zitronenschale untermengen, kräftig würzen und beiseitestellen.

- Für die Cashew-Creme die Cashewkerne im Mixer zermahlen, die Mandelmilch zugießen und erneut mixen, bis eine ganz glatte Creme entstanden ist.

- Den Spinat waschen und von harten Stielen befreien. Zum Lauch in die Pfanne geben und einige Minuten zusammenfallen lassen. Die Süßkartoffeln abgießen und in die Auflaufform geben. Lauch und Spinat darauf verteilen, mit geriebener Muskatnuss sowie einer kräftigen Prise Salz und Pfeffer würzen. Alles gleichmäßig mit der Cashew-Creme übergießen.

- Den Auflauf mit den Bröseln bestreuen und im Ofen 25 Minuten goldbraun überbacken. Mit einem grünen Salat mit Zitronendressing servieren.

Meine Lieblingslinsen mit Rösttomaten und Meerrettich

40 MINUTEN

Linsen und Tomaten sind ein unglaublich gutes Gespann, und mit feurigem Meerrettich und einer würzigen Knusperkruste wird dieses Gericht durch und durch britisch. Dazu serviere ich gern einen einfachen Blattsalat, nur mit Zitrone und Öl angemacht.

Puy-Linsen sind ideal für die schnelle Küche, da sie nicht eingeweicht werden müssen. Sie benötigen 30 Minuten, sind herzhaft, lecker und angenehm cremig. Gart man eine Tomate und ein paar Knoblauchzehen mit, wird das Ganze noch aromatischer. Diese Kochmethode hat mir mein Freund und langjähriger Chef Jamie Oliver beigebracht, aber ich bin ziemlich sicher, dass es ein klassisches italienisches Rezept ist. Sie werden Linsen von jetzt an nur noch so zubereiten.

Wenn genug Zeit ist, die Linsen über Nacht einzuweichen, so sind sie leichter verdaulich. Ich versuche immer daran zu denken, doch wenn Sie es vergessen oder keine Zeit haben, ist es auch nicht tragisch. Ich verwende hier Meerrettich aus dem Glas, aber nicht die Variante mit Sahne. Natürlich kommt auch frischer Meerrettich in Frage. Vegan wird das Rezept mit veganer Mayo oder veganem Frischkäse statt körnigem Frischkäse.

FÜR 4 PERSONEN

FÜR DIE LINSEN
300 g Puy-Linsen, gewaschen
4 Knoblauchzehen
1 kleine Tomate
einige Zweige Thymian
2 Lorbeerblätter
1 EL gekörnte Gemüsebrühe oder ½ Brühwürfel
1 Schuss Rotweinessig

FÜR DIE TOMATEN
400 g kleine Eier- oder Kirschtomaten
Salz und frisch gemahlener schwarzer Pfeffer
1 unbehandelte Zitrone
Olivenöl
einige Handvoll Vollkornsemmelbrösel
1 kleines Bund Thymian
1 Knoblauchzehe

FÜR DIE MEERRETTICHSAUCE
2 TL geriebener Meerrettich aus dem Glas
100 g körniger Frischkäse

• Den Ofen auf 220 °C (200 °C Umluft/Gas Stufe 7) vorheizen. Den Wasserkocher füllen und einschalten, sämtliche Zutaten bereitlegen. Sie benötigen einen großen Topf für die Linsen.

• Die Linsen mit dem ungeschälten Knoblauch, der ganzen Tomate, einigen Zweigen Thymian, den Lorbeerblättern und der Brühe in den Topf geben und 1 Liter kochendes Wasser zugießen. Bei mittlerer Temperatur zum Kochen bringen und dann bei niedriger Temperatur 25 bis 30 Minuten leise köcheln lassen, bis die Linsen weich sind und das Wasser verkocht ist. Wird die Mischung zu trocken, noch ein wenig heißes Wasser zugießen.

• Inzwischen für die Rösttomaten die Tomaten halbieren und mit den Schnittflächen nach oben auf ein Backblech setzen. Mit etwas Salz, Pfeffer und der abgeriebenen Zitronenschale bestreuen, mit ein wenig Olivenöl beträufeln und 15 Minuten im Ofen rösten.

• Auf einem weiteren Backblech die Semmelbrösel mit dem Thymian und dem geschälten und grob gehackten Knoblauch vermengen und mit Öl beträufeln. Leicht salzen und pfeffern und beiseitestellen.

- Den Meerrettich mit dem körnigen Frischkäse (oder einer veganen Alternative) vermengen und beiseitestellen.

- Wenn die Tomaten 15 Minuten im Ofen waren, das Blech mit den Bröseln ebenfalls in den Ofen schieben und beides weitere 5 Minuten rösten.

- Die Linsen sollten mittlerweile gar und das Wasser verkocht sein. Die Tomate und die Knoblauchzehen herausfischen und in eine Schüssel legen. Sobald sie etwas abgekühlt sind, die Knoblauchzehen aus der Schale drücken und mit einer Gabel mit der Tomate zerdrücken. Die Mischung unter die Linsen rühren, mit Salz und Pfeffer abschmecken und mit einem ordentlichen Schuss Olivenöl und einem Schuss Rotweinessig abrunden.

- Wenn die Rösttomaten leicht gebräunt und schrumpelig und die Brösel knusprig sind, beide Bleche aus dem Ofen nehmen. Jeweils eine große Kelle Linsen auf tiefe Teller schöpfen und mit den Rösttomaten und der Meerrettichsauce garnieren. Zuletzt mit den Bröseln bestreuen und servieren.

Pilaw-Reis mit geröstetem Sellerie und Curryblättern

40 MINUTEN

Kedgeree war lange unser Weihnachtsfrühstück – der Duft der Gewürze und das heitere Gelb der Eier haben etwas Festliches –, aber mittlerweile essen wir es das ganze Jahr über.

In Indien war Kedgeree ursprünglich ein vegetarisches Linsen-Reis-Gericht. Räucherfisch und Eier kamen dazu, um den britischen Gaumen zu erfreuen. Ich mag die Mischung aus rauchigen und würzig-pikanten Aromen, darum röste ich Sellerie mit Rauchsalz und rühre ihn unter. Mein Rauchsalz stammt von Halen Môn aus Anglesey, wer es nicht bekommt, kann herkömmliches Salz verwenden. Ich mag die Eier am liebsten weich, wer sie härter mag, kocht sie ein oder zwei Minuten länger.

Wenn Sie dieses Gericht vegan zubereiten möchten, wie ich für meine Geschwister, lassen Sie die Eier weg und verwenden Öl statt Butter. Und falls Sie keine Curryblätter bekommen – der Pilaw schmeckt auch ohne.

FÜR 6 PERSONEN

1 große Sellerieknolle
Kokosöl, Butter oder Ghee
Rauchmeersalz oder gewöhnliches Meersalz
frisch gemahlener schwarzer Pfeffer
2 Zwiebeln
2 Knoblauchzehen
2 grüne Chilischoten
2 Lorbeerblätter
20 Curryblätter
8 Kardamomkapseln
3 TL Koriandersamen
3 TL gemahlene Kurkuma
400 g Basmatireis
6 Freiland- oder Bio-Eier
8 EL griechischer Joghurt
Saft von 2 Zitronen
1 Bund Petersilie
1 Bund Koriandergrün

• Den Ofen auf 200 °C (180 °C Umluft/Gas Stufe 6) vorheizen. Sämtliche Zutaten und Arbeitsutensilien bereitlegen. Den Wasserkocher füllen und einschalten.

• Den Sellerie großzügig schälen, von grünen Stellen befreien und in 2 cm große Stücke schneiden. Auf einem Backblech verteilen, etwas Kokosöl oder Butter zugeben, mit einer kräftigen Prise Rauchsalz und frisch gemahlenem schwarzem Pfeffer würzen und 30 Minuten im Ofen rösten, bis das Gemüse weich ist.

• Die Zwiebeln schälen und fein hacken, den Knoblauch ebenfalls schälen und mit den Chilis in Scheiben bzw. Ringe schneiden. In einer großen ofenfesten Pfanne mit Deckel etwas Kokosöl, Butter oder Ghee erhitzen. Zwiebeln, Knoblauch, Lorbeer und Curryblätter hineingeben und bei niedriger Temperatur andünsten, bis die Mischung weich ist. Die zerstoßenen Kardamomkapseln und Koriandersamen sowie Kurkuma, Chilis und einige kräftige Prisen Rauchsalz hinzufügen und unter Rühren bei mittlerer Temperatur weitere 3 bis 4 Minuten anrösten, bis die Gewürze aromatisch duften. Von der Mischung 1 Esslöffel abnehmen und für später beiseitelegen.

• Die Temperatur erhöhen, den Reis und, falls nötig, noch etwas Fett zugeben. Gut umrühren, bis alle Reiskörner gut mit Fett und Gewürzen bedeckt sind. Etwa 1 Liter heißes Wasser aus dem Kocher zugießen – der Reis sollte circa 1 cm hoch bedeckt sein, gegebenenfalls benötigen Sie etwas mehr –, zum Sieden bringen, den Deckel auflegen und den Reis im Ofen 20 bis 25 Minuten garen.

• Während der Reis gart, die Eier kochen. Ich koche sie 6 Minuten, damit das Eigelb wachsweich bleibt, wer es fester mag, verlängert die Garzeit entsprechend. Die Eier kalt abschrecken, um den Garprozess zu stoppen, anschließend pellen und beiseitelegen.

• Den Joghurt mit einem Spritzer Zitronensaft, einer Prise Rauchsalz und der beiseitegelegten Zwiebel-Gewürz-Mischung verrühren.

• Wenn Sellerie und Reis genügend Zeit im Ofen verbracht haben, beides herausnehmen und den Sellerie mit den gehackten Kräutern und dem restlichen Zitronensaft unter den Reis rühren. Die Eier halbieren, auf dem Reis anrichten und zum Warmhalten den Deckel wieder auflegen. Die Pfanne in die Tischmitte stellen und den Joghurt zum Darüberlöffeln dazu reichen.

Buddha-Bowls

45
MINUTEN

Dieses Gericht ist absolut umwerfend, ein Rocky Balboa von einem Gericht. Ein berauschendes erdnussgespicktes Curry mit einem leuchtenden Karotten-Pickle, knackigem Kohl und mit gerösteten Samen garniert.

Es basiert auf einer nahrhaften Bowl, die mir auf einem verregneten Glastonbury Festival das Leben gerettet hat. Knöcheltief im Matsch und nach stundenlangen Regengüssen von biblischen Ausmaßen bis auf die Knochen durchnässt stand es um meine Laune nicht zum Besten, und der Hunger war groß. Ich brauchte unbedingt etwas Anständiges zu beißen. Die Buddha-Bowl war meine Rettung. Hier ist meine eigene Version, ich liebe sie. Wohlgemerkt, sie schmeckt am besten auf einem matschigen Feld nach Stunden im Regen und mindestens einer Stunde des Herumirrens.

Alles in allem benötigt sie 45 Minuten, allerdings muss man ein paar Dinge gleichzeitig im Blick haben. Die Zutatenliste mag lang erscheinen, aber es geht ganz einfach, versprochen, ich führe Sie durch das Rezept. Wer das Ganze schneller auf dem Tisch haben möchte, kann zu Massaman-Currypaste greifen – gut sortierte Supermärkte sollten sie haben, im Asia-Handel bekommt man sie auf alle Fälle. Ich jedenfalls investiere gern die Extrazeit für die Herstellung der Paste. Sie können gleich die doppelte Menge zubereiten und einfrieren. Gibt es keine ungesalzenen Erdnüsse, tun es auch geröstete und gesalzene Nüsse. Ich spüle sie kurz kalt ab und trockne sie mit Küchenpapier.

FÜR 4 PERSONEN

FÜR DIE PASTE

½ TL Fenchelsamen
½ TL Koriandersamen
Samen von 6 Kardamomkapseln
½ TL schwarze Pfefferkörner
½ TL Nelkenpulver
½ TL gemahlene Kurkuma
½ TL Zimt
½ TL getrocknete Chiliflocken
1 daumengroßes Stück Ingwer
1 Schalotte
1 Stängel Zitronengras
1 großes Bund Koriandergrün
2 Knoblauchzehen
Kokosöl

FÜR DAS CURRY

500 g neue Kartoffeln
150 g ungesalzene Erdnusskerne
1 Dose Kokosmilch (400 ml)
2 EL Tamarindenpaste
1 EL flüssiger Honig
Meersalz
200 g grüne Bohnen, geputzt
200 g fester Tofu
2 Scheiben Ananas

Fortsetzung siehe Seite 166

• Den Wasserkocher füllen und einschalten, sämtliche Zutaten und Arbeitsutensilien bereitlegen. Sie benötigen einen Mixer oder eine kleine Küchenmaschine für die Paste sowie einige größere Töpfe und eine große Bratpfanne.

• Den braunen Reis in einem Topf mit der doppelten Menge kaltem Wasser bedecken. Leicht salzen, 1 Stückchen Kokosöl hinzufügen und bei hoher Temperatur 20 bis 25 Minuten garen. Stets ein Auge darauf haben, dass der Reis nicht zu trocken wird, während Sie ein paar andere Dinge erledigen.

- Nun für die Paste Fenchel-, Koriander- und Kardamomsamen sowie die Pfefferkörner einige Minuten in der Pfanne rösten, anschließend mit allen gemahlenen Gewürzen und den Chiliflocken in den Mixer geben. Den Ingwer und die Schalotte schälen und grob hacken, das Zitronengras von den harten äußeren Blättern befreien und hacken; alles in den Mixer geben. Die Korianderblätter von den Stielen zupfen und für das Pickle beiseitelegen, die Stiele mit dem Knoblauch in den Mixer geben. Einige Esslöffel Kokosöl dazugeben und alles auf hoher Stufe zu einer Paste zermahlen.

- Für das Curry die Kartoffeln ungeschält in 1 bis 2 cm große Stücke schneiden. In einem Topf mit kochendem Wasser bedecken und leicht salzen. Zum Kochen bringen und garen, bis sie weich sind – das dürfte etwa 5 Minuten dauern. Einen großen Topf bei hoher Temperatur erhitzen. Die Erdnüsse darin unter Rühren 1 Minute rösten, die Paste hinzugeben und einige weitere Minuten rösten. Dann Kokosmilch, Tamarindenpaste, Honig und eine kräftige Prise Salz zugeben. Die Kartoffeln abgießen, unter die Sauce rühren und 5 bis 10 Minuten garen, bis die Konsistenz stimmt.

- Für das Pickle die Karotten putzen, in eine Schüssel raspeln, abgeriebene Schale und Saft der Limette, etwas Honig, den Reisessig und eine Prise Salz untermengen. Die Korianderblätter fein hacken und dazugeben; beiseitestellen.

- In der Pfanne, in der die Gewürze geröstet wurden, den Grünkohl bei mittlerer Temperatur in etwas Kokosöl sautieren, bis er zusammenfällt und knusprig zu werden beginnt. Mit Salz und Pfeffer würzen.

- Wenn die Kartoffeln 5 Minuten in der Sauce gegart haben, die grünen Bohnen dazugeben. Den Tofu in 1 cm dicke Scheiben, die Ananas in etwa gleich große Stücke schneiden, die Schale entfernen. Beides unter das Curry mischen und einige weitere Minuten garen. Bei Bedarf noch etwas heißes Wasser zugießen, falls das Ganze zu trocken wird.

- Den Reis auf Schalen verteilen und eine großzügige Kelle des Currys darüberschöpfen. Mit dem Karotten-Pickle, etwas Kohl und den gerösteten Körnern und Samen garnieren und servieren.

AUSSERDEM
150 g brauner Basmatireis
Kokosöl
2 mittelgroße Karotten
1 Limette
etwas flüssiger Honig
1 Schuss Reisessig
150 g Grünkohl
50 g gemischte geröstete Körner und Samen (ich nehme einen Mix aus Mohn, Sesam und Kürbiskernen)

Gemüse-Tacos mit grüner Chili-Salsa

40 MINUTEN

An Tacos mag ich einfach alles. Dass sie so schön handlich sind, das Zusammenspiel von Geschmack und Konsistenz und dass man einfach Schalen mit bunt gemischten Füllungen und Zutaten in die Tischmitte stellen und sich jeder seinen eigenen Taco »basteln« kann.

Ich mache zu Hause häufig Tacos und habe mit vielen Zutaten und Aromen experimentiert. Mir schwebte eine Version vor, die super schmeckt, schnell geht und einfach ist. Hier also die geglückte Vermählung von Chipotles, knackigem Wurzelgemüse, süßlichen Zwiebeln, eingelegtem Weißkohl und einer pikanten Sauce mit grünen Chilis und Koriandergrün.

Ich setze zu 100 Prozent auf Maistortillas – die ich in großen Mengen online bestelle und bis zur Verwendung einfriere. Auch der Feinkosthandel und einige Bioläden führen das Original. Wer sie dennoch nicht bekommt, kann auf gewöhnliche Weizen-Tortillas (möglichst kleine) zurückgreifen.

FÜR 4 PERSONEN

3 mittelgroße Rote Beten (etwa 250 g)
2 Süßkartoffeln (etwa 500 g)
Meersalz
2 EL Kokosöl
½ Bund Frühlingszwiebeln
2 Karotten
1 kleines Bund Radieschen
2 unbehandelte Limetten
2 reife Avocados
1 kleines Bund Koriandergrün
1 TL Chipotle-Paste oder 1 rote Chilischote
1 TL geräuchertes Paprikapulver
etwas flüssiger Honig
8 Mais-Tortillas

FÜR DIE SALSA

2 Tomaten
1 EL Chipotle-Paste
1 grüne Chilischote
1 EL Ahornsirup
1 EL Rotweinessig
frisch gemahlener schwarzer Pfeffer

- Den Wasserkocher füllen und einschalten. Sämtliche Zutaten bereitlegen.

- Die Rote Bete schälen und mit einem scharfen Messer oder auf einem Gemüsehobel in sehr dünne Scheiben schneiden. Die Süßkartoffeln schälen und in 2 cm große Stücke schneiden. In einem kleinen Topf mit kochendem Wasser bedecken, leicht salzen, bei hoher Temperatur zum Kochen bringen und 10 Minuten köcheln lassen, bis sie gar sind.

- Eine große Bratpfanne bei hoher Temperatur vorheizen und 2 Esslöffel Kokosöl hineingeben. Die Frühlingszwiebeln putzen und in sehr dünne Scheiben schneiden. Im Kokosöl 2 bis 3 Minuten andünsten, bis sie zu bräunen beginnen. Aus der Pfanne nehmen und beiseitestellen. Nun in demselben Fett die Rote-Bete-Scheiben knusprig braten. Je nach Größe der Pfanne müssen Sie eventuell portionsweise vorgehen. Gut aufpassen, sie werden recht schnell braun. Aus der Pfanne nehmen und auf Küchenpapier abtropfen.

- Inzwischen alle Zutaten für die Salsa mit einer kräftigen Prise Salz und den Stielen des Koriandergrüns im Mixer zu einer sämigen, relativ glatten Salsa pürieren. Mit Salz und Pfeffer abschmecken und beiseitestellen.

- Die Karotten und die Radieschen mit einem Sparschäler in Streifen bzw. Scheiben schneiden und in einer Schüssel mit dem Saft und der abgeriebenen Schale der Limetten und einer großzügigen Prise Salz vermengen.

• Die Avocados halbieren und entsteinen. Das Fruchtfleisch mit einem Messer bis zur Schale einschneiden und mit einem Löffel herauslösen.

• Die Süßkartoffeln abgießen und zurück in den Topf geben. Die Korianderblätter hacken und mit der Chipotle-Paste oder der gehackten roten Chili, dem geräucherten Paprika, dem Honig, den Frühlingszwiebeln und einer ordentlichen Prise Salz und Pfeffer unter die Süßkartoffeln mengen. Alles mit einer Gabel zerdrücken.

• Die Tortillas zum Erwärmen mit einer Küchenzange von jeder Seite einige Sekunden über die offene Flamme halten (wer keinen Gasherd hat, erwärmt sie in der Pfanne).

• Zum Servieren jeden Fladen mit etwas Süßkartoffelmus bestreichen, mit den Karotten, Radieschen, der Roten Bete, etwas Avocado und ein wenig Chili-Salsa garnieren.

Pastinaken-Rösti

35 MINUTEN

Rösti haben etwas angenehm Schlichtes und Alpines, und gut schmecken tun sie auch. Mit Pastinaken zubereitet entwickeln sie ein süßlich-würziges Aroma, das reine Kartoffelrösti nicht haben.

Diese Rösti wird mit gegrilltem Baby-Lauch und zitronig abgeschmecktem Spinat garniert, auch ein wenig Ricotta als Topping ist erlaubt.

FÜR 4 BIS 6 PERSONEN

FÜR DIE RÖSTI
2 Freiland- oder Bio-Eier
600 g Pastinaken (4 bis 6 Stück)
2 große Kartoffeln
1 kleines Bund Thymian
Meersalz
frisch gemahlener schwarzer Pfeffer
Olivenöl

FÜR DIE GARNITUR
150 g Baby-Lauch (ersatzweise
Frühlingszwiebeln)
200 g Spinat
1 unbehandelte Zitrone
100 g Ricotta

ZUM SERVIEREN (NACH BELIEBEN)
6 Freiland- oder Bio-Eier
Ghee

- Den Ofen auf 220 °C (200 °C Umluft/Gas Stufe 7) vorheizen und sämtliche Zutaten bereitlegen. Eine Grillpfanne bei hoher Temperatur erhitzen.

- Für die Rösti die Eier verschlagen. Die Pastinaken und die Kartoffeln schälen und grob in eine Schüssel raspeln. Das geraspelte Gemüse mit den Händen oder mit einem sauberen Küchentuch gut ausdrücken und zurück in die Schüssel geben. Die verschlagenen Eier und den abgezupften Thymian hinzufügen, mit Salz und Pfeffer würzen und alles gründlich vermengen.

- Eine flache ofenfeste Schmor- oder Bratpfanne erhitzen, einen kräftigen Schuss Olivenöl hineingeben und die Masse einfüllen. Zu einer dicken Rösti ausbreiten, bei hoher Temperatur einige Minuten anbraten und anschließend im Ofen in weiteren 20 Minuten fertig backen.

- Für die Garnitur den Baby-Lauch putzen, in der Grillpfanne von allen Seiten kräftig Farbe nehmen lassen und anschließend im Ofen warm stellen. Den Spinat mit etwas Olivenöl in einer Pfanne zusammenfallen lassen, vom Herd nehmen und kräftig mit Meersalz und schwarzem Pfeffer würzen. Die Zitronenschale über den Spinat reiben.

- Einige Minuten bevor die Rösti fertig ist, nach Belieben die Eier in etwas Ghee braten. Zum Servieren den Lauch mit dem Spinat mischen und mit dem Ricotta auf die Rösti häufen.

Aromatischer Pho mit Kräutern und Sternanis

40 MINUTEN

Mir gefällt die Idee des vietnamesischen Pho – Nudeln, Kräuter und eine kräftige Brühe. Meist wird Pho jedoch mit Fleischbrühe zubereitet. Man stößt zwar hin und wieder auf eine vegetarische Version, doch hat mich keine überzeugt, weswegen der Pho-Hype mich nie so richtig gepackt hat. Aber diese hier ist eine umwerfende vegetarische Variante. Wichtig ist, Zwiebeln und Knoblauch zunächst kräftig zu bräunen, das gibt der Brühe ihr würziges Aroma. Ich habe die Suppe einer Reihe von Pho-Kennern serviert, und sie hat die Prüfung jedes Mal bestanden.

Ich koche oft die doppelte Menge Brühe in meinem größten Topf und friere die Hälfte ein, ein willkommener und wirksamer Aromaverstärker für Suppen und Eintöpfe. Man kann hier zu gewöhnlichem Basilikum greifen, wer es findet, sollte ruhig mal Shiso (Parilla), vietnamesisches und Thai-Basilikum probieren.

Ganz Hungrige können gebratenen und in Ahornsirup und Sojasauce gewendeten Tofu dazu servieren.

FÜR 4 PERSONEN

FÜR DIE BRÜHE
2 Zwiebeln
1 Knoblauchknolle
1 kleines Stück Ingwer
1 Stück Zimtstange (5 cm)
4 Sternanis
3 Gewürznelken
1 EL Koriandersamen
1 TL gekörnte Gemüsebrühe oder
½ Brühwürfel
1 große Handvoll getrocknete Pilze
(asiatische, wer welche findet)
1 EL Sojasauce oder Tamari
4 Karotten

AUSSERDEM
200 g getrocknete Reisbandnudeln
1 kleines Bund Thai- oder
vietnamesisches Basilikum
1 kleines Bund Koriandergrün
300 g Pak Choi oder Spinat
200 g Zuckerschoten
4–5 Limetten
200 g Sojabohnensprossen
gutes Chiliöl

• Den Wasserkocher füllen und einschalten. Sämtliche Zutaten bereitlegen und einen großen Topf bei hoher Temperatur erhitzen.

• Die Zwiebeln schälen und vierteln, die Knoblauchknolle halbieren, den Ingwer im Mörser zerstoßen, bis er fast zerfällt. Zwiebeln, Knoblauch und Ingwer in dem Topf anrösten, bis sie von allen Seiten kräftig gebräunt sind. Das dauert 4 bis 5 Minuten.

• Den Zimt, den Sternanis, die Nelken und die Koriandersamen zugeben und unter ständigem Rühren einige Minuten rösten, bis die Mischung aromatisch duftet. 2 Liter heißes Wasser aus dem Kocher zugießen, die Brühe, die Pilze und die Sojasauce oder Tamari unterrühren und zum Kochen bringen. Die Karotten putzen, in 2 cm große Stücke schneiden, hineingeben und alles 25 Minuten köcheln lassen, bis die Aromen durchgezogen sind.

• Während die Brühe vor sich hin köchelt, mit dem Wasserkocher erneut Wasser zum Kochen bringen. Die Nudeln in einer Schüssel mit dem Wasser übergießen, 8 Minuten stehen lassen und dann abgießen. Oder nach der Packungsanleitung zubereiten.

• Alle Kräuterblätter abzupfen, den Pak Choi vierteln oder den Spinat verlesen und die Zuckerschoten längs halbieren.

• Die Brühe, sobald sie so weit ist, durch ein Sieb in eine große Schüssel schütten und zurück in den Topf gießen. Den Saft von 3 bis 4 Limetten zugeben – je nachdem wie saftig sie sind. Die Suppe abschmecken – Limettensaft, Soja und die Gewürze sollte man schmecken (ich rühre meist noch 1 Esslöffel Sojasauce unter). Die Zuckerschoten und den Pak Choi oder Spinat untermischen und noch einige Minuten garen, bis das Gemüse weich ist.

• Die abgetropften Nudeln auf vier Schalen verteilen, die Brühe und das Gemüse darüberschöpfen. Mit Bohnensprossen, Kräutern und der in Spalten geschnittenen übrigen Limette sowie etwas Chiliöl zum Beträufeln servieren.

Mungbohnen-Dhal

45 MINUTEN

Mungbohnen-Dhal war lange Zeit meine erste Wahl, wenn ich das Bedürfnis nach etwas Wohltuendem verspürte. In der ayurvedischen Tradition verwendet man Mungbohnen, um den Körper zu nähren und zu beruhigen. Sie sind reich an Eiweiß und darum ideal für eine rein pflanzliche Ernährungsweise geeignet. Man bekommt Mungbohnen in gut sortierten Supermärkten, Reformhäusern, Bio-Läden und im Asia-Handel. Es sind kleine grüne Bohnen, nicht zu verwechseln mit Mung Dal, dabei handelt es sich um halbierte gelbe Linsen.

Wenn man die Mungbohnen über Nacht einweicht, sind sie schneller gar und bekömmlicher. Dieses Rezept lässt sich auch auf Vorrat kochen und portionsweise einfrieren für Tage, an denen schnell und mühelos etwas Nahrhaftes auf den Tisch muss.

....

• Den Wasserkocher füllen und einschalten. Sämtliche Zutaten bereitstellen.

• Den Lauch waschen und in feine Streifen schneiden oder die Zwiebel schälen und hacken. Den Knoblauch schälen und in feine Scheiben schneiden, den Ingwer grob hacken. Das Kokosöl in einem Topf bei mittlerer Temperatur zerlassen. Senf- und Kreuzkümmelsamen hineingeben und rösten, bis sie zu platzen beginnen. Lauch oder Zwiebel sowie den Ingwer und den Knoblauch hinzufügen und 8 bis 10 Minuten dünsten, bis sie weich sind.

• Die abgespülten und abgetropften Mungbohnen zugeben und 1 Liter heißes Wasser aus dem Kocher zugießen. Die Brühe, die Kurkuma und den Zimt unterrühren und das Wasser zum Kochen bringen.

• Die Tomaten grob würfeln, die Chilis fein hacken (eventuell die Samen entfernen, wenn sie sehr scharf sind). Die Korianderblätter abzupfen und beiseitelegen, die Stiele fein hacken, alles unter die Mungbohnen mengen und 40 Minuten köcheln lassen.

• Die Mungbohnen, sobald sie weich sind, gut durchrühren, kräftig mit Meersalz würzen und den Zitronensaft dazugeben. Die Korianderblätter und den Spinat unterrühren und kurz erwärmen.

• Ich serviere dazu Kokosjoghurt und einen Löffel Mango- oder Koriander-Chutney (ein schnelles Rezept finden Sie auf Seite 183).

FÜR 6 PERSONEN

1 Lauchstange oder Zwiebel
2 Knoblauchzehen
1 daumengroßes Stück Ingwer
1 EL Kokosöl
1 TL Senfsamen
2 TL Kreuzkümmelsamen
500 g Mungbohnen (möglichst über Nacht in kaltem Wasser eingeweicht)
1 EL gekörnte Gemüsebrühe oder 1 Brühwürfel
½ TL gemahlene Kurkuma
1 TL Zimt
1 mittelgroße Tomate
2 mittelgroße scharfe Chilischoten
1 Bund Koriandergrün
Meersalz
1 EL Zitronensaft oder nach Geschmack
6 große Handvoll zarte Spinatblätter

5 Mahlzeiten aus einer Form

Ich liebe Ofengerichte, die in einer Form gemacht werden – weniger Aufwand, weniger Abwasch und freie Hand, während der Ofen seine Arbeit erledigt. Dies sind ein paar meiner Favoriten, doch haben Sie praktisch Narrenfreiheit, solange ein paar Gemüse, etwas Flüssigkeit (oder ein Gemüse, das für Flüssigkeit sorgt) und das eine oder andere Kraut mit dabei sind und für ein bisschen Substanz, etwa durch Bohnen oder klein gezupftes Brot, gesorgt ist. Verwenden Sie eine ausreichend tiefe Form von etwa Din-A4-Größe. Die Rezepte sind für jeweils 4 Personen bemessen.

ROTE-PAPRIKA-BOHNEN-AUFLAUF

- 4 rote Paprikaschoten, in Streifen geschnitten
- 2 Handvoll Kirschtomaten
- 1 kleines Bund Thymian
- 1 Dose Cannellini-Bohnen (400 g) oder 250 g gegarte Bohnen
- Semmelbrösel zum Bestreuen

•

Bei 220 °C (200 °C Umluft/Gas Stufe 7) 40 Minuten backen.

WINTERLICHES GEMÜSE-GRATIN MIT KRÄUTERN

- 800 g winterliches Wurzelgemüse, klein geschnitten
- 1 Bund Salbei, Thymian oder Rosmarin
- 2 Scheiben Brot, klein gezupft
- 100 ml Gemüsebrühe
- Olivenöl
- abgeriebene unbehandelte Orangenschale

•

Bei 220 °C (200 °C Umluft/Gas Stufe 7) 50 Minuten backen.

ZUCCHINI-BOHNEN-AUFLAUF
MIT ZITRONE

- 4 Zucchini, in Scheiben geschnitten
- 200 g Spinat
- 1 Dose weiße Bohnen (400 g)
- abgeriebene Schale von
  1 unbehandelten Zitrone
- 100 ml Gemüsebrühe
- Basilikum zum Garnieren

•

Bei 220 °C (200 °C Umluft/Gas Stufe 7)
30 Minuten backen.

KÜRBIS-PAPRIKA-KICHERERBSEN-
AUFLAUF

- 1 Kürbis, grob gewürfelt
- 1 Dose Kichererbsen (400 g)
- 1 Prise geräuchertes Paprikapulver
- ½ Glas geröstete rote Paprika
- 100 ml Gemüsebrühe
- 1 rote Chilischote, gehackt

•

Bei 220 °C (200 °C Umluft/Gas Stufe 7)
50 Minuten backen.

SÜSSKARTOFFEL-
RÖSTI

- 600 g Süßkartoffeln, gerieben
- Dijonsenf
- Spinat
- Erbsen
- abgeriebene unbehandelte
  Zitronenschale

•

Bei 220 °C (200 °C Umluft/Gas Stufe 7)
40 Minuten backen, wie eine Rösti.
Mit pochierten Eiern garnieren.

Sellerie-Pilz-Ragù

40 MINUTEN

Das ist meine Vorstellung von Seelenfutter, schnörkellos, wärmend und dazu nahrhaft und unverschämt lecker. Dies ist ein perfektes Winteressen für kalte Abende unter einer Decke vor dem Kaminfeuer, aber auch als Pie- oder Tartefüllung nicht zu verachten.

Ich esse dazu ein Gemüsepüree oder Quinoa, je nachdem, was ich in der Speisekammer finde. Der Cider unterstreicht die süßliche Note des Selleries, aber Weißwein ist auch absolut in Ordnung.

Wenn ich welche finde, verwende ich Wildpilze, aber Zuchtchampignons oder eine der eher exotischeren Sorten aus dem Sortiment Ihres Gemüsehändlers sind ebenso geeignet.

FÜR 4 BIS 6 PERSONEN

1 Stange Lauch
1 rote Zwiebel
Olivenöl
1 große Karotte
2 Stangen Staudensellerie
250 g gemischte Pilze
4 Knoblauchzehen
1 mittelgroßer Knollensellerie (etwa 800 g)
einige Zweige Salbei
einige Lorbeerblätter
einige Zweige Thymian
20 schwarze Pfefferkörner
300 ml guter Cider
2 EL vegetarische Worcestersauce
1 EL salzarme gekörnte Gemüsebrühe oder ½ salzarmer Brühwürfel

FÜR DAS KRÄUTERÖL

1 kleines Bund Thymian oder Rosmarin
4 EL natives Olivenöl extra

ZUM SERVIEREN

Kartoffelpüree oder Polenta
einige EL Crème fraîche (nach Belieben)
Senf oder Meerrettich

• Den Wasserkocher füllen und einschalten, sämtliche Zutaten bereitlegen. Eine große Schmorpfanne bei hoher Temperatur erhitzen.

• Den Lauch putzen, die Zwiebel schälen und beides hacken. In der Pfanne in 1 Schuss Olivenöl andünsten, ab und zu umrühren. Inzwischen die Karotte und den Staudensellerie grob würfeln. Das Gemüse zugeben und unter gelegentlichem Rühren weitere 5 Minuten dünsten, während Sie schon mal ein paar andere Dinge vorbereiten.

• Eine große Bratpfanne bei hoher Temperatur erhitzen. Die Pilze in mundgerechte Stücke schneiden oder zupfen und in der Pfanne in etwas Olivenöl einige Minuten braten. Den Knoblauch schälen, hacken und, kurz bevor sie fertig sind, unter die Pilze mengen. Sie sollen am Rand braun und knusprig zu werden beginnen.

• Den Knollensellerie schälen und in etwa 1 cm große Würfel schneiden. Sobald Sie das Gemüse in der Schmorpfanne 5 Minuten gedünstet haben, die Kräuter, die Pilze und den gewürfelten Sellerie hinzufügen und einige Minuten weitergaren. Pfefferkörner, Cider, Worcestersauce und die Brühe dazugeben, zum Kochen bringen und dann 20 bis 30 Minuten köcheln lassen, bis eine sämige, würzige Sauce entstanden ist.

• Jetzt ist es Zeit, sich um die Beilage zu kümmern, was immer Sie dazu servieren möchten. Ich bevorzuge Polenta oder ein Süßkartoffelpüree. Auch ein gewöhnliches Kartoffelpüree schmeckt gut dazu.

- Für das Kräuteröl die Blätter bzw. Nadeln abzupfen und mit dem Öl im Mixer zu einer sämigen Paste zerkleinern. Bei Bedarf noch etwas Öl einarbeiten.

- Die Beilage in eine Schüssel füllen, das fertige Ragù daraufgeben und mit dem Kräuteröl beträufeln. Nach Geschmack etwas Crème fraîche, Senf oder Meerrettich darübergeben und servieren. Der Winter in einer Schüssel.

Türkisches Fladenbrot aus der Pfanne mit Löffelsalat

40–45 MINUTEN

In dem Teil Ost-Londons, wo ich wohne, gibt es viele türkische Lokale. Sie bieten über Holzkohle gebackenes Fladenbrot und wahnsinnig gute Salate, und obwohl Fleisch in der türkischen Küche an erster Stelle steht, gibt es auch wunderbare Gemüsegerichte.

Hier verrate ich Ihnen, wie sich meine türkischen Lieblingsgerichte ganz schnell zu Hause realisieren lassen – in der Pfanne gebackenes locker-luftiges Fladenbrot mit Röstzwiebeln und roter Paprika und mein absoluter Lieblingssalat: Ezme-Salat oder wie er bei mir heißt – Löffelsalat.

Ich verwende türkische Chilis, die etwas milder sind und im Schärfegrad irgendwo zwischen Chili- und Paprikaschote liegen. Wer sie nicht findet, kann gewöhnliche getrocknete Chiliflocken nehmen und sie etwas spar-samer dosieren. Wer keinen Granatapfelsirup bekommt, kann guten Balsamico und Honig im Verhältnis 1:1 mischen.

Die Fladenbrote sind an sich schon ein geschmackliches Kraftpaket, ab und zu toppe ich sie noch mit ein paar Bröckchen Schafskäse. Ist die Zeit knapp, kann man auch gekaufte Pitabrote oder Fladenbrot entsprechend belegen.

FÜR 4 PERSONEN

FÜR DIE FLADENBROTE
200 g Dinkelmehl plus Mehl zum Bestäuben
1 TL Backpulver
200 g griechischer Joghurt oder 150 ml warmes Wasser

FÜR DEN BELAG
2 rote Zwiebeln
3 rote Paprikaschoten
2 EL Olivenöl
1 TL getrocknete türkische Chiliflocken (siehe Text oben)
1 grüne Chilischote
1 kleines Bund Minze

FÜR DEN SALAT
1 rote Zwiebel
1 Zitrone
Meersalz
5 reife Rispentomaten
1 kleines Bund Minze
1 kleines Bund Petersilie
1 EL Sumach
1 TL Harissa oder türkische Chilipaste
2 EL Granatapfelsirup
frisch gemahlener schwarzer Pfeffer
natives Olivenöl extra

- Sämtliche Zutaten bereitlegen.

- Alle Zutaten für die Fladenbrote in der Küchenmaschine mit der Impuls-taste vermengen, bis sie sich zu einem Kloß verbinden. Wer keine Küchen-maschine hat, kann sie auch in einer Schüssel zunächst mit der Gabel vermischen und dann von Hand zu einem Teig verarbeiten, es dauert nur etwas länger.

- Die Arbeitsfläche mit Mehl bestäuben und den Teig darauf kurz durch-kneten, bis er glatt ist. Man braucht ihn nicht lange zu walken, schließlich ist dies ein schnelles Fladenbrotrezept. Den Teig in eine bemehlte Schüssel legen, mit einem Teller zudecken und 10 bis 15 Minuten beiseitestellen, während Sie ein paar andere Dinge erledigen. Er wird ein wenig an Volu-men zunehmen, aber nicht stark aufgehen.

- Für den Belag eine Pfanne bei mittlerer Temperatur erhitzen. Die Zwiebeln und die Paprikaschoten fein würfeln und in der Pfanne in 1 Esslöffel Öl bei mittlerer Temperatur 10 Minuten dünsten, bis sie weich sind, dann die Chiliflocken unterrühren. Die grüne Chili und die Minze hacken und mit 1 weiteren Esslöffel Öl dazugeben. Umrühren, vom Herd nehmen und kräftig würzen.

• Als Nächstes für den Salat die Zwiebel schälen, in feine Streifen schneiden und mit dem Saft einer halben Zitrone und einer kräftigen Prise Salz in eine Schüssel geben. Mit der Hand gut durcharbeiten und ziehen lassen.

• Die Tomaten würfeln, die Kräuterblätter abzupfen und grob hacken. In eine Schüssel geben, die Gewürze, den Granatapfelsirup und die gewürzten Zwiebeln hinzufügen. Kräftig mit Salz und Pfeffer würzen und eventuell mit weiterem Zitronensaft und einem guten Schuss Olivenöl abschmecken, bis die Balance stimmt.

• Zurück zu den Fladenbroten. Eine große Brat- oder Grillpfanne (22 bis 24 cm im Durchmesser) bei mittlerer Temperatur erhitzen.

• Die saubere Arbeitsfläche und ein Nudelholz mit Mehl bestäuben und den Teig in vier gleich große Teile teilen. Die Stücke mit dem Handballen flach drücken und zu 2 bis 3 mm dünnen Fladen von etwa 20 cm Durchmesser ausrollen.

• Sobald die Pfanne heiß ist, die Fladen einlegen, von jeder Seite 1 bis 2 Minuten backen und mit einer Küchenzange wenden, bis sie aufgegangen sind.

• Die Fladen noch heiß mit der Zwiebel-Chili-Salsa belegen und mit dem Salat sofort servieren.

Samosas mit schnellem Mango-Chutney

35–40 MINUTEN

Samosas, kleine gefüllte Teigtaschen, werden meist als Snack gegessen, oft frittiert und mit dem gefüllt, was man eigentlich immer im Haus hat – Karotten, Erbsen, Kartoffeln. So gut sie auch sein mögen, meine Variante ist etwas anders – frischer, klarer und im Ofen gebacken.

Ich baue meine Samosas mit einem schnellen Mango-Chutney und einem ebenso fixen Karottensalat mit Koriandergrün und Kreuzkümmel zu einer Hauptmahlzeit aus. Das Falten braucht vielleicht ein bisschen Übung. Wer nicht klarkommt, findet online ein paar exzellente Videos dazu, die weiterhelfen.

FÜR 6 PERSONEN BZW. 24 SAMOSAS

400 g Blumenkohl
4 Frühlingszwiebeln
5 EL Kokosöl oder Ghee
1 grüne Chilischote
2 Knoblauchzehen
1 TL Kreuzkümmelsamen
1 TL Senfsamen
1 TL Garam masala
1 kleine Handvoll Curryblätter
2 große Handvoll Spinat
1 Bund Koriandergrün
1 Zitrone
Salz
1 Paket Filoteig (250 bis 300 g bzw. 12 Blätter)
Schwarzkümmelsamen

FÜR DAS MANGO-CHUTNEY

2 reife Mangos
1 TL Schwarzkümmelsamen
1 Prise Fenchelsamen
1 Prise Senfsamen
1 Knoblauchzehe
abgeriebene Schale und Saft von 1 unbehandelten Limette
1 EL Weißweinessig

- Den Ofen auf 220 °C (200 °C Umluft/Gas Stufe 7) vorheizen und sämtliche Zutaten bereitlegen.

- Den Blumenkohl im Mixer zu reiskorngroßen Bröseln zerkleinern.

- Die Frühlingszwiebeln fein hacken und in einem Topf in 1 EL Kokosöl oder Ghee einige Minuten andünsten, bis sie zu bräunen beginnen. Die Chilischote hacken, den Knoblauch schälen und ebenfalls hacken. Beides dazugeben, dann die Gewürze und die Curryblätter zugeben und weitere 2 Minuten köcheln. Blumenkohl, Spinat, Koriandergrün, einen Spritzer Zitronensaft und eine kräftige Prise Salz hinzufügen und 5 Minuten garen. Die Mischung auf einem Blech ausbreiten, damit sie schneller abkühlt.

- Das übrige Kokosöl oder Ghee zerlassen und einen Backpinsel bereitlegen. Den Filoteig aus der Packung nehmen und mit einem feuchten Tuch bedecken, damit er nicht austrocknet.

- Das erste Filoteigblatt auf eine saubere, trockene Arbeitsfläche legen und der Länge nach in drei gleich große Streifen schneiden. Am unteren Ende 1 gehäuften Teelöffel der vorbereiteten Füllung an den linken Rand setzen und die rechte Teigecke darüberfalten, sodass ein Dreieck entsteht. In dieser Dreiecksform das Teigpaket weiter zusammenfalten und immer wieder mit etwas Fett bestreichen, sodass Sie am Ende ein nettes kleines dreieckiges Teigtäschchen haben. Noch einmal mit Fett einpinseln und mit Schwarzkümmelsamen bestreuen. Den restlichen Teig in gleicher Weise füllen und falten. Die Samosas 15 Minuten im Ofen backen.

• Inzwischen für das Mango-Chutney das Fruchtfleisch der Mangos mit Schale links und rechts vom Stein abschneiden. Die Hälften erst der Länge nach bis fast zur Schale in 1 cm lange Streifen, dann quer in 1 cm große Würfel einschneiden. Die Schale nach außen stülpen und die Fruchtwürfel mit einem Löffel ablösen. In einem kleinen Topf die Gewürze rösten, die Mangowürfel, die Limettenschale und den -saft sowie den Essig zugeben und alles 5 Minuten garen, bis das Mangofleisch zu zerfallen beginnt. Vom Herd nehmen.

• Die Samosas mit dem Pickle und einem schnellen Salat aus geriebenen Karotten und Koriandergrün servieren.

Geröstetes Ofengemüse mit Trauben und Linsen

40 MINUTEN

Dieses Gericht habe ich mal im Januar bei meiner Schwester in Silver Lake gegessen. Es wird nie wirklich bitterkalt in Los Angeles, aber doch kalt genug, um sich nach etwas Deftigem zu sehnen. Dieses Gericht ist herzhaft und sättigend genug, ohne uns anschließend aufs Sofa unter eine Decke zu treiben. Perfekt für kühlere Abende, wenn der winterliche Appetit auf Kartoffelbrei und Erbsen schon der Vergangenheit angehört.

Ich halte hierfür nach kleinen Süßkartoffeln Ausschau – sie sind irgendwie süßer und im Ganzen in der Schale gebacken auch schneller gar. Wer sie nicht findet, nimmt einfach die großen und schneidet sie in Viertel.

Außerdem verwende ich originelle kleine Kürbissorten wie den orangeroten Red Kuri, den dunkelgrünen und passend geformten Eichelkürbis und den Delicata mit seinem berüchten Innenleben – sie alle eignen sich bestens, aber auch der überall erhältliche Butternuss ist der Sache gewachsen.

FÜR 6 PERSONEN

FÜR DAS OFENGEMÜSE
4 kleine Süßkartoffeln
Olivenöl
Salz
2 kleine Kürbisse oder 1 kleiner Butternusskürbis
1 kleiner Blumenkohl
Meersalz und frisch gemahlener schwarzer Pfeffer
1 große Rispe Weintrauben
1 kleines Bund Salbei
1 kleines Bund Thymian
Saft von 1 Zitrone

FÜR DIE LINSEN
400 g Puy-Linsen, gewaschen
4 Knoblauchzehen
1 kleine Tomate
1 Lorbeerblatt
1 l Gemüsebrühe

- Den Ofen auf 220 °C (200 °C Umluft/Gas Stufe 7) vorheizen. Den Wasserkocher füllen und einschalten, sämtliche Zutaten bereitstellen.

- Die Süßkartoffeln waschen und abtrocknen, auf einem Blech mit etwas Olivenöl einreiben, mit Salz bestreuen und 40 bis 45 Minuten im Ofen backen, bis sie weich sind.

- Den Kürbis in 1 cm dicke Scheiben schneiden, den Blumenkohl in kleine Röschen zerteilen. Beides auf einem weiteren Blech verteilen, großzügig salzen und pfeffern und mit Olivenöl beträufeln. Gut durchmischen und etwa 40 Minuten im Ofen backen.

- Jetzt zu den Linsen. Die Linsen, den ungeschälten Knoblauch, die ganze Tomate und das Lorbeerblatt in einem Topf knapp mit Gemüsebrühe bedecken. Bei mittlerer Temperatur zum Kochen bringen und 20 bis 25 Minuten köcheln lassen, bis die Linsen gar sind und die Flüssigkeit verkocht ist. Ist das Ganze etwas trocken, noch ein wenig kochendes Wasser zugießen.

- Sind die Linsen gar, den Knoblauch und die Tomate herausfischen. Den Knoblauch aus der Schale drücken, mit der Tomate und einigen Löffeln Linsen zerdrücken und mit ein paar Löffeln Olivenöl wieder unter die restlichen Linsen rühren. Sie sollten schön cremig sein.

• Wenn Kürbis und Süßkartoffeln noch etwa 10 Minuten benötigen, die Weintrauben auf ein Backblech legen und leicht andrücken, sodass sie aufplatzen. Salbei und Thymian darüber verteilen, mit Olivenöl beträufeln und 5 bis 10 Minuten im Ofen rösten, bis die Trauben schrumpelig und leicht karamellisiert sind.

• Die Trauben aus dem Ofen nehmen und die Flüssigkeit vom Blech in eine Schüssel abgießen. Einen guten Schuss Olivenöl, den Saft einer Zitrone und etwas Salz und Pfeffer unterrühren. Sämtliches Gemüse und die Trauben auf einer Platte anrichten und mit dem Traubendressing übergießen. Die Linsen in einer großen Schüssel anrichten und alles auf den Tisch stellen.

Selleriesteaks mit knusprigen Süßkartoffel-Pommes

40 MINUTEN

Knollensellerie ist ein Ungetüm von Gemüse, doch unter seiner knorrig-warzigen Schale liegt ein süßer, sanfter Kern, den ich liebe. Außerdem ist er ein hervorragender Geschmacksträger, der auch kühnste Aromen und Zubereitungen meistert. Hier wird er mariniert, gegrillt und mit Chili und Thymian bestrichen, bis er appetitlich braun ist.

Salsa verde erinnert mich an meine Zeit als Restaurantköchin – sie war eines der ersten Dinge, die ich gelernt habe, zählt nach wie vor zu meinen Favoriten und ergänzt das süßliche Röst-Aroma des Selleries vortrefflich.

Die Süßkartoffel-Pommes verkörpern meine Idealvorstellung von Fritten – mit einer Polentakruste im Ofen knusprig gebacken, perfekt. Doch auch ohne Polenta und allzu viel Öl werden sie schön knusprig, wenn man sie auf einem Gitter platziert.

Die Selleriesteaks lassen sich auch auf dem Holzkohlegrill zubereiten – für die Pommes ist der Grill zwar zu heiß, doch die Steaks profitieren von dem würzigen Rauch der Glut.

FÜR 2 PERSONEN

2 Süßkartoffeln
Raps- oder Olivenöl
Salz und frisch gemahlener schwarzer Pfeffer
1 EL Polenta
1 Knoblauchzehe
1 Knollensellerie
25 g Parmesan (ich nehme vegetarischen)

FÜR DIE MARINADE
1 rote Chilischote
abgeriebene Schale und Saft von 1 unbehandelten Zitrone
1 EL Ahornsirup
einige Zweige Thymian

FÜR DIE SALSA VERDE
3 Cornichons
1 EL Kapern
je 1 kleines Bund Minze, Basilikum und Petersilie
abgeriebene Schale und Saft von ½ unbehandelten Zitrone
2 EL natives Olivenöl extra

• Den Ofen auf 200 °C (180 °C Umluft/Gas Stufe 6) vorheizen. Den Wasserkocher füllen und einschalten, sämtliche Zutaten bereitlegen.

• Die Süßkartoffeln waschen, trocken reiben und vorsichtig in 1 cm dicke Pommes schneiden. Auf einem Backblech verteilen und mit dem Öl beträufeln. Salzen und pfeffern und mit der Polenta bestreuen. Die Knoblauchzehe mit der Messerklinge zerdrücken und auf das Blech geben. Alles gründlich durchmischen und 25 Minuten im Ofen backen.

• Einen mittelgroßen Topf mit heißem Wasser füllen und wieder zum Kochen bringen. Den Sellerie sorgfältig schälen, in 2 cm dicke Steaks schneiden und 5 Minuten in dem kochenden Wasser blanchieren, damit er etwas weicher wird.

• Die rote Chili fein hacken und mit Zitronensaft, Ahornsirup, abgezupften Thymianblättchen und einer Prise Salz und Pfeffer zu einer Marinade verrühren.

• Wenn die 5 Minuten vorüber sind, den Sellerie abtropfen lassen und in die Marinade legen. Eine Grillpfanne bei hoher Temperatur vorheizen. Ab und zu einen Blick auf die Süßkartoffel-Pommes werfen und von Zeit zu Zeit wenden, damit sie gleichmäßig bräunen.

• Für die Salsa verde die Cornichons und die Kapern grob hacken, die abgezupften Kräuterblätter dazugeben und alles weiter miteinander zerhacken. In eine Schüssel geben, die Zitronenschale und den -saft dazugeben und 2 Esslöffel Öl und 2 Esslöffel der Marinade unterrühren. Mit Salz und Pfeffer abschmecken.

• Die Selleriesteaks in der heißen Pfanne von jeder Seite 2 bis 3 Minuten grillen, bis sie gebräunt und durchgegart sind. Dabei ungefähr jede Minute mit etwas Marinade bestreichen.

• Etwa 5 Minuten, bevor die Pommes fertig sind, die Ofentemperatur auf maximale Stufe erhöhen. Die Pommes herausnehmen, den Parmesan darüberreiben und die Pommes wieder in den Ofen schieben, bis sie knusprig sind.

• Die Selleriesteaks mit den Süßkartoffel-Pommes und einem großzügigen Löffel Salsa verde und einem grünen Salat, wer möchte, servieren.

Eingelegtes Wurzelgemüse, Polenta und Karottenpesto

40 MINUTEN

Mein neues Lieblingsrezept, wenn ich Gäste zum Essen erwarte – geht schnell, ist sättigend und dazu elegant, extrem lecker und ziemlich raffiniert.

Ich zeige Ihnen ein paar Tricks, wie man für Extrageschmack und interessante Nuancen und Finessen sorgen kann, die Ihnen vielleicht neu sind. Bevor es gegart wird, lege ich das Gemüse rasch ein, was ihm, gemildert durch etwas Honig, eine angenehm säuerliche Note verleiht. Und als Krönung bereite ich ein Pesto aus Karottengrün zu, das an Petersilie erinnert, aber noch würziger schmeckt – köstlich und ein absoluter Segen, falls es nicht bereits vom Gemüsehändler entsorgt wurde. Wer keine Bundkarotten bekommt, muss sich mit einem Bund Petersilie begnügen.

FÜR 4 PERSONEN

4 Bundkarotten (mit dem Grün, siehe Text oben)

4 Rote Beten

2 Zitronen

1 EL Rotweinessig

1 EL flüssiger Honig

Meersalz und frisch gemahlener schwarzer Pfeffer

250 g Polenta

natives Olivenöl extra

1 kleines Bund Salbei

etwas geriebener Parmesan oder Pecorino (ich verwende vegetarischen; nach Belieben)

• Den Ofen auf 220 °C (200 °C Umluft/Gas Stufe 7) vorheizen. Den Wasserkocher füllen und einschalten. Sämtliche Zutaten bereitstellen.

• Zuerst das Gemüse einlegen. Die Karotten (das Kraut für später beiseitelegen) und die Rote Bete schälen und auf einem Gemüsehobel oder mit dem Messer, wer genügend Übung hat, in feine Scheiben schneiden. Den Saft von 1½ Zitronen über das Gemüse pressen, den Rotweinessig und den Honig zugeben, kräftig salzen und pfeffern und beiseitestellen.

• In einem großen Topf 1,5 Liter heißes Wasser aus dem Kocher bei mittlerer Temperatur wieder zum Kochen bringen. Unter ständigem Rühren langsam die Polenta einstreuen, salzen und pfeffern und ständig weiterrühren, bis die Mischung dick wird. Anschließend 3 Esslöffel Olivenöl unterrühren und die Polenta bei ganz niedriger Temperatur leise köcheln lassen, dabei hin und wieder umrühren. Insgesamt braucht die Polenta etwa 25 Minuten.

• Inzwischen das gesäuerte Gemüse auf zwei Backbleche verteilen, mit etwas Öl beträufeln und 20 Minuten im Ofen rösten. Die Marinade für später beiseitestellen.

• Ab und zu ein Auge auf die Polenta werfen und nebenbei aus dem Karottengrün ein schnelles Pesto zubereiten. Das Grün gründlich waschen, abtrocknen und im Mixer mit dem Saft der übrigen Zitronenhälfte, 3 Esslöffeln Olivenöl, 3 Esslöffeln Marinade und einer großzügigen Prise Salz und Pfeffer pürieren.

- Das Gemüse im Ofen wenden – es sollte allmählich braun zu werden beginnen – und immer wieder mal die Polenta umrühren. Die Salbeiblätter abzupfen und in etwas Olivenöl wenden.

- Wenn das Gemüse 20 Minuten im Ofen ist, den Salbei darüberstreuen und alles weitere 5 Minuten im Ofen rösten.

- Die Polenta ist gar, sobald die Masse glatt und nicht mehr körnig ist – am besten ein wenig kosten, aber erst auf dem Löffel abkühlen lassen, sie ist sehr heiß. Ist sie fertig, die Polenta kräftig mit Salz und Pfeffer abschmecken und den geriebenen Käse unterrühren, falls verwendet.

- Die Polenta mit dem Gemüse, dem Salbei und dem Karottenpesto garnieren und servieren.

Linsen-Bolognese

35–40 MINUTEN

Dies ist meine Antwort auf Spaghetti Bolognese, ein Ragù von vollmundigem Charakter und mit einer wunderbar süß-säuerlichen Note. Ich esse es gern zu gewöhnlicher Pasta oder Zucchini-Spaghetti (siehe Seite 90), aber auch mit der Kichererbsen-Pasta auf Seite 196 – ich wechsle je nach Stimmung und Jahreszeit.

Die Linsen-Bolognese hält sich im Kühlschrank vier Tage und lässt sich gut einfrieren, am besten gleich portioniert als Reserve für ein ultraschnelles Abendessen unter der Woche. Reste machen sich besonders gut auf einer Ofenkartoffel oder gebratenen Süßkartoffeln.

FÜR 4 PERSONEN

2 Karotten

3 EL Olivenöl

1 Zwiebel

1 Dose Puy-Linsen (400 g) oder 250 g gegarte Linsen (siehe Seite 241 bis 245)

350 g passierte Tomaten (Passata)

1 TL gekörnte Gemüsebrühe oder ½ Brühwürfel

2 Medjool-Datteln

1 rote Chilischote, von Samen befreit

2 EL Balsamico-Essig

Meersalz

300 g Pasta nach Wahl (ich nehme Pappardelle)

ZUM SERVIEREN

Parmesan (ich nehme vegetarischen)

- Sämtliche Zutaten bereitlegen. Den Wasserkocher füllen und einschalten.

- Die Karotten schälen, fein würfeln und in einem Topf mit dickem Boden bei mittlerer Hitze in Olivenöl andünsten. Inzwischen die Zwiebel schälen und fein hacken. Anschließend dazugeben und weitere 10 Minuten garen, bis sie weich und gebräunt ist.

- Die Linsen hinzufügen, die passierten Tomaten und die Brühe dazugeben und eine halbe Dose heißes Wasser aus dem Kocher zugießen. Die Datteln und die Chili grob hacken und mit dem Essig unterrühren. Das Ragù 25 Minuten köcheln lassen, bis es sämig eingedickt ist.

- Einen großen Topf Wasser für die Pasta aufsetzen, großzügig salzen und zum Kochen bringen. Wenn die Linsen 25 Minuten hinter sich haben, die Pasta (oder Zucchini-Spaghetti) garen und anschließend abtropfen; eine Tasse Kochwasser auffangen.

- Die Linsen-Bolognese, sobald sie fertig ist, vom Herd nehmen, mit einem Kartoffelstampfer halb zerstampfen und anschließend noch einmal einige Minuten erhitzen.

- Die abgetropfte Pasta (oder die Zucchini-Spaghetti) unter das Ragù mengen, falls nötig, mit etwas Kochwasser verdünnen und mit Parmesan servieren.

Kichererbsen-Pasta mit einfacher Tomatensauce

40 MINUTEN

Jahrelang habe ich mit verschiedenen Getreiden und glutenfreien Mehlen herumexperimentiert auf der Suche nach dem Nonplusultra – ein Teller sättigende und dennoch leichte Pasta mit Biss und Rückgrat, die mich nach dem Essen nicht für zwei Stunden auf das Sofa zwingt.

Ich glaube, ich bin am Ziel. Diese supersimplen Nudeln werden aus Kichererbsenmehl und Leinsamen gemacht. Sie lassen sich auch einfach von Hand rollen, wer Zeit und Lust dazu hat, nahezu makellos werden sie aber mit einer Nudelmaschine.

Es sind von Natur aus vegane und glutenfreie Nudeln, und umso raffinierter und schmackhafter sind sie.

Wenn Sie bisher keine Leinsamen im Vorrat haben und fürchten, dass die angebrochene Packung im hintersten Eck der Vorratskammer unberührt versauern wird, lassen Sie sich Folgendes sagen: Leinsamen sind sehr gesund und wie geschaffen für den morgendlichen Smoothie, Porridge oder das Müsli, aber auch für Gebäck. Es ist eine der besten pflanzlichen Quellen für Alpha-Linolensäure, die im Körper zu derselben für Herz und Gefäße gesunden Omega-3-Fettsäure umgewandelt wird, die man in Lachs, Sardinen und Makrele findet. Dazu enthalten sie lösliche und unlösliche Ballaststoffe, die die Verdauung fördern. Leinsamen liefern außerdem reichlich Lignane, das sind Phytoöstrogene, die offenbar Brust-, Prostata- und Darmkrebs vorzubeugen helfen. Überzeugt?!

FÜR 4 PERSONEN

4 EL gemahlene Leinsamen
350 g Kichererbsenmehl plus Mehl zum Bestäuben
Olivenöl
Meersalz

FÜR DIE SAUCE
2 Knoblauchzehen
1 Dose stückige Tomaten (400 g)
1 großes Bund Basilikum

ZUM SERVIEREN (NACH BELIEBEN)
Pecorino oder Parmesan (ich nehme vegetarischen)

• Den Wasserkocher füllen und einschalten. Sämtliche Zutaten und Arbeitsutensilien bereitstellen.

• Die Leinsamen mit 150 ml warmem Wasser verrühren und einige Minuten quellen lassen. Die Mischung mit dem Kichererbsenmehl und 180 ml kaltem Wasser in die Küchenmaschine geben, 1 Esslöffel Olivenöl und eine kräftige Prise Salz hinzufügen und mixen, bis sich die Zutaten zu einem Teig verbunden haben. Man kann das auch bequem von Hand in einer Schüssel erledigen. Den Teig in ein sauberes Küchentuch oder Frischhaltefolie wickeln und 10 Minuten ruhen lassen.

• Für die Sauce eine Pfanne bei hoher Temperatur erhitzen. Den Knoblauch schälen, in dünne Scheiben schneiden und 1 bis 2 Minuten in etwas
Olivenöl anbraten, bis die Scheiben am Rand braun zu werden beginnen.
Rasch die stückigen Tomaten dazugeben und bei mittlerer Temperatur
10 Minuten köcheln lassen, bis die Sauce eingedickt ist und glänzt. Für die
Pasta einen großen Topf mit heißem Wasser aus dem Kocher füllen, kräftig
salzen und erneut zum Kochen bringen.

• Den Teig auswickeln und halbieren. Die Arbeitsfläche großzügig mit
Kichererbsenmehl bestreuen. Die erste Teighälfte mit einem Nudelholz so
dünn wie möglich ausrollen, da der Teig beim Garen etwas aufquillt, und
mit einem Messer in 0,5 cm breite Streifen schneiden. Auf ein bemehltes
Blech legen und die andere Teighälfte genauso ausrollen und zuschneiden.

• Die Pasta in das kochende Wasser geben und nicht länger als 2 bis
3 Minuten garen, sonst beginnt sie leicht zu zerfallen. Keine Panik, wenn
die eine oder andere Nudel ein wenig aus der Form gerät, sie sind empfind-
licher als gewöhnliche Pasta. Mit einer Schaumkelle herausheben, abtropfen
lassen und mit dem Großteil der Basilikumblätter in die Tomatensauce
geben. Vorsichtig durchheben, bis alle Nudeln mit Sauce überzogen sind,
und eventuell mit etwas Kochwasser verdünnen, wenn die Sauce sehr dick
ist.

• Mit weiterem Basilikum und nach Belieben mit Pecorino oder Parmesan
bestreuen und servieren.

Rote-Bete-Radicchio-Gratin

40 MINUTEN

Ein Auflauf aus Roter Bete und Kartoffeln, mit winterlichen Kräutern goldbraun und knusprig gebacken, ein fröhliches Schauspiel aus Rosa- und Purpurtönen – kräftige Farben mit süßlich-sanften Aromen. Die Rote Bete gleicht die leicht bittere Note des Radicchios wunderbar aus, und wer mit bitterem Salat noch fremdelt, hat hier eine gute Gelegenheit, das zu ändern. Anstelle von Radicchio kann man auch zu rotem Chicorée greifen.

Bittere Salate sind besonders gut für die Verdauung. Angeblich helfen sie sogar, den Heißhunger auf Süßigkeiten in Schach zu halten, und wer wie ich ticke, weiß ein bisschen Unterstützung gegen die süßen Verlockungen sicher zu schätzen.

Ich kröne dieses Gratin mit einer würzigen Gremolata aus frisch gehackten Kräutern und einer ordentlichen Dosis Knoblauch und Orangenschale. Das krautig-herbe, orangig-frische und zupackend knofelige Aroma katapultiert dieses Gratin in eine andere Liga. Ich serviere dazu einen Brunnenkressesalat, Sie können aber auch Brot zum Aufstippen der Sauce dazureichen.

FÜR 4 PERSONEN

750 g Rote Bete
300 g kleine bis mittelgroße festkochende Kartoffeln
1 Radicchio
einige Zweige Thymian
einige Zweige Salbei
3 Knoblauchzehen
1 unbehandelte Zitrone
Salz und frisch gemahlener schwarzer Pfeffer
125 ml Weißwein
125 ml heiße Gemüsebrühe

FÜR DIE GREMOLATA

1 kleines Bund Petersilie
½ Knoblauchzehe
1 rote Chilischote
abgeriebene Schale von 1 großen unbehandelten Orange

• Den Ofen auf 220 °C (200 °C Umluft/Gas Stufe 7) vorheizen. Den Wasserkocher füllen und einschalten. Sämtliche Zutaten und Arbeitsutensilien bereitlegen.

• Die Rote Bete schälen, in der Küchenmaschine oder auf einem Gemüsehobel in dünne Scheiben schneiden und in einer hohen Auflaufform von etwa 20 x 25 cm Größe verteilen. Die Kartoffeln schälen und ebenso schneiden. Auf der Roten Bete in der Form verteilen. Den Radicchio wie einen Blattsalat in Streifen schneiden – zuvor den Strunk heraustrennen – und ebenfalls in die Form geben.

• Den Thymian und den Salbei abzupfen, den Knoblauch schälen und in Scheiben schneiden und über das Gemüse streuen. Die Zitronenschale darüberreiben und das Ganze kräftig mit Salz und Pfeffer würzen. Alles mit den Händen sorgfältig vermengen und gleichmäßig in der Form ausbreiten. Den Weißwein und die heiße Brühe darübergießen – das Gemüse sollte etwa zur Hälfte bedeckt sein – und 30 Minuten im Ofen backen.

- Inzwischen für die Gremolata die Petersilie, den geschälten Knoblauch und die Chili fein hacken, die Orangenschale abreiben und alles in eine Schüssel geben. Sorgfältig vermengen, leicht salzen und pfeffern und beiseitestellen.

- Sobald das Gemüse goldbraun und rundherum am Rand knusprig ist, dürfte es gar sein. Zur Probe eine Kartoffelscheibe aus der Mitte herausziehen und probieren. Mit einem Brunnenkresse- oder Rucolasalat servieren und nach Belieben etwas Brot zum Auftunken der Sauce dazureichen.

Für einen schnellen Aroma-Kick

KRÄUTERÖL

Für Suppen, Eintöpfe, Dressings, Getreide, Salate, Fladenbrot und Tofu

1 Bund zarte Kräuter

oder

½ Bund robuste Kräuter

+

100 ml natives Olivenöl extra

+

Meersalz

+

Zitronensaft nach Geschmack

↓

Im Mixer zu einer öligen Paste zermahlen.

PESTO

Für Pasta, Crostini, Pizza, grünes Gemüse, Ofenkartoffeln, neue Kartoffeln, Suppen, Sandwiches und Tomaten

1 Bund zarte Kräuter

+

1 kleine Handvoll Nüsse

+

½ Knoblauchzehe (nach Belieben)

+

Meersalz

↓

Im Mörser oder Mixer zermahlen

+

2 EL Olivenöl

+

Saft von 1 Zitrone

↓

Würzen und sorgfältig vermengen.

KRÄUTERPASTE

Für Suppen, Eintöpfe, Fladenbrot, Bruschetta, Gemüse und geröstetes Wurzelgemüse

1 Bund zarte Kräuter

+

Abgeriebene Schale von 1 Zitrone, Orange oder Limette

+

½ Knoblauchzehe

+

1 rote oder grüne Chilischote

+

Meersalz und schwarzer Pfeffer

↓

Alles zusammen zu einer groben Paste hacken.

In der schnellen Küche dreht sich alles darum, Aromen flink und clever miteinander zu kombinieren. Zu Hause lässt sich am einfachsten mit einem würzigen Dressing oder Kräuteröl ein umgehender Aromaschub erzielen. Diese Geschmacksverstärker benötigen nur ein paar Minuten und verwandeln eine simple Schüssel Quinoa oder gedämpften Brokkoli in eine Mahlzeit, die keine Wünsche offen lässt. Die Rezepte reichen für einige Portionen Getreide oder Gemüse. Ich habe sie nur grob umrissen, sodass sie je nach Geschmack und Einsatzgebiet genügend Raum für die eigene Kreativität lassen.

MISO-AHORN-DRESSING

Für Nudeln, Reis, Ofengemüse, grünes Blattgemüse, Tomaten, Sandwiches

1 EL dunkle Misopaste

+

1 EL Sojasauce

+

1 EL Ahornsirup

+

1 EL Reisessig

oder

Limettensaft

↓

Sorgfältig verrühren.

TAHINI-DRESSING

Für Suppen, Eintöpfe, Sandwiches, Fladenbrot, Falafel, Salate

2 EL Tahini

+

Saft und abgeriebene Schale von 1 Zitrone

+

2 EL Olivenöl

+

1 fein gehackte Schalotte

oder

½ fein geriebene Knoblauchzehe

+

Meersalz und schwarzer Pfeffer

↓

Alles gründlich vermengen.

HARISSA-DRESSING

Für Halloumi, Hummus, Fladenbrot, Salate, Käse, Suppen

6 gehackte Frühlingszwiebeln weich dünsten

+

1 EL Harissa

+

2 EL Olivenöl

+

Saft von 1 Zitrone

+

Meersalz und schwarzer Pfeffer

↓

Alles gründlich vermengen.

Avocado mit Zucchini-Pommes

40 MINUTEN

Dies ist mein neues Seelenfutter. Es verströmt das heimelige Gefühl kindlicher Geborgenheit, dabei sind die Aromen denkbar raffiniert. Falls Sie noch nie Avocados gegart haben, verstehe ich Ihr Zögern – ich war auch skeptisch, doch das Ergebnis war eine Offenbarung. Es unterstreicht ihren buttrigen Schmelz und krautig-frischen Charakter. Dazu serviere ich selbstgemachtes Ketchup und ein einfaches Erbsenpüree mit Minze.

Nehmen Sie auf den Punkt reife Avocados, sind sie überreif, funktioniert es nicht. Die Semmelbrösel lassen sich problemlos durch Haferflocken ersetzen. Ich arbeite mit einem Ofenrost und etwas Polenta, damit die Pommes im Ofen richtig knusprig werden; der Rost lässt die Hitze um die Pommes herum zirkulieren, was ein knuspriges Resultat begünstigt. Wenn Sie keinen passenden Ofenrost haben, ist das aber auch kein Problem: ohne benötigen die Pommes lediglich etwas länger.

FÜR 4 PERSONEN

FÜR DIE POMMES
4 große Zucchini
2 EL Polenta
25 g Parmesan (ich nehme vegetarischen; nach Belieben)
Salz und frisch gemahlener schwarzer Pfeffer

FÜR DIE AVOCADO
2 auf den Punkt reife Avocados
100 g Semmelbrösel oder feine Haferflocken
1 Prise getrocknete Chiliflocken
Sesamsamen
2 Freiland- oder Bio-Eier

FÜR DIE ERBSEN
200 g Erbsen (TK)
einige Stängel Minze

FÜR DAS SCHNELLE KETCHUP
1 EL Tomatenmark
6 Kirschtomaten
1 Spritzer vegetarische Worcestersauce
1 Spritzer Tabasco
etwas Ahornsirup

• Den Ofen auf 220 °C (200 °C Umluft/Gas Stufe 7) vorheizen. Den Wasserkocher füllen und einschalten, sämtliche Zutaten bereitlegen.

• Zuerst die Zucchini in dünne »Pommes« schneiden; den faserigen Innenteil wegwerfen. Auf einem Backblech verteilen, mit der Polenta und dem geriebenen Parmesan, falls verwendet, bestreuen und mit Salz und Pfeffer würzen. Sorgfältig mischen, bis die Pommes rundherum gleichmäßig bedeckt sind, auf einen Ofenrost legen, der exakt auf das Blech passt, und 35 Minuten im Ofen backen.

• Die Avocados halbieren und entsteinen. Das Fruchtfleisch im Ganzen herauslösen oder schälen. Die Hälften ganz lassen.

• Die Semmelbrösel oder die Haferflocken (grobe Haferflocken zuvor im Mixer zermahlen) mit den Chiliflocken, den Sesamsamen und einer kräftigen Prise Salz und Pfeffer vermengen und auf einen Teller streuen. Die Eier auf einen tiefen Teller oder in eine Schale schlagen. Würzen und mit einer Gabel verquirlen.

• Die Avocadohälften von allen Seiten behutsam in dem verschlagenen Ei wenden und anschließend rundherum mit den Bröseln panieren, sodass sie gleichmäßig bedeckt sind. Die panierten Avocadohälften zu den Zucchini-Pommes in den Ofen legen und 25 Minuten backen.

- Die Erbsen in einem kleinen Topf mit kochendem Wasser übergießen und einige Minuten kochen lassen, während Sie die Minze fein hacken. Die Erbsen abgießen und abtropfen lassen. Die Minze und eine kräftige Prise Salz und Pfeffer untermengen und alles leicht zerdrücken.

- Zwischendurch einen Blick auf die Avocados und die Ofen-Pommes werfen und gegebenenfalls wenden, damit sie gleichmäßig garen.

- Als Nächstes sämtliche Zutaten für das Ketchup mit dem Stabmixer pürieren, bis die Mischung glatt ist. Mit Salz und Pfeffer würzen und, falls nötig, noch etwas nachsüßen oder ein wenig Essig unterrühren.

- Sobald die Avocados gebräunt und die Pommes knusprig sind, alles aus dem Ofen nehmen und mit dem warmen Erbsenmus und einem ordentlichen Löffel Ketchup servieren.

Süßkartoffel-Ricotta-Gnocchi mit Mandel-Pesto

45 MINUTEN

Diese Gnocchi verkörpern mein Ideal von Wohlfühlküche – fluffige herzhafte kleine Klößchen aus Süßkartoffeln und Ricotta, die in einem schnellen Pesto aus Basilikum und Oregano baden. Herzhaft genug für ein winterliches Essen vor dem Kamin und dennoch mit der nötigen geschmacklichen Frische, um auch an einem Sommerabend glücklich zu machen.

Das Rezept verstößt gegen die Gnocchi-Regeln, die ich als Köchin gelernt habe. Wir bereiteten sie fast ohne Mehl aus knochentrocken gebackenen Kartoffeln zu – äußerst lecker, aber ziemlich anspruchsvoll und ein echtes Geduldsspiel.

Darum hier ein narrensicheres Gnocchi-Rezept, das sich in angemessener Zeit in die Tat umsetzen lässt. Durch die Zugabe von etwas Mehl werden die Gnocchi viel fügsamer und leichter zu händeln, falls Sie sich noch nicht daran versucht haben. Und dem Genuss tut es absolut keinen Abbruch.

Veganer lassen den Ricotta weg und nehmen 200 g mehr Süßkartoffeln. Das Rezept lässt sich auch problemlos mit glutenfreiem Mehl, zum Beispiel Buchweizenmehl, realisieren, der etwas griffigere Charakter glutenfreier Mehle ist dabei sogar von Vorteil.

Rohe Gnocchi-Reste halten sich im Kühlschrank 2 bis 3 Tage.

FÜR 6 BIS 8 PERSONEN

800 g Süßkartoffeln
200 g Ricotta
300 g helles Dinkelmehl
1 Freiland- oder Bio-Eigelb

FÜR DAS PESTO
2 große Bund Basilikum
1 kleines Bund Oregano
50 g blanchierte Mandeln
1 unbehandelte Zitrone
natives Olivenöl extra
Salz und frisch gemahlener schwarzer Pfeffer
1 ordentliche Portion geriebener Pecorino oder Parmesan (ich nehme vegetarischen; nach Belieben)

- Den Wasserkocher füllen und einschalten. Sämtliche Zutaten bereitlegen.

- Die Süßkartoffeln schälen, in etwa 3 cm große Stücke schneiden und dämpfen, bis sie weich sind. Das dauert etwa 20 Minuten.

- Inzwischen für das Pesto die Kräuter, die Mandeln sowie die abgeriebene Schale und den Saft der Zitrone in den Mixer geben und sorgfältig pürieren. Nach und nach das Olivenöl einarbeiten, bis ein cremiges Pesto entstanden ist. Wenn Sie das Pesto verdünnen möchten, ohne zu viel Öl zuzugeben, können Sie 1 Esslöffel Wasser unterrühren. Das Pesto kräftig mit Salz und Pfeffer würzen.

- Einen großen Topf mit heißem gesalzenem Wasser bei hoher Temperatur aufsetzen. Die Süßkartoffeln abtropfen und einige Minuten ausdampfen lassen, damit möglichst viel Restflüssigkeit verdampft. Anschließend durch eine Kartoffelpresse drücken oder sorgfältig zerstampfen.

• Den Ricotta, das Mehl und das Eigelb unterziehen und die Masse
5 Minuten stehen lassen. Anschließend ein Viertel der Masse abnehmen
und auf der gut bemehlten Arbeitsfläche zu zwei langen Würsten von
etwa 2 cm Durchmesser rollen. Noch einmal einige Minuten ruhen lassen,
damit sie etwas fester werden.

• Die Würste in 2 cm lange Stücke schneiden und beiseitelegen, während
Sie die restlichen Gnocchi rollen und schneiden. Die Gnocchi in dem
kochenden Wasser garen, bis sie an die Oberfläche steigen.

• Inzwischen vier Teller vorwärmen. Die Gnocchi, sobald sie gar sind,
mit einer Schaumkelle herausheben und in eine große Schüssel geben.
Das Pesto unterziehen und die Gnocchi auf die vorgewärmten Teller
verteilen. Nach Belieben mit geriebenem Pecorino oder Parmesan
bestreuen und servieren.

Kürbis-Schwarzkohl-Pie

40 MINUTEN

In dieser Pie treffen zwei Gaumenkitzel aufeinander, die ich in ein und derselben Woche genießen durfte. Der eine war eine *spanakopita*, eine knusprige, mit Spinat und Feta gefüllte Pie, die ich in einer einfachen griechischen Taverne gleich um die Ecke aß. Der andere eine Pizza mit Kürbismus, knackigem *cavolo nero* (Schwarzkohl) und schwarzen Oliven, die ich in einer Pizzeria, fünf Gehminuten von zu Hause, verputzte. Die Pizza hatte es mir derart angetan, dass ich daraus unbedingt etwas machen wollte, das sich mal eben an einem Abend unter der Woche zubereiten lässt. Hier ist das Ergebnis.

Es ist eine »Mogel«-Pie, die in einer Pfanne zubereitet und mit geraspeltem und klein geschnittenem Gemüse gefüllt wird.

FÜR 4 BIS 6 PERSONEN

2 rote Zwiebeln
Kokosöl oder Olivenöl
450 g Butternusskürbis
½ Bund Thymian
1 Paket Filoteig (200 g)
2 Freiland- oder Bio-Eier
100 g Pecorino oder Parmesan
(ich nehme vegetarischen)
frisch gemahlener schwarzer Pfeffer
Olivenöl
200 g *cavolo nero* (Schwarzkohl)
oder Grünkohl
1 unbehandelte Zitrone
100 g Ziegenkäse
100 g schwarze Oliven (ich nehme
Kalamata-Oliven)

• Den Ofen auf 220 °C (200 °C Umluft/Gas Stufe 7) vorheizen und sämtliche Zutaten bereitlegen. Sie benötigen eine ofenfeste Bratpfanne von 24 cm Durchmesser.

• Einen Topf bei niedriger Temperatur erhitzen und inzwischen die Zwiebeln schälen und fein hacken. Etwas Kokosöl oder Olivenöl in dem Topf zerlassen und die Zwiebeln 5 Minuten dünsten, bis sie weich sind.

• Während die Zwiebeln dünsten, den Kürbis schälen und grob würfeln. Mit dem abgezupften Thymian zu den Zwiebeln geben und 5 bis 10 Minuten garen, bis die Mischung trocken ist.

• Inzwischen den Filoteig auspacken und die Teigblätter so in die Pfanne legen, dass sie rundherum ein wenig überhängen (der Rand wird später eingeschlagen). Auf diese Weise die Pfanne weiter auslegen, bis eine 3 bis 4 Lagen dicke Schicht entstanden ist – eventuell müssen Sie die Teigblätter aneinanderstückeln, wenn sie sehr klein sind.

• Den Kürbis, wenn er so weit ist, in eine Schüssel geben. Die Eier hineinschlagen, den Pecorino oder Parmesan in die Mischung reiben und mit Pfeffer würzen. Alles gründlich vermengen.

• Den Filoteig mit etwas Olivenöl beträufeln und mit einem Backpinsel gleichmäßig verstreichen. Die Kürbismasse einfüllen und die Pfanne bei mittlerer Temperatur auf den Herd stellen.

• Jetzt zügig arbeiten. Den Kohl rasch in Streifen schneiden und in dem Saft und der abgeriebenen Schale der Zitrone und etwas Öl wenden. Auf der Kürbisfüllung verteilen und leicht andrücken, um die Oberfläche zu glätten. Den Ziegenkäse in Flöckchen sowie die entsteinten Oliven darüber verteilen und den überhängenden Teigrand einschlagen, sodass eine wellige Kante entsteht. Die Pie im unteren Teil des Ofens 20 bis 25 Minuten goldbraun und knusprig backen.

• Die Pie in sechs großzügige Portionen schneiden und mit einem grünen Salat mit Zitronendressing und nach Belieben Chilisauce servieren.

Kürbis-Bohnen-Auflauf

45 MINUTEN

Das ist ein wärmender Winter- oder Herbstauflauf mit einer knusprigen Kruste, unter der sich eine süßlich-würzige Füllung aus Butternusskürbis, Zitrone und Kräutern verbirgt. Ganz einfach aus schlichten Zutaten zusammengewürfelt, die ich gewöhnlich ohnehin im Haus habe.

Probieren Sie ruhig auch andere Kürbissorten aus dem Angebot Ihres Gemüsehändlers, sie benötigen alle in etwa die gleiche Garzeit. Eine bunte Mischung verschiedener Farben und Formen verschönert dieses Gratin und macht es noch appetitlicher.

Wenn Sie vegan leben oder einfach mal eine Abwechslung möchten, können Sie den Käse durch eine Handvoll gehackter Mandeln ersetzen, nicht ganz dasselbe, aber nicht weniger gut.

FÜR 6 PERSONEN

3 rote Zwiebeln

Olivenöl

1 kg Butternuss- oder anderer orangefleischiger Kürbis

einige Zweige Rosmarin

2 Dosen Cannellini-Bohnen (à 400 g) oder 500 g gegarte weiße Bohnen (siehe Seite 241 bis 245)

Meersalz und frisch gemahlener schwarzer Pfeffer

1 Zitrone

300 ml heiße Gemüsebrühe

3 dicke Scheiben gutes Sauerteig- oder Vollkornbrot

150 g Gruyère (Greyerzer; für eine vegane Version siehe Text oben)

• Den Ofen auf 220 °C (200 °C Umluft/Gas Stufe 7) vorheizen. Sämtliche Zutaten und Arbeitsutensilien bereitlegen.

• Die Zwiebeln schälen und grob in Streifen schneiden. In einer großen flachen ofenfesten Pfanne 1 Schuss Olivenöl bei mittlerer Temperatur erhitzen und die Zwiebeln darin dünsten, bis sie weich sind.

• Den Kürbis in große Würfel schneiden, die Kerne entfernen (Schälen ist nicht nötig), zu den Zwiebeln in die Pfanne geben und den Rosmarin hineinzupfen. Das Gemüse weiter anbraten, bis der Kürbis am Rand ein wenig Farbe genommen hat und weich zu werden beginnt – das dauert etwa 10 Minuten.

• Die Pfanne vom Herd nehmen, die abgetropften Bohnen hineingeben und die Mischung mit Salz, Pfeffer und dem Saft der Zitrone würzen.

• Die Brühe zugießen und das zerzupfte Brot über dem Gemüse verteilen. Mit dem geriebenen Käse (oder gehackten Mandeln) bestreuen und 35 bis 40 Minuten backen, bis der Käse geschmolzen ist und die Brühe am Rand siedet.

Gemüsecurry mit Kokos, Limette und Tamarinde

45 MINUTEN

Dieses Curry wurde wie der Dal mit Süßkartoffeln aus *A Modern Way to Eat* bei mir zu Hause auf Anhieb zum Klassiker. Ich koche ihn oft und bin jedes Mal wieder überrascht, wie gut er schmeckt. Kürbis, Fenchelsamen und Tamarinde verbinden sich zu einem farbenfrohen Hochgenuss, und die gerösteten Kokosflocken mit Ahornsirup und Limette sind der absolute Gipfel (und ein leckerer Snack für zwischendurch).

Wer es ganz eilig hat, kann zu vorgegartem braunem Reis greifen. Ich habe meist ein paar Reisreste in der Tiefkühltruhe (zum Garen und Aufbewahren von Reis siehe Seite 246), doch wenn Sie zu einem Produkt ohne Zusatzstoffe greifen, ist auch Parboiled-Reis aus dem Kochbeutel eine schnelle Lösung.

FÜR 4 PERSONEN

300 g brauner Rundkornreis
Meersalz
1 rote Zwiebel
Kokosöl
2 Knoblauchzehen
1 daumengroßes Stück Ingwer
1 rote Chilischote
2 Karotten
1 großes Bund Koriandergrün
400 g Butternuss-, Kabocha- oder Eichelkürbis
200 g Spinat oder anderes grünes Blattgemüse
1 EL Fenchelsamen
1 EL Senfsamen
1 Dose stückige Tomaten (400 g)
1 Dose Kokosmilch (400 ml)
2 EL Tamarindenpaste
50 g ungesüßte Kokosflocken oder Kokosraspel
2 unbehandelte Limetten
2 EL Ahornsirup

• Den Ofen auf 200 °C (180 °C Umluft/Gas Stufe 6) vorheizen. Den Wasserkocher füllen und einschalten. Sämtliche Zutaten bereitlegen und einen großen Topf bei mittlerer Temperatur aufsetzen.

• Den Reis in ein Sieb geben, kalt abspülen und in den Topf geben. 600 ml heißes Wasser zugießen, kräftig salzen, zum Kochen bringen und dann bei niedriger Temperatur 20 Minuten köcheln lassen.

• Inzwischen die Zwiebel schälen und fein hacken. In einem weiteren großen Topf 1 Teelöffel Kokosöl zerlassen und die Zwiebel bei hoher Temperatur 5 Minuten braten, bis sie weich ist.

• Den Knoblauch schälen. Knoblauch, Ingwer und die Chili hacken und beiseitelegen. Die Karotten schälen und in 0,5 cm dünne Scheiben schneiden. Die Korianderstiele hacken, die Blätter beiseitelegen. Sobald die Zwiebel weich ist, Knoblauch, Ingwer, Chili, Karotten und die Korianderstiele dazugeben und einige Minuten dünsten.

• Den Kürbis längs halbieren (Schälen ist nicht nötig) und dann vierteln. Die Kerne entfernen und das Fruchtfleisch in 0,5 cm dicke Scheiben schneiden. Den Spinat waschen und von harten Stielen befreien.

• Die Fenchel- und Senfsamen zu den Karotten geben und anrösten, bis sie zu knistern beginnen. Die Kürbisscheiben, die stückigen Tomaten, die Kokosmilch und die Tamarindenpaste zugeben und alles zugedeckt bei mittlerer bis hoher Temperatur 20 Minuten garen, bis das Curry sämig eingedickt und würzig ist. Bei Bedarf noch etwas heißes Wasser zugießen.

- Inzwischen ein Backblech mit Backpapier auslegen. Die Kokosflocken darauf verstreuen und die Schale einer Limette darüberreiben. Mit dem Ahornsirup beträufeln und 5 Minuten im Ofen goldgelb rösten.

- Den Reis, wenn er gar ist, abgießen, abtropfen und warm stellen. Wenn das Curry fertig ist, den Spinat und die Korianderblätter untermengen und den Limettensaft unterrühren. Jeweils etwas Reis in vier Schalen geben und das Curry darüberschöpfen. Mit den gerösteten Kokosflocken bestreuen und nach Belieben mit weiterem Koriandergrün garnieren.

Eine moderne Moussaka

45 MINUTEN

Dieses Gericht habe ich mal in Los Angeles gegessen, und seitdem träume ich davon. Es ist opulent, cremig und lecker und dabei doch klar und geradlinig.

Die Auberginen sollten in der Grillpfanne unbedingt gut durchgegart werden, es gibt kaum Schlimmeres als rohe Auberginen. Wenn das Fruchtfleisch durch und durch weich und glasig ist, sind sie fertig.

Ich habe diese Moussaka vegan gehalten, so ist sie leichter und auch schmackhafter. Man kann jedoch das Kokosöl problemlos durch Butter und die Mandel- durch Kuhmilch ersetzen, wenn Sie eine klassische Béchamel bevorzugen.

FÜR 4 BIS 6 PERSONEN

500 g Kirschtomaten
2 rote Zwiebeln
Olivenöl
1 Prise getrocknete Chiliflocken
abgeriebene Schale von
1 unbehandelten Zitrone
Meersalz und frisch gemahlener
schwarzer Pfeffer
600 g kleine neue Kartoffeln
2 Auberginen
3 EL Kokosöl
3 EL Dinkelmehl
300 ml ungesüßte Mandelmilch

• Den Ofen auf 220 °C (200 °C Umluft/Gas Stufe 7) vorheizen und eine Grillpfanne stark erhitzen. Den Wasserkocher füllen und einschalten. Sämtliche Zutaten und Arbeitsutensilien bereitlegen.

• Die Tomaten halbieren, die Zwiebeln schälen und in dünne Streifen schneiden. Beides auf einem großen Backblech mit etwas Olivenöl beträufeln und mit den Chiliflocken, der Zitronenschale und etwas Salz und Pfeffer bestreuen. Alles sorgfältig durchmischen und 20 Minuten im Ofen rösten.

• Die Kartoffeln in kochendem Wasser aus dem Kocher 12 bis 15 Minuten garen, bis sie weich sind.

• Inzwischen die Auberginen in 0,5 cm dicke Scheiben schneiden und portionsweise in der erhitzten Grillpfanne von beiden Seiten grillen, bis sie durchgegart und gebräunt sind. Die fertigen Auberginen auf einen Teller legen, mit etwas Olivenöl beträufeln und leicht salzen und pfeffern.

• Für die Béchamelsauce das Kokosöl in einem Topf zerlassen, das Mehl einrühren und einige Minuten andünsten, damit sich der Rohgeschmack verflüchtigt. Anschließend nach und nach die Mandelmilch zugießen und dabei ständig umrühren, damit sich keine Klümpchen bilden. Die Béchamel sollte recht dick sein, etwa wie griechischer Joghurt.

• Die Kartoffeln, wenn sie gar sind, abgießen. Eine große flache ofenfeste Pfanne mit dickem Boden aufsetzen und 3 Esslöffel Olivenöl hineingeben. Die abgetropften Kartoffeln hinzufügen und mit einem Kartoffelstampfer nur leicht andrücken, um die Unterseite ein wenig zu glätten. Die Kartoffeln leicht bräunen und ab und zu durchschwenken, damit sie nicht ansetzen und knusprig werden. Kräftig würzen.

• Sobald die Kartoffeln gebräunt sind, die Tomaten aus dem Ofen nehmen und auf den Kartoffeln verteilen. Mit den Auberginenscheiben bedecken und alles mit der Béchamel übergießen. Die Moussaka im Ofen unter dem heißen Grill 5 bis 10 Minuten überbacken.

• Die goldbraun überbackene Moussaka in die Tischmitte stellen und einen knackigen Salat mit Zitronendressing dazu servieren.

Knuspriger Kichererbsen-Burger
mit Harissa

45 MINUTEN

Diesem Burger kann niemand widerstehen – supersimpel zusammen-
zusetzen, kräftig gewürzt und mit einem süßlichen Hauch von Datteln.
Ich bereite immer die doppelte Menge zu und friere die Hälfte ein,
eine praktische Reserve unter der Woche.

Verzichten Sie bloß nicht auf das Relish, es bringt die Burger erst richtig
zur Geltung. Wer Granatapfelsirup nicht bekommt oder sich nicht damit
anfreunden mag, kann einen Esslöffel Honig mit einem Esslöffel kräftigem
Balsamico-Essig verrühren.

FÜR 6 PERSONEN

FÜR DIE BURGER
200 g gegarte Quinoa (100 g roh)
200 g Erbsen (TK)
1 Dose Kichererbsen (400 g) oder
250 g gegarte Kichererbsen (siehe
Seite 241 bis 245)
1 TL gemahlener Kreuzkümmel
1 TL gemahlener Koriander
½ TL geräuchertes Paprikapulver
4 Medjool-Datteln
1 großes Bund Petersilie
1 EL Harissa
1 EL Dijonsenf
Olivenöl oder Kokosöl
50 g Sesamsamen

FÜR DAS RELISH
1 rote Zwiebel
200 g Kirschtomaten
1 kräftiger Schuss Granatapfelsirup
1 Bund Koriandergrün

ZUM SERVIEREN
6 gute Burger-Brötchen
Hummus
Salatblätter

• Den Wasserkocher füllen und einschalten, sämtliche Zutaten bereitlegen.

• Muss die Quinoa noch gegart werden, diese in einem Topf rösten,
bis die Körner zu platzen beginnen, so gewinnt sie an Aroma. Anschließend
in einem Messbecher abmessen und in einen großen Topf geben. Mit dem
Messbecher die doppelte Menge kochendes Wasser zugießen. Die Quinoa
garen, bis sie das Wasser vollständig aufgenommen hat und die welligen
Kerne aus der Samenhülle quellen.

• Die Erbsen unaufgetaut in einer hitzebeständigen Schüssel mit kochendem Wasser bedecken und 10 Minuten stehen lassen.

• Die abgetropften Kichererbsen in eine Pfanne geben, mit dem Kreuzkümmel, dem Koriander und dem geräucherten Paprika würzen und rösten,
bis sämtliche Flüssigkeit verdampft ist und die Kichererbsen zu knistern
und knacken beginnen.

• Die Erbsen sehr sorgfältig abtropfen und zurück in die abgetrocknete
Schüssel geben. Jeweils die Hälfte Kichererbsen und Quinoa dazugeben,
dann die Datteln, die Petersilie, die Harissa und den Senf hinzufügen und
mit dem Stabmixer pürieren, bis alles gut vermengt ist. Dann die übrigen
Kichererbsen und die restliche Quinoa untermengen.

• Die Masse zu 6 Burgern formen und in den Kühlschrank legen, damit sie
etwas fester werden.

• Für das Relish die Zwiebel schälen, in feine Streifen schneiden und
8 bis 10 Minuten in der Pfanne bräunen. Die Tomaten klein hacken,
zugeben und weitere 5 Minuten garen, bis sie zerfallen. Den Granatapfelsirup unterrühren und die Mischung in eine Schüssel umfüllen.
Das Koriandergrün grob hacken und untermengen.

- Während das Relish gart, die Burger fertigstellen. Eine Bratpfanne bei mittlerer Temperatur erhitzen (Sie können sie portionsweise braten oder mit zwei Pfannen arbeiten). Etwas Olivenöl oder Kokosöl hineingeben und die Burger von jeder Seite 5 Minuten braten, bis sie knusprig und durchgegart sind. Wenn sie so weit sind, die Burger von beiden Seiten mit Sesam bestreuen und jeweils 1 weitere Minute braten. Man kann die Burger auch auf ein geöltes Blech legen und 20 bis 25 Minuten im 220 °C heißen Ofen (200 °C Umluft/Gas Stufe 7) garen.

- Die Burger-Brötchen in einer Pfanne ohne Fett anrösten, mit den Burgern, etwas Hummus, dem Tomaten-Relish und ein paar Salatblättern belegen und servieren.

Gegrillte Auberginen mit Honig und weißem Miso

40–45 MINUTEN

Auberginen und Pilze haben eines gemeinsam: Wenn sie nicht perfekt zubereitet sind, lassen sie mich kalt. Ich gewähre also nicht vielen Auberginenrezepten Einlass in meine Küche, geschweige denn in dieses Buch. Das Rezept aber ist der Hammer. Alles, was eine Aubergine sein sollte, innen weich und buttrig, außen kräftig gebräunt und knusprig-zart. Und die großzügig aufgetragene Misopaste setzt das i-Tüpfelchen. Ich serviere dazu braunen Sushireis, den ich im japanischen Supermarkt oder online beziehe. Es kann schwierig sein, ihn zu bekommen, zur Not tut es auch weißer Sushireis.

FÜR 4 BIS 6 PERSONEN

300 g brauner Sushireis
4 lange schlanke Auberginen
1 EL zerlassenes Kokosöl plus etwas Fett extra
2 EL weiße Misopaste
2 EL dunkle Misopaste
2 EL flüssiger Honig
2 EL Mirin (japanischer Reiswein)
1 kräftige Prise Chilipulver
200 g Grünkohl
4 Pak Choi
1 Schuss Sojasauce oder Tamari
1 EL Yuzu-Limettensaft oder Saft von 1 Limette
4 EL geröstete schwarze oder weiße Sesamsamen
2 EL brauner oder weißer Reisessig

• Sämtliche Zutaten bereitlegen und den Backofengrill bei mittlerer Temperatur vorheizen.

• Als Erstes den Sushireis garen: Den Reis drei- bis viermal in kaltem Wasser waschen, bis das Wasser klar bleibt. Anschließend in 400 ml kaltem Wasser aufsetzen, zum Kochen bringen und zugedeckt garen, weißen Reis 10 bis 15 Minuten, braunen Reis 15 bis 20 Minuten. Den Herd ausschalten und den Reis zugedeckt quellen lassen. Den Deckel nicht abnehmen, sonst entweicht der für den weiteren Garprozess nötige Dampf.

• Die Auberginen längs halbieren und das Fruchtfleisch kreuzweise einschneiden, die Schale jedoch unversehrt lassen. Die Auberginen von beiden Seiten mit dem Kokosöl bestreichen, mit dem Fruchtfleisch nach unten auf ein Backblech legen und 5 Minuten grillen. Umdrehen und weitere 5 Minuten grillen, bis sie durch und durch weich sind. Die Ofentemperatur auf 220 °C (200 °C Umluft/Gas Stufe 7) stellen, den Grill ausschalten. Die weiße und die dunkle Misopaste in einer Schüssel mit Honig, Mirin, Chilipulver und 1 Esslöffel heißem Wasser verrühren. Das Fruchtfleisch der Auberginen mit der Mischung bestreichen und noch einmal 15 Minuten im Ofen rösten.

• In einer Pfanne etwas Kokosöl erhitzen, den Grünkohl und den Pak Choi hineingeben und sautieren, bis das Gemüse eben weich ist, anschließend die Sojasauce oder Tamari und den Limettensaft untermengen. Die Auberginen aus dem Ofen nehmen und mit den Sesamsamen bestreuen. Den Reisessig unter den Reis rühren. Das Kohlgemüse und die Auberginen auf dem Reis anrichten und mit der sämigen Sauce vom Blech überziehen. Nach Belieben mit weiterem Sesam bestreuen.

Vorrats-
küche

polenta

puy lentils

sultan

bee
pollen

Selbstgekochte Vorräte sind das Rückgrat meiner Küche – clevere kleine Trümpfe, die im Alltag immer für eine nahrhafte, leckere Mahlzeit sorgen. Man braucht nicht jede Woche zur Tat zu schreiten, doch wann immer ein bisschen Ruhe und Zeit ist, lässt sich beim Kochen auf Vorrat wunderbar entspannen – und unter der Woche dann schnell ein Abendessen aus dem Ärmel zaubern. Ganz zu schweigen von den süßen Leckereien. Nussbutter und Tahini, schnelle Müslis, das beste Bananenbrot der Welt, ein Wunder von Kichererbsen-Tofu, Berge von Getreide und Hülsenfrüchten, Fonds, Suppen, mein Lieblingsroggenbrot und selbstgemachter Kokosjoghurt.

Himmlische Nussbutter

Es macht richtig Spaß, Dinge selbst zuzubereiten, die man gewöhnlich kauft, und ich bin hinterher stolz wie Oskar. Doch am meisten liebe ich an der Vorratsküche die Freiheit, wirklich Originelles zu kreieren und Zutaten ganz nach eigenem Gusto und in einer Weise zu kombinieren, wie man sie sonst nicht findet.

Genau das passiert hier. Ich liebe Nussbutter. Ich esse sie auf Toast oder Reiswaffeln als Snack, tunke Obst hinein, verwende sie für Dressings und löffle sie über meinen morgendlichen Porridge. Oft bereite ich eine einfache Mandelbutter mit einer Prise Salz als Basis zu. Die Buttermischungen hier sind jedoch ausgefeilte, raffinierte Kombinationen von Aromen, roh angemischt und reich an Inhaltsstoffen, die Ihrem Essen mit jedem Löffel eine ungeahnte Dosis Geschmack und wertvolle Nährstoffe bescheren.

Hier zeige ich Ihnen drei Rezepte für aromatisierte Buttermischungen. Die Kokos-Mandel-Butter mit Kardamom ist meine ganz spezielle Freundin, es fällt mir schwer, das Glas unberührt zu lassen. Falls Sie Lucuma-Pulver nicht bekommen oder Ihnen das zu viel des Guten ist, lassen Sie es einfach weg. Die Dattel-Pecannuss-Butter ist ein Salzkaramell, der auf dem Frühstückstisch vertretbar ist, und die Haselnuss-Kakao-Butter ist schlicht besseres Nutella. Eine einfache ungewürzte Nussbutter lässt sich aus rohen, gerösteten oder aktivierten (siehe unten) Nüssen nach der beschriebenen Methode herstellen. Etwas Salz und eventuell ein Schuss Wasser sind denkbare Zugaben.

Nussbutter aus rohen Nüssen schmeckt fabelhaft, doch für den maximalen Nährwert empfehle ich, sie zu »aktivieren«. Dazu weicht man die Nüsse über Nacht in kaltem Wasser ein. Anschließend abspülen und im Ofen bei niedriger Temperatur (70 °C/50 °C Umluft/Gas niedrigste Stufe) etwa 4 Stunden

vollständig trocknen. Am besten die Ofentür dabei einen Spalt offen lassen, damit die Feuchtigkeit entweichen kann. Das mag ein bisschen verrückt klingen, doch erhöht das Verfahren tatsächlich den Nährwert. Das Einweichen gaukelt den Nüssen vor, dass sie austreiben dürfen, und darum beginnen sie, ihre Nährstoffe freizusetzen. Das anschließende Trocknen verlängert ihre Haltbarkeit – die eingeweichten Nüsse halten sich nur ein paar Tage.

Für richtig cremige Nussbutter benötigt man eine gute Küchenmaschine oder einen leistungsstarken Mixer. Wer beides nicht hat, kann mit einem Stabmixer eine leicht stückige Variante zubereiten.

KOKOS-MANDEL-BUTTER MIT KARDAMOM
300 g rohe ungeschälte Mandelkerne
(nach Belieben aktiviert – siehe Seite 226)
100 g Kokoscreme
50 g Kokosblütenzucker
2 EL Lucuma-Pulver (nach Belieben)
1 TL Vanilleextrakt
Samen von 4 Kardamomkapseln, zerstoßen
Mark von 2 Vanilleschoten
100 bis 150 ml Wasser

HASELNUSS-KAKAO-BUTTER
300 g rohe ungeschälte Haselnusskerne
(nach Belieben aktiviert – siehe Seite 226)
4 EL Ahornsirup
4 EL Kokosöl oder Kakaobutter
4 EL Kakaopulver oder Kakaonibs
100 bis 150 ml Wasser

SALZIGE DATTEL-PECANNUSS-BUTTER
300 g rohe Pecannusskerne (nach Belieben aktiviert –
siehe Seite 226)
10 entsteinte Medjool-Datteln
1 kräftige Prise Salz
100 bis 150 ml Wasser

• Sämtliche Zutaten für die ausgewählte Nussbutter bereitlegen. Kokosöl, falls verwendet, zerlassen. Ein erhitzter Löffel erleichtert das Abmessen.

• Die Nüsse in der Küchenmaschine oder im Mixer zu einem feinen Pulver zermahlen. Zwischendurch das Gerät ab und zu ausschalten und mit einem Spatel den Becher- oder Schüsselrand säubern. Je nachdem wie stark der Motor ist, dauert es 2 bis 4 Minuten. Wer eine stückige Nussbutter möchte, nimmt rechtzeitig 2 gehäufte Esslöffel ab, bevor die Masse glatt ist, und rührt sie am Ende wieder unter.

• Sobald sich die Nüsse in eine Paste verwandeln, die restlichen Zutaten, außer dem Wasser, untermixen, bis die Masse ganz glatt ist. Eventuell müssen Sie ab und zu wieder den Becherrand säubern.

• Nun nach und nach das Wasser untermixen, bis die Nussbutter die gewünschte Konsistenz hat. Falls Sie zuvor etwas grobe Nussbutter abgenommen haben, die Masse in eine Schüssel umfüllen und die grobe Nussbutter unterrühren. Anschließend in sterilisierte Gläser abfüllen (siehe Seite 257) und bis zu 6 Wochen an einem kühlen Ort lagern.

Roggen-Muffins mit Schokolade und Blutorange

Dies ist gewissermaßen der beliebte britische Snack *Terry's Chocolate Orange* in der gesünderen Muffin-Version, die man sich zum Frühstück gönnen kann. Entweder Sie stimmen mir zu, oder Sie blättern lieber weiter.

Die kleinen Kerlchen enthalten keine Zuckerraffinade, keine Milchprodukte und nur wenig Dinkelmehl, das sich auf Wunsch aber problemlos durch gutes glutenfreies Mehl ersetzen lässt. Es funktioniert tadellos, da die Milch und das Öl die Muffins vor dem Austrocknen schützen.

Ich halte die Muffins eher schlicht, wer sie etwas sündhafter gestalten möchte, kann sie noch mit 100 g gehackter dunkler Schokolade bestreuen, die sie mit wunderbar cremigem Schmelz toppt. Ich verwende am liebsten Blutorangen, aber mit gewöhnlichen Orangen geht es genauso gut.

FÜR 12 MUFFINS

150 ml Olivenöl oder 150 g Kokosöl
150 g gutes weißes Dinkelmehl
50 g Vollkornroggenmehl
5 EL Kakaopulver (ich nehme rohes)
1 TL Backpulver
3 Freiland- oder Bio-Eier
250 ml Milch nach Wahl (ich nehme Trinkkokosmilch)
150 g reiner Ahornsirup
2 unbehandelte Blutorangen oder gewöhnliche Orangen
100 g Bitterschokolade (70 % Kakaoanteil)

• Den Ofen auf 220 °C (200 °C Umluft/Gas Stufe 7) vorheizen. Ein 12er-Muffinblech mit Papierbackförmchen bestücken. Sämtliche Zutaten bereitlegen. Das Kokosöl, falls verwendet, zerlassen.

• Die trockenen Zutaten in eine große Schüssel sieben.

• Die Eier in einer weiteren Schüssel verschlagen. Unter ständigem kräftigem Rühren die Milch, den Ahornsirup und das Öl einarbeiten. Die Schale einer Orange hineinreiben.

• Beide Orangen mit einem Messer sorgfältig schälen, einschließlich der bitteren weißen Haut. Die Fruchtfilets in kleine Stücke schneiden und den weißen Teil im Innern der Früchte entfernen.

• Die trockenen Zutaten unter die feuchten rühren. Die Schokolade grob hacken und die Hälfte ebenso wie die Hälfte der Orangen mit einem Spatel behutsam unter den Teig ziehen, bis alles gleichmäßig vermengt ist.

• Den Teig in die vorbereiteten Förmchen einfüllen, den Rest Schokolade und Orangen darauf verteilen und 16 bis 18 Minuten im Ofen backen. Schmeckt am besten warm aus dem Ofen.

Malziges Schoko-Buchweizen-Müsli

Meine prägenden Jahre in Amerika hinterließen eine Obsession für gemälzte Schoko-Milchshakes. Im Grund für alles gemälzte Schoko-was-auch-immer. Auf Milkshakes stehe ich nicht mehr so sehr, aber die Schoko-Malz-Kombi macht mich noch immer schwach. Dies ist meine Therapie, ein durch und durch gesundes Müsli, das ganz nebenbei auf den Boden meiner Müslischale noch einen Schoko-Malz-Shake zaubert.

Sie können auch mehr Ahornsirup statt Gerstenmalz nehmen, ich mag das malzige Aroma eben besonders gern. Gerstenmalzsirup gibt es im Reformhaus, es ist ein naturgerecht hergestelltes Süßungsmittel, das zu etwa 50 Prozent aus Maltose (Malzzucker) besteht, der nur ein Drittel so süß ist wie Haushaltszucker. Er enthält noch viele Nährstoffe der Gerste, aus der er hergestellt wird. Diese Art von komplexem Zucker braucht länger, um verdaut zu werden, und darum führt er nicht zu so starken Schwankungen beim Blutzucker wie ein Schokoriegel.

Dieses Müsli ist ein toller süßer Snack – ich esse es gern pur mit Mandelmilch und ein paar Himbeeren obendrauf, aber auch mit Joghurt oder auf einem Porridge verspricht es Genuss.

FÜR 1 GROSSES GLAS (ETWA 800 G)

300 g kernige Haferflocken

200 g Buchweizen

100 g Trockenfrüchte (ich nehme Kokosflocken, gehackte Datteln, Rosinen oder gehackte Aprikosen)

4 EL Kakaopulver

30 g Chiasamen

125 g Pecannusskerne

60 ml Ahornsirup

4 EL Gerstenmalzsirup

60 g Kokosöl

....

• Den Ofen auf 180 °C (160 °C Umluft/Gas Stufe 4) vorheizen und sämtliche Zutaten bereitlegen.

• In einer großen Schüssel Haferflocken, Buchweizen, Trockenfrüchte, Kakaopulver und Chiasamen vermengen. Die Pecannüsse grob hacken und dazugeben.

• In einem Topf den Ahornsirup, den Gerstenmalzsirup und das Kokosöl erwärmen.

• Die Sirupmischung zur Haferflockenmischung gießen und alles gründlich vermengen. Auf ein großes oder zwei kleine Backbleche geben und mit den Händen zu kleinen Häufchen formen und pressen.

• Das Müsli 5 bis 10 Minuten im Ofen rösten, herausnehmen und mit einem Löffel oder Spatel grob in Stücke zerbrechen. Zurück in den Ofen schieben und noch einmal 5 bis 10 Minuten backen.

• Das Müsli ist fertig, wenn appetitlich knusprige Stückchen entstehen. Wegen der dunklen Farbe des Kakaos sieht man nicht unbedingt, wann es so weit ist, und neigt dazu, es zu lange im Ofen zu lassen. Im Zweifelsfall sollte man es lieber ein bisschen zu früh herausnehmen.

Frühstart mit Flocken & Körnern

Ich bereite diese Flocken-Körner-Mischung auf Vorrat zu und bewahre sie in einem großen Glas in meiner Küche auf. So kann ich an einem gehetzten, verschlafenen oder nervenaufreibenden Morgen immer eine Portion in einen Topf werfen, und 20 Minuten später steht eine nahrhafte Stärkung auf dem Tisch, die mich fit macht für die nächsten Stunden. Statt Haferflocken verwende ich oft auch Roggenflocken oder Buchweizen.

Wenn möglich, weiche ich die Körner und Flocken über Nacht in etwas Wasser mit einem Spritzer Zitronensaft ein. Falls Sie nicht dran denken oder es für unnötig halten, macht das nichts.

Unten finden Sie drei Toppings, zwei süße und ein salziges, allesamt köstlich.

MISCHEN
Sämtliche Zutaten in einem großen Einmachglas vermengen. Oder in einer großen Schüssel mischen und anschließend auf zwei kleinere Gläser verteilen. Innerhalb von 3 Monaten verbrauchen.

ZUBEREITEN
Pro Person etwa 50 g der Mischung in 250 ml Wasser oder einer Mischung aus Wasser und ungesüßter Mandelmilch zum Kochen bringen und 20 Minuten köcheln lassen, bis die Mischung sämig und gar ist.

TOPPINGS
• Klein geschnittene Kakis, Granatapfelkerne, Datteln und gehackte Pistazien.
• Geriebener Apfel, Muskatnuss, Zimt und gehackte Mandeln.
• Pochiertes Ei, Chili und geröstete Sesamsamen.

FÜR ETWA 20 PORTIONEN

90 g Haferflocken (glutenfrei, wenn nötig)
200 g Hirseflocken
170 g Quinoaflocken
190 g Amaranth
40 g Chiasamen
30 g Mohn

Bananenbrot mit Pecannüssen

Hier ist mein ultimatives Bananenbrot – weich, saftig und luftig, mit einer Körnerkruste, die jeden schwedischen Bäcker stolz machen würde, und dicken Schokostücken. Und das alles ganz ohne Gluten, Milchprodukte und Zuckerraffinade. Toasten Sie es zum Frühstück – ein unverschämt leckerer Genuss ohne schlechtes Gewissen.

Nicht weniger gut und etwas weniger sündig ist dieses Brot ohne die Schokolade. Ich verwende Schokolade, wenn ich es zum Nachmittagstee serviere, und lasse sie weg, wenn es unser Frühstücksbrot ist. Wer keinen Kokosblütenzucker findet, nimmt braunen Rohrohrzucker.

....

• Den Ofen auf 170 °C (150 °C Umluft/Gas Stufe 3) vorheizen. Alle Zutaten bereitlegen und eine beschichtete Kastenform (900 g) mit Kokosöl einfetten.

• Während der Ofen vorheizt, die Pecannüsse 10 Minuten darin rösten, anschließend grob hacken und beiseitelegen. Inzwischen die Haferflocken im Mixer zu einem krümeligen Mehl zermahlen.

• Die geschälten Bananen sowie 100 g Kokosblütenzucker, den Ahornsirup, die Mandelmilch und das zerlassene Kokosöl im Mixer zermahlen, bis alles gleichmäßig vermengt ist. Hafermehl, Backpulver und eine kräftige Prise Salz zugeben und erneut mixen, dann die Pecannüsse untermischen und die Kümmelsamen hineingeben, falls verwendet.

• Die Hälfte des Teiges in die vorbereitete Form füllen. Die Schokolade in Riegel brechen und entlang der Mitte auf den Teig legen. Den restlichen Teig einfüllen und mit dem übrigen Kokosblütenzucker bestreuen. 1 Stunde und 10 Minuten backen – zur Garprobe mit einem Spieß einstechen, es sollte kein Teig mehr daran haften. Auf einem Kuchengitter mindestens 30 Minuten abkühlen lassen.

FÜR 1 GROSSEN LAIB (900 G)

75 g zerlassenes Kokosöl plus extra zum Einfetten
200 g Pecannusskerne (Walnüsse gehen auch)
200 g kernige Haferflocken
4 große reife Bananen
100 g Kokosblütenzucker plus 1 EL (nach Belieben)
100 g Ahornsirup
100 ml ungesüßte Mandelmilch
2 TL Backpulver
Meersalz
1 kräftige Prise Kümmelsamen (nach Belieben)
75 g Bitterschokolade (70 % Kakaoanteil)

Selbstgemachter Kichererbsen-Tofu

Guten Tofu zu finden kann ganz schön schwierig sein. Einige kleine Hersteller bieten bei uns mittlerweile gute Produkte an, doch der verbreitete Supermarkt-Tofu ist im Großen und Ganzen ziemlich mittelmäßig. Das scheint mir der Grund zu sein, warum viele Leute bei Tofu die Nase rümpfen – sie wissen nicht, wie gut er schmecken kann.

Wir alle wissen, dass Soja im industriellen Stil, oft gentechnisch verändert, angebaut wird, darum kam ich bei meinen Versuchen und Überlegungen zur Herstellung von Tofu auf Kichererbsen. Kichererbsen-Tofu ist in der Küche Myanmars Grundnahrungsmittel. Er ist würziger als gewöhnlicher Tofu und dennoch zurückhaltend genug, um ihn mit fernöstlichen, indischen oder auch italienischen Aromen zu kombinieren.

Dieses Rezept erfordert ein bisschen Planung, da das Kichererbsenmehl ein bis zwei Tage eingeweicht wird. Dafür liefert es eine üppige Menge, ausreichend für eine ganze Familie. Bei weniger Essern empfehle ich, die Mengen zu halbieren.

FÜR ETWA 1,5 KG TOFU

TOFU-GRUNDREZEPT
350 g Kichererbsenmehl
3,5 l kaltes Wasser
½ EL Kokosöl
2½ TL feines Meersalz

OPTIONALE AROMAZUGABEN
Raucharoma
Das Meersalz durch Rauchsalz ersetzen

Gewürze
1 EL gemahlene Kurkuma
1 TL gemahlener Koriander

Kräuter
1 kleines Bund Thymian, Blätter abgezupft und sehr fein gehackt
1 kleines Bund Oregano, Blätter abgezupft und sehr fein gehackt

• In einem sehr großen Topf (der etwa 4 Liter fasst) das Kichererbsenmehl und das Wasser verrühren. Mit einem sauberen Küchentuch bedecken und an einem warmen Ort ungestört etwa 24 Stunden quellen lassen. In einer wärmeren Umgebung dauert es etwas weniger lang.

• Nach Ablauf der Zeit das Küchentuch entfernen; das Kichererbsenmehl hat jetzt zu gären begonnen und verströmt eventuell einen leicht hefigen Geruch. Ohne zu rühren oder den Topf zu bewegen, vorsichtig mit einer Kelle oder einem Messbecher 1 Liter Wasser von der Oberfläche abschöpfen und weggießen.

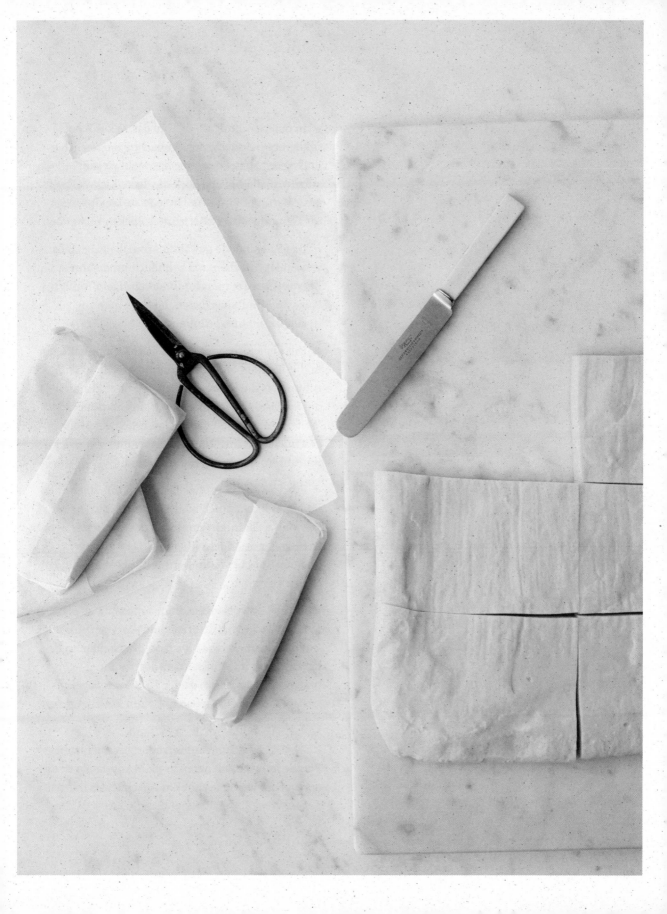

• In einem mittelgroßen Topf das Kokosöl bei mittlerer Hitze zerlassen. Vorsichtig die restliche Flüssigkeit zugießen, ohne das Mehl zu sehr aufzuwirbeln, bis nur noch die dicke Kichererbsenpaste darunter übrig ist. Diese Paste bleibt vorerst im Topf und wird später zum Andicken verwendet.

• Das Salz und die gewählte Aromabeigabe, falls verwendet, zugeben und gründlich unterrühren. Bei mittlerer Temperatur unter häufigem Rühren 15 bis 20 Minuten erhitzen, bis die Mischung zu sieden beginnt und sämig wird.

• Die Kichererbsenpaste aus dem Topf hinzufügen und mit einem Holzlöffel ununterbrochen kräftig rühren, bis die Masse nach etwa 6 bis 7 Minuten die Konsistenz von Kuchenteig angenommen hat. Weitere 10 Minuten garen, damit sich der Mehlgeschmack verflüchtigt, und dabei immer wieder umrühren, sonst setzt die Masse an.

• Ein 20 x 30 cm großes Backblech mit einem sauberen Küchentuch oder Käseleinen auslegen. Die Masse daraufgießen und glatt streichen. Die Ränder des Tuchs über die Masse schlagen und den Tofu bei Raumtemperatur etwa 6 Stunden stehen lassen.

• Zum Herauslösen ein Brett auf das Blech platzieren, den Tofu daraufstürzen und das Tuch abziehen. In Portionsstücke von etwa 200 g schneiden und bis zu 5 Tage im Kühlschrank aufbewahren – am besten auf dem Blech, da der Tofu beim Lagern zuweilen etwas Wasser abgibt. Zum Einfrieren ist er leider nicht so gut geeignet.

• Den Kichererbsen-Tofu in einer beschichteten Pfanne in etwas Öl, damit er nicht ansetzt, braten – er neigt ein wenig mehr zum Ansetzen als normaler Tofu.

Perfekt gegarte Hülsenfrüchte

Getrocknete Hülsenfrüchte zu kochen klingt nicht gerade nach der amüsantesten oder spannendsten Disziplin der Kochkunst, geschweige denn nach irgendetwas Neuem. Aber diese besondere Garmethode hat viele Dinge in meiner Küche verändert, wie ich manches handhabe, wie gut sie schmecken, wie lange sie dauern und was sie am Ende kosten.

Hülsenfrüchte verdienen einen festen Platz im Ernährungsplan. Sie sind reich an Kohlenhydraten, Ballaststoffen und Eiweiß, enthalten kaum Fett, dafür aber reichlich Vitamine.

Statt zur Dose zu greifen, bin ich dazu übergegangen, Hülsenfrüchte selbst auf Vorrat zu kochen und portioniert einzufrieren, jederzeit einsatzbereit für Hummus, Suppen und Eintöpfe. Sie sind viel köstlicher und buttriger, wenn man sie selbst gart, und allein der Vorgang macht mich glücklich – was für eine Freude, mit der Hand in einer Schüssel getrockneter Bohnen zu wühlen oder im Gefrierschrank auf lauter kleine Tüten mit fertigen Bohnen zu stoßen.

Die Garzeit getrockneter Hülsenfrüchte hängt davon ab, wie lange das Trocknen her ist. Je älter sie sind, desto länger benötigen sie. Darum sollte man Hülsenfrüchte von einer Quelle beziehen, wo sie eher nicht schon seit Ewigkeiten im Regal stehen. Supermärkte oder Bio-Läden, die sie offen nach Gewicht verkaufen, sind gute Adressen.

Wer mehr über Hülsenfrüchte erfahren möchte, liegt mit Jenny Chandlers hervorragendem Buch *Pulses* goldrichtig, es ist gewissermaßen die »Bohnenbibel« und hat einige der folgenden Verfahren inspiriert.

Noch eine Bemerkung zu Bohnen und Proteinen. Das in Bohnen enthaltene Eiweiß ist kein vollständiges Protein, wie man es in Eiern, Quinoa, Buchweizen und Chiasamen findet. Es besitzt nur sieben der acht Aminosäuren eines vollständigen Proteins. Doch kann das fehlende Puzzleteilchen durch Getreide oder Sesam ergänzt werden, die über die achte Aminosäure verfügen. Kombiniert mit etwas Brot (siehe Seite 212) oder in Hummus (mit Tahini, siehe Seite 257) bilden Hülsenfrüchte also das volle Protein und liefern mehr Energie und wertvolle Inhaltsstoffe.

EINWEICHEN

Die meisten Hülsenfrüchte profitieren davon, wenn man sie über Nacht in der doppelten Menge kaltem Wasser (am besten gefiltert) einweicht. Es macht sie viel leichter verdaulich und reduziert die Garzeit ebenso wie ihre berüchtigten Nebenwirkungen; außerdem garen sie gleichmäßiger durch. Keine Sorge, wenn Sie die Zeit zum Einweichen nicht haben, es gibt die eine oder andere Abhilfe.

Entweder man weicht Hülsenfrüchte eben nur so lange ein, wie es gerade geht, idealerweise 2 Stunden, oder man verzichtet ganz darauf und kocht sie gleich – allerdings wird die vermeintliche Zeitersparnis nach meiner Erfahrung durch die längere Garzeit wieder ausgeglichen.

GAREN

Die eingeweichten Hülsenfrüchte abtropfen und in einem sehr großen Topf etwa 3 cm hoch mit kaltem Wasser bedecken. Zum Kochen bringen und 5 Minuten ununterbrochen kochen lassen (Kidneybohnen 10 Minuten) – das ist wichtig, da es die in Hülsenfrüchten enthaltenen Toxine entschärft. Anschließend bei niedriger Temperatur ganz leise vor sich hin köcheln lassen, bis sie weich sind. Geringe Hitze schont die Schale der Hülsenfrüchte und garantiert einen gleichmäßigen Garprozess. Aufs Rühren sollte man besser verzichten, da es die

Schale der Hülsenfrüchte in Mitleidenschaft zieht, stattdessen lieber ab und zu den Topf rütteln.

Hülsenfrüchte sollten gegart äußerlich noch intakt sein, sich aber mühelos zu einem buttrigen Mus zerreiben lassen. Kichererbsen bleiben insgesamt etwas fester.

Ich würze Hülsenfrüchte erst nach dem Garen, weil sie sonst angeblich eine zähe und mehlige Konsistenz entwickeln. Im gegarten Zustand können sie eine anständige Dosis Würze vertragen.

EINFRIEREN

Man kann die abgekühlten Hülsenfrüchte portioniert in der Garflüssigkeit – wie Dosenware – tiefkühlen, ich friere sie jedoch lieber ohne das Wasser ein. Ich würze kräftig, lasse sie in einem Sieb abtropfen und verpacke sie nach dem Abkühlen in Gefrierbeutel. Wenn ich Zeit habe, friere ich sie erst auf einem Blech ein, damit sie nicht zusammenkleben, und verpacke sie dann in Gefrierbeuteln.

EINWEICH- UND GARZEITEN FÜR GETROCKNETE HÜLSENFRÜCHTE

SEHR KURZ

**30 MINUTEN EINWEICHEN
+ 30 BIS 40 MINUTEN GAREN**

Linsen und Spalterbsen
Mottenbohnen
Mungbohnen

KURZ

**2 BIS 3 STUNDEN EINWEICHEN
+ 30 BIS 40 MINUTEN GAREN**

Adzuki-Bohnen
Schwarzaugenbohnen

MITTEL

**4 STUNDEN EINWEICHEN
+ 1 BIS 1½ STUNDEN GAREN**

Borlotti-Bohnen
Lima-Bohnen
Cannellini-Bohnen
Perlbohnen
Kidneybohnen
Pinto-Bohnen

LANG

**8 STUNDEN ODER ÜBER NACHT EINWEICHEN
+ 1½ BIS 3 STUNDEN GAREN**

Kichererbsen
Dicke Bohnen
Sojabohnen

Getreide & Samen

Getreide und die sogenannten Pseudogetreide wie Quinoa und Amaranth (die wie Getreide aussehen und gegart werden, aber eigentlich Samen sind) sind eine feste Größe auf meinem Speiseplan. Allerdings benötigen einige eine ganze Weile, bis sie gar sind, darum bereite ich immer gleich eine große Portion zu, die ich als Vorrat im Kühl- oder Gefrierschrank aufbewahre, falls es mal schnell gehen muss.

Und wer für Vielfalt und Abwechslung der Sorten in der Ernährung sorgt, wird mit einem breiten Spektrum an Vitaminen und Mineralien belohnt.

Heutzutage gibt es in Supermärkten und Feinkostgeschäften bereits vorgegarte Getreide, allerdings variieren sie in Hinblick auf Qualität und Zusatzstoffe erheblich. Einige Hersteller verzichten weitgehend auf Zusatzstoffe – nach einem sorgfältigen Blick auf die Packung kann so ein Produkt also durchaus eine Option sein.

EINWEICHEN

Getreide und Pseudogetreide profitieren wie Hülsenfrüchte und Nüsse vom Einweichen. Es verkürzt die Garzeit, maximiert ihren Nährwert und macht sie bekömmlicher. Idealerweise weicht man sie über Nacht in der doppelten Menge kaltem Wasser ein (am besten gefiltert), doch selbst ein paar Stunden tun ihre Wirkung – und wenn es gar keinen Aufschub duldet, ist das auch nicht tragisch.

GAREN

Das eingeweichte Getreide abtropfen und in einem großen Topf mit der angegebenen Menge Flüssigkeit bedecken. Ich gare Getreide grundsätzlich in Gemüsebrühe, die zusätzlich für Geschmack und Substanz sorgt. Häufig gebe ich noch den Saft und die ausgepressten Hälften einer Zitrone hinein. Anschließend wird das Getreide weich gekocht.

LAGERN UND EINFRIEREN

Das gegarte Getreide abtropfen und ganz abkühlen lassen – um die Dinge zu beschleunigen, kann man es auf mehreren Blechen ausbreiten. Es lässt sich 3 bis 4 Tage im Kühlschrank aufbewahren oder portionieren und für schnelle Mahlzeiten aus der Reserve einfrieren.

ROTE, SCHWARZE UND WEISSE QUINOA

Sie benötigen einen Teil Quinoa und zwei Teile Wasser. Ich röste die Quinoa zuvor gern im Topf, bis ein Knistern zu hören ist, das sorgt für ein volleres Röstaroma. Die Quinoa 12 Minuten garen, bis das Wasser verkocht ist und der wellige Kern aus der Samenhülle tritt. Ich lasse den Topf dann noch ein Weilchen auf dem Herd stehen, bis es wieder knistert, um sicherzugehen, dass sämtliche Flüssigkeit verdampft ist.

BRAUNER REIS

Den Reis unter fließendem kaltem Wasser abspülen. Rechnen Sie pro Becher Langkornreis 1¼ Becher Wasser, bei Vollkornreis 1½ Becher. Zum Kochen bringen und dann bei niedriger Temperatur 30 Minuten köcheln lassen, bis der Reis weich ist. Abtropfen, zurück in den Topf geben und weitere 10 Minuten ausdampfen lassen.

AMARANTH

Sie benötigen 2½ Becher Wasser pro Becher Amaranth. Zum Kochen bringen und 20 Minuten leise köcheln lassen, bis das Wasser verkocht ist und die Körner locker und luftig sind.

BUCHWEIZEN

Es gibt zweierlei Buchweizen – Kascha, das ist die geröstete Variante, und die ungeröstete Buchweizengrütze, die ich meist verwende. Sie wird zuerst unter fließendem kaltem Wasser abgespült, bis das Wasser klar bleibt. Anschließend pro Becher Buchweizengrütze 2 Becher Flüssigkeit zugießen, zum Kochen bringen und 20 bis 30 Minuten köcheln lassen, bis sie weich ist. Kascha benötigt nur 15 bis 20 Minuten. Man kann Buchweizengrütze auch in einer Pfanne 1 bis 2 Minuten rösten, bis sie einen nussigen Duft verströmt.

HIRSE

Rechnen Sie pro Becher Hirse 2½ Becher Wasser. Zum Kochen bringen und 25 Minuten köcheln lassen, bis die Hirse die Flüssigkeit aufgenommen hat und locker und luftig ist. Mit einer Gabel auflockern. Für eine nussige Note kann man Hirse wie Quinoa zuvor rösten.

EMMER

Pro Becher Emmer benötigen Sie 2 Becher Wasser. Zum Kochen bringen und 30 Minuten köcheln lassen, bis das Getreide weich ist. Emmer ist glutenhaltig.

PERLGRAUPEN

Benötigt werden 3 Becher Wasser pro Becher Graupen. Zum Kochen bringen und dann bei niedriger Temperatur 45 bis 50 Minuten köcheln lassen, bis sie weich sind. Graupen enthalten Gluten.

FREEKEH

Freekeh ist unreifer grüner Weizen, der sehr jung geerntet und dann geröstet oder sonnengetrocknet wird. Er ist gesünder als voll ausgereifter Weizen, weil in dem unreif geernteten Korn die Nährstoffe und Proteine besser erhalten bleiben. Er soll zudem weniger Kohlenhydrate enthalten als gewöhnlicher Weizen.

Den Freekeh in einer Schüssel in Wasser waschen und die Körner dabei kräftig aneinanderreiben. Abtropfen und den Vorgang so oft wiederholen, bis das Wasser klar bleibt. Pro Becher Freekeh benötigen Sie 2 Becher Wasser. Zum Kochen bringen und zugedeckt köcheln lassen, bis das Getreide das Wasser vollständig aufgenommen hat (etwa 15 Minuten bei geschrotetem Freekeh, 45 Minuten bei der Vollkornvariante). Vom Herd nehmen und mit einer Gabel auflockern.

Schneller selbstgemachter Panir

Panir zu Hause selbst zu machen – wie er da eingewickelt in Mull in seiner reinen weißen Schlichtheit strahlt – ist wirklich eine große Freude.

Ich mache Panir gern selbst, weil ich dann richtig gute Bio-Milch verarbeiten kann. Er ist ein gutes Stück billiger als das Pendant aus dem Handel, und natürlich sind Geschmack und Konsistenz viel delikater und feiner. Steht Ihnen eine größere Runde ins Haus, verdoppeln Sie einfach die Mengen, dieses Rezept reicht für ein Essen für vier Personen.

FÜR ETWA 400 G

2 l Bio-Vollmilch
Saft von 2 Zitronen

• Die Milch in einem hohen Topf bei mittlerer Temperatur zum Kochen bringen. Ab und zu umrühren, damit sich keine Haut bildet.

• Inzwischen eine große Schüssel mit einem Stück Mulltuch oder einem sauberen Küchentuch auslegen und beiseitestellen.

• Sobald die Milch aufwallt, den Zitronensaft hineingeben und umrühren, bis die Milch vollständig geronnen ist. Den Topf vom Herd nehmen, den entstandenen Quark mit einer Schaumkelle herausschöpfen und in das vorbereitete Tuch geben. Die Tuchecken zusammenführen und verdrehen und so behutsam die Restflüssigkeit aus dem Quark herausdrücken.

• Das Tuch mit dem Quark auf einen Teller legen, mit einem Gewicht beschweren – ich nehme einen großen Mörser – und 40 Minuten stehen lassen, bis sich die Masse verfestigt hat.

• Wird der Panir nicht gleich weiterverarbeitet, in einer Schüssel mit Wasser bedecken und bis zu 5 Tage im Kühlschrank aufbewahren.

Ein Topf Sonntagssuppe

Das Leben ist anstrengend, und obwohl ich Köchin bin, nehme ich mir oft nicht genug Zeit, um mich wirklich gut zu ernähren. In manchen Wochen klappt das vorbildlich, ich komme in den richtigen Rhythmus, bereite morgens, mittags, abends Mahlzeiten zu, auf die man stolz sein kann. In anderen Wochen bin ich nicht so in Form, dann koche ich einfach einen Topf Suppe, und das muss nicht sonntags sein. Ich nehme dafür meinen größten Topf, sodass es für acht Portionen gutes gesundes Essen reicht.

Dies ist eine schlichte nahrhafte Suppe aus Süßkartoffeln und Kürbis, beides gute Quellen für jene Kohlenhydrate, die unser Körper so liebt, dazu reich an Betacarotin und Vitaminen. Fenchelsamen fördern die Verdauung, und Chili bringt den Stoffwechsel auf Trab bringt und wärmt.

Aus einer einzigen Suppe lassen sich Millionen anderer Dinge machen. Ich esse nicht gern jeden Tag das Gleiche, darum wandle ich die Suppe mit Einlagen, Toppings und Extras ab. Weiter unten finden Sie Anregungen, wie aus einem Topf Suppe eine Vielzahl von Mahlzeiten wird.

Am ersten Tag genieße ich sie cremig püriert mit einem schnellen Kräuteröl und Brot. Am nächsten Tag verpasse ich ihr eine Einlage aus Cannellini-Bohnen und gehacktem Chili. Dann serviere ich sie mit braunem Reis, Joghurt, Koriandergrün und grüner Chili – die Möglichkeiten sind zahllos, und wer trotzdem genug davon hat, kann die Suppe auch portionieren und einfrieren.

....

• Den Wasserkocher füllen und einschalten. Sämtliche Zutaten bereitstellen. Den größten Topf aus dem Schrank hervorholen – oder mit zwei kleineren Töpfen arbeiten.

FÜR 8 PERSONEN

1 Stange Lauch
1 rote Zwiebel
2 Karotten
2 Stangen Sellerie
Olivenöl oder Kokosöl
2 mittelgroße Süßkartoffeln
1 mittelgroßer Butternusskürbis
1 EL Fenchelsamen
1 EL türkische Chiliflocken oder 1 kräftige Prise andere rote Chiliflocken
1 EL gekörnte Gemüsebrühe oder 1 Brühwürfel

250

• Den Lauch waschen, die Zwiebeln schälen und beides mit Karotten und Sellerie in feine Scheiben bzw. Streifen schneiden.

• In dem Topf etwas Olivenöl oder Kokosöl bei mittlerer Temperatur erhitzen und das klein geschnittene Gemüse darin 10 bis 15 Minuten dünsten, bis es weich ist.

• Inzwischen die Süßkartoffeln schälen und grob würfeln. Den Kürbis von Kernen befreien und in etwa der gleichen Größe zuschneiden (ich lasse die Schale dran, wer möchte, entfernt sie).

• Wenn das Gemüse weich ist und appetitlich duftet, die Süßkartoffeln, den Kürbis und die Gewürze zugeben, 2 Liter heißes Wasser aus dem Kocher zugießen und die Brühe einrühren. Zum Kochen bringen und 30 bis 40 Minuten leise köcheln lassen, bis das Gemüse fast zerfällt. Bei Bedarf noch etwas heißes Wasser zugießen, falls die Suppe zu dick wird.

• Ich lasse die Suppe jetzt abkühlen und lagere sie gegebenenfalls im Kühl- oder Gefrierschrank, bis mich der Hunger überkommt. Püriert wird sie erst bei Bedarf, damit man sie auch als eine Art Eintopf servieren kann.

HIER EIN PAAR ANREGUNGEN, WIE SICH DIE SUPPE ABWANDELN UND ERGÄNZEN LÄSST

• Pürieren, bis sie ganz glatt ist, etwas Basilikumöl draufträufeln und mit gutem Brot servieren.

• Als Eintopf mit einer Einlage aus darin erwärmten Cannellini-Bohnen und mit einem knusprig gerösteten Mix aus Bröseln, Thymian und Chili bestreut.

• Zur Hälfte püriert, erhitzt, über braunen Reis geschöpft und mit gehackter Chilischote, Koriandergrün, Limettenschale und einem Klecks Joghurt garniert.

• Im Eintopfstil mit geräuchertem Paprika gewürzt und mit zerbröselten Mais-Tortillas, roten Chilis und ein paar Stücken Avocado garniert.

Gute Gemüsebrühe

Dieses Rezept stammt aus *A Modern Way to Eat*. Bei mir zu Hause ist es ein Dauerbrenner und immer noch mein Königsweg zu einer guten Brühe. In der Not greife ich auch mal zu Instant-Brühe, aber ich bemühe mich, immer einen Vorrat richtiger Brühe im Kühlschrank zu haben, den ich für Suppen und anderes verwenden kann.

Sie benötigen zwei große Einmachgläser von einem Liter Volumen, die Platz im Kühlschrank haben. Nehmen Sie es mit den angegebenen Mengen an Gemüse nicht so genau, das Gute an Brühe ist, dass man alle möglichen Reste aus dem Kühlschrank verwerten kann. Nur sollte das Verhältnis insgesamt – pro Glas die Hälfte Gemüse – stimmen.

FÜR 2 LITER

2 Karotten, grob gewürfelt
1 rote Zwiebel, geschält und in Spalten geschnitten
1 Stange Lauch, in Scheiben geschnitten
2 Stangen Sellerie, grob in Stücke geschnitten
2 Lorbeerblätter, zerdrückt
1 kleines Bund Thymian
1 TL Meersalz
einige schwarze Pfefferkörner

• Den Wasserkocher füllen und einschalten. Das zerkleinerte Gemüse und alle anderen Zutaten gleichmäßig auf die beiden 1-Liter-Gläser verteilen und bis einige Zentimeter unterhalb des Randes mit kochendem Wasser auffüllen – pro Glas sind es etwa 750 ml Wasser. Mit den Deckeln verschließen und abkühlen lassen.

• Für eine milde Brühe diese gleich nach dem Abkühlen durch ein Sieb passieren, für ein kräftigeres Aroma 12 Stunden im Kühlschrank durchziehen lassen und erst dann abseihen.

• Die passierte Brühe wieder in die Gläser abfüllen und im Kühlschrank aufbewahren; sie hält sich bis zu 1 Woche.

Roggen-Honig-Brot

Ohne anständiges Brot im Haus kann ich nicht leben. Viele Menschen, die auf eine gesunde Ernährung achten, meiden Brot und Gluten als ungesund und ergo verboten. Für mich ist gutes, mit Sorgfalt gebackenes Brot eine Freude, die man sich nicht versagen sollte (es sei denn, man leidet unter einer ernsthaften Intoleranz). Die Vorbehalte mögen bei vielen in der schlechten Qualität des gekauften Brotes begründet sein. Gutes Brot erfordert – wie so viele Dinge – gute Zutaten, etwas Zeit und viel Hingabe.

Bei Getreide variiere ich gern, und Vollkornmehle finde ich insgesamt schmack- und nahrhafter. Hier nun mein aktueller Favorit, halb Dinkel-, halb Roggenbrot, etwas Honig, reichlich Körner und ein wenig Kümmel obendrauf, wer sich damit anfreunden kann. Noch warm angeschnittenes selbstgebackenes Brot macht mich in einer Weise satt und zufrieden, wie es Tausende grüner Gemüsesäfte nie könnten.

FÜR 1 BROT

250 g Roggenmehl
250 g Dinkelmehl
1 TL feines Meersalz
3 EL flüssiger Honig
1 Päckchen Trockenhefe (7 g)
50 g Samen (ich nehme Mohnsamen und Sonnenblumenkerne)
1 EL Kümmelsamen (nach Belieben)

• Sämtliche Zutaten bereitlegen. Die Mehle in einer angewärmten großen Schüssel mit dem Salz sorgfältig vermengen.

• Den Honig und die Hefe mit 300 ml handwarmem Wasser verrühren, bis sich die Hefe aufgelöst hat. Einige Minuten stehen lassen, bis sich Bläschen bilden, dann in die Mehlmischung gießen. Zuerst mit der Gabel, dann mit den Händen zu einem klebrigen Teig vermengen und auf eine bemehlte Arbeitsfläche geben. Den Teig zu einem Kloß formen und 4 bis 5 Minuten kräftig durchkneten. Wer eine Küchenmaschine hat, kann das auch darin mit dem Knethaken erledigen.

- Die Schüssel leicht einölen, den Teig hineinlegen, mit einem Küchentuch oder Frischhaltefolie zudecken und an einem warmen Ort etwa 1 Stunde gehen lassen, bis sein Volumen um die Hälfte zugenommen hat (wegen des Roggenmehls geht er nicht so stark auf wie andere Teige).

- Den Teig auf einem leicht bemehlten Brett erneut kurz durchkneten – 1 bis 2 Minuten – und dabei die Samen einarbeiten.

- Den Teig zu einem flachen ovalen Laib formen und auf ein eingeöltes Backblech legen. Mit einem Tuch bedecken und weitere 30 Minuten gehen lassen, bis er erneut um die Hälfte aufgegangen ist. Den Ofen auf 240 °C (220 °C Umluft/Gas Stufe 9) vorheizen.

- Nach Ablauf der 30 Minuten das Brot mit einem scharfen Messer kreuzweise einritzen und mit dem Kümmel, falls verwendet, bestreuen.

- Ein tiefes Blech zur Hälfte mit heißem Wasser füllen und auf den Boden des Ofens stellen. Es erzeugt Dampf im Garraum, der die Krustenbildung fördert.

- Das Brot 30 bis 35 Minuten backen, bis es rundherum goldbraun ist. Beim Öffnen der Ofentür sehr vorsichtig sein, da heißer Dampf austreten kann. Zur Garprobe das Brot anheben und gegen die Unterseite klopfen. Klingt es hohl wie eine Trommel, ist es fertig. Auf einem Kuchengitter abkühlen lassen, damit die Kruste am Boden knusprig bleibt.

Selbstgemachte Tahini

Ich liebe Tahini, und meiner Meinung nach gibt es nur wenige Dinge, denen ein Löffel Tahini nicht bekommt. Bei mir zu Hause wird es fast vergöttert, ich habe immer mehrere Sorten zur Auswahl, die ich für Smoothies, Porridge, Pfannkuchen, Suppen, Dressings und Eintöpfe verwende oder auf Toast streiche und mit Bananen belege. Ich mag das volle süßlich-nussige Aroma und die röstig-erdige Note.

Es gibt eine ganze Reihe verschiedener Tahini-Sorten, von den eher flüssigen, hellen und süßeren Varianten aus geschältem Sesam aus dem Nahen Osten bis zu den dunkelbraunen gröberen Produkten aus ungeschältem Sesam, die man im Bio-Laden findet.

Mein Tahini-Favorit wird aus ungeschält geröstetem Sesam hergestellt. Das Rösten macht den Sesam bekömmlicher, verbessert den Geschmack und sorgt für eine Spur Süße.

Bei ungeschältem Sesam ist die äußere Samenhülle wie bei Vollkornweizen noch intakt. Sie enthält eine Reihe wertvoller Nährstoffe, es lohnt also danach zu suchen. Bleibt die Suche vergeblich, kann auch der hellere geschälte Sesam einspringen. Auch schwarzer Sesam ist eine Option, er liefert ein wunderbar dunkles, vollwürziges Tahini.

Ein Wort zum Sterilisieren der Gläser. Statt sie in Wasser auszukochen, kann man sie auch ganz nebenbei im Ofen erhitzen. Den Ofen auf 140 °C (120 °C Umluft/Gas Stufe 1) vorheizen und die Gläser mindestens 10 Minuten oder länger hineinstellen. So vermeiden Sie das lästige Auskochen und Abwaschen. Im heißesten Waschgang sterilisiert auch der Geschirrspüler Ihre Gläser, allerdings sollte man sie füllen, solange sie noch heiß sind.

Das Rezept ergibt 1 Glas von 220 bis 250 g.

- Wenn Sie geröstete Sesamsamen bevorzugen (gewöhnlich sind sie es in Tahini), 200 g Sesamsamen in einer Pfanne bei mittlerer Temperatur rösten, bis sie goldgelb (nicht zu dunkel) sind und appetitlich duften – etwa 5 Minuten. Dabei ständig rühren, damit sie nicht verbrennen. Den gerösteten Sesam auf einem Teller vollständig abkühlen lassen.

- Den abgekühlten Sesam im Mixer 2 bis 3 Minuten zu einer krümeligen Paste zermahlen. Dann 2 Esslöffel mildes Olivenöl (oder ein anderes nicht zu intensives Öl wie Traubenkern- oder ungeröstetes Sesamöl) hinzugeben und einige weitere Minuten mixen, bis eine dicke und relativ glatte Paste entstanden ist. Falls nötig, zwischendurch ab und zu den Becherrand säubern. Für ein cremigeres Tahini noch mehr Öl einarbeiten, 1 bis 2 Esslöffel auf ein Mal, und weiter mixen, bis die Konsistenz wie gewünscht ist. Kräftig mit Meersalz würzen und noch ein letztes Mal mixen.

- Das Tahini in ein sterilisiertes Glas oder einen luftdicht schließenden Behälter abfüllen und im Kühlschrank lagern. Es hält sich 1 Monat und länger. Setzt sich das Öl ab, einfach kurz durchrühren.

Drei farbenfrohe Dips

Hier drei einfache Dips, die ich abwechselnd im Kühlschrank habe. Ideal als würziger Beistand einer schnellen Mahlzeit oder als Brotaufstrich. Doch mehr als alles andere ist es meine Art zu snacken. Einfach einen Cracker (siehe Seite 260) oder eine Karotte in den Dip tunken und schon ist der nachmittägliche Überfall auf die Keksdose hinfällig.

2 Knoblauchzehen
200 g rote Linsen, abgespült
Saft von ½ Zitrone
2 EL Tahini
1 kräftige Prise getrocknete Chiliflocken
1 EL Olivenöl

ZUM SERVIEREN
2 EL geröstete Sesamsamen
gehackte Kräuter oder Kresse (ich verwende jungen Amaranth)

ROTER LINSEN-HUMMUS MIT ZITRONE

Den Knoblauch zerdrücken und mit den abgespülten Linsen in einen kleinen Topf geben. Mit kaltem Wasser bedecken und garen, bis die Linsen weich und pürierfähig sind. Abtropfen, die Knoblauchschalen entfernen und alles im Mixer pürieren, bis die Masse glatt ist. Die restlichen Zutaten zugeben und erneut mixen. Vor dem Servieren mit dem gerösteten Sesam und den Kräutern bestreuen.

250 g gegarte Rote Bete aus dem Vakuumpack
4 Datteln, entsteint
2 EL Joghurt oder Kokosjoghurt
1 kleines Bund Dill
1 unbehandelte Zitrone
1 EL Olivenöl
Meersalz und frisch gemahlener schwarzer Pfeffer
1 Handvoll geröstete Walnusskerne

ROTE-BETE-DIP MIT WALNÜSSEN UND DATTELN

Rote Bete, Datteln, Joghurt und die Hälfte des Dills mit der abgeriebenen Schale und dem Saft der Zitrone sowie dem Öl im Mixer pürieren und großzügig mit Salz und Pfeffer würzen. Die gerösteten Walnüsse zugeben und erneut mixen, bis die Nüsse mehr oder weniger fein zermahlen sind..

200 g Erbsen (TK)
1 kleines Bund Koriandergrün
1 kleines Bund Minze
1 bis 2 grüne Chilischoten
2 unbehandelte Limetten
Salz und frisch gemahlener schwarzer Pfeffer
20 g Kokoscreme

INDISCHER ERBSENDIP

Den Wasserkocher füllen und einschalten, sämtliche Zutaten bereitlegen. Die Erbsen mit kochendem Wasser bedecken und einige Minuten beiseitestellen. Koriandergrün und Minze fein hacken und in eine Schüssel geben. Die Chilis fein hacken, die Schale der Limetten abreiben, den Saft einer Frucht auspressen und alles zu den Kräutern in die Schüssel geben. Kräftig salzen und pfeffern. Die Erbsen abtropfen, zerstampfen und untermischen. Die Kokoscreme sorgfältig unterrühren.

Knusprige Cracker

Diese einfachen Cracker haben den perfekten Crunch und strotzen vor Körnern und Samen. Sie kommen ohne Weizen aus und bei Verwendung glutenfreier Haferflocken auch ohne Gluten. Ich habe immer eine Dose als Vorrat zum Knabbern und Dippen. Sie halten ewig und sind auch für Kinder geeignet, wenn man Salz und Chili weglässt.

Meist würze ich die Cracker einfach mit Meersalz, hier habe ich noch eine extrawürzige und eine süße Variante hinzugefügt. Fast jedes trockene Gewürz kommt in Frage, wenn experimentieren Sie ruhig.

....

- Den Ofen auf 190 °C (175 °C Umluft/Gas Stufe 5) vorheizen. Sämtliche Zutaten bereitlegen und zwei Backbleche mit Backpapier auslegen.

- Alle trockenen Zutaten, einschließlich der gewählten Würzzugabe, falls verwendet, gründlich miteinander vermengen. In einem Messbecher den Ahornsirup, das Kokosöl und das Wasser verrühren, zu den trockenen Zutaten gießen und gleichmäßig verrühren, bis alles vollständig durchtränkt und die Masse relativ dick ist.

- Die Masse auf beide Bleche verteilen und etwas glatt streichen. Jeweils einen zweiten Bogen Backpapier auflegen und die Masse mit einem Nudelholz etwa ½ cm dünn ausrollen. Das obere Papier abziehen und mit der Spitze eines scharfen Messers rechteckige Cracker auf der Oberfläche vorzeichnen.

- Die Cracker im Ofen 20 Minuten backen, herausnehmen und mithilfe des Papiers wenden. Das Papier abziehen, sodass nun die untere Seite oben liegt, und weitere 20 Minuten backen. Wenn die Cracker am Rand fest und goldbraun sind, sind sie fertig.

- Die Cracker abkühlen lassen und entlang der vorgezeichneten Linien in Stücke brechen.

FÜR 1 WOCHE KNABBERVORRAT

100 g Sonnenblumenkerne
100 g Kürbiskerne
100 g Sesamsamen
50 g Mohnsamen
50 g Chiasamen
200 g kernige Haferflocken
1 TL Meersalz
1 TL Ahornsirup
3 EL zerlassenes Kokosöl
350 ml Wasser

OPTIONALE WÜRZZUGABEN

1 gehäufter TL Fenchelsamen und 1 Prise Chilipulver
oder
1 EL Rosinen, grob gehackt
1 Prise Zimt

Kokosjoghurt

Dieser Joghurt erfordert ein wenig Geduld, ist aber weit weniger kostspielig als der im Handel angebotene superteure Joghurt aus Kokosmilch. Verwenden Sie die beste und reinste Kokoscreme, die Sie bekommen, am besten ein Bio-Produkt.

Probiotika sind gut für den Darm. Sie können auch zu gewöhnlichem Joghurt greifen, wenn Sie keine Probleme mit Kuhmilch haben.

FÜR 2 GROSSE GLÄSER

200 g Kokoscreme (Vollfettstufe)
2 probiotische Kapseln

• Zuerst die Gläser sterilisieren. Ich erledige das im Geschirrspüler im heißesten Waschgang oder stelle sie für 20 Minuten in den 170 °C heißen Ofen (150 °C Umluft/Gas Stufe 3).

• Die Kokoscreme in der Plastikhülle 10 bis 15 Minuten in eine Schüssel mit heißem Wasser legen, damit sie weich wird. Anschließend mit den Händen sanft kneten, um etwaige Klümpchen aufzulösen, dann aus der Packung in eine Schüssel drücken. Nun 350 ml kochendes Wasser unterrühren; darauf achten, dass keine Klümpchen verbleiben. Sobald die Mischung nur noch handwarm ist, das Pulver aus den probiotischen Kapseln unterrühren und in die Gläser füllen.

• Bei warmer Witterung den Joghurt an einem warmen Ort im Haus 12 bis 24 Stunden stehen lassen. Alternativ kann man ihn auch im Ofen auf niedrigster Stufe 8 bis 10 Stunden reifen lassen.

• Den Joghurt mindestens 1 Stunde kalt stellen, bis er durchgekühlt ist und allmählich anzieht. Er wird im Kühlschrank mit der Zeit noch dicker und hält sich gekühlt etwa 10 Tage.

Milch aus Nüssen, Haferflocken und Samen

Ich habe bis zu vier verschiedene Sorten Milch im Kühlschrank, darunter eine kleine Packung Bio-Milch, dazu Mandelmilch, Hafermilch und oft auch Kokostrinkmilch. Ich variiere die Sorten gern, um mich möglichst abwechslungsreich zu ernähren und sie je nach ihren geschmacklichen Stärken optimal zu nutzen: Mandelmilch zum Kaffee und zum Backen, Hafermilch für heiße Schokolade, Kokosmilch für Müsli und ein Schuss Bio-Kuhmilch in den Tee.

Rein pflanzliche »Milch« selbst herzustellen geht ganz einfach, ist nahrhafter und viel billiger. Alles, was man dazu benötigt, ist ein anständiger Mixer und ein Nussmilchbeutel (ein beutelförmiges Passiertuch zum Durchseihen der Nussmilch), ersatzweise ein Stück Mulltuch oder ein dünnes, feines Küchentuch.

Milch lässt sich aus den meisten Nüssen, Samen und auch manchem Getreide herstellen. Zu meinen Favoriten zählen Mandeln, Pistazien, Walnüsse, Haselnüsse, Macadamianüsse, Cashewkerne, Sonnenblumenkerne, Kürbiskerne, Sesamsamen, Hanfsamen und Haferflocken. Dieses Rezept ist universell für alle erwähnten Zutaten geeignet. Es geht nicht nach Gewicht, sondern nach Mischungsverhältnis, darum verwende ich ein klassisches US-Cup-Maß. Wer keines hat, keine Panik, man kann sich mit einer gehäuften Tee- oder Kaffeetasse behelfen.

Ich habe auch ein paar meiner liebsten aromatisierten Milchmischungen hinzugefügt, mit denen ich von Zeit zu Zeit für noch mehr Abwechslung sorge.

EINFACHE SELBSTGEMACHTE MILCH

Eine Tasse der gewählten Nüsse oder Samen in eine Schüssel geben. Mit 1 Tasse kaltem Wasser (am besten gefiltert) übergießen und 8 Stunden einweichen. Dabei lösen sich all die enthaltenen Nährstoffe und steigern den Nährwert der Milch.

Nach Ablauf der Zeit die Nüsse abtropfen, das Einweichwasser weggießen. In den Mixer geben, 4 Tassen kaltes Wasser zugießen (am besten gefiltert) und alles mixen, bis eine wässrige, glatte, trübe Mischung entstanden ist.

Einen Nussmilchbeutel oder ein geeignetes Passiertuch in einen Krug einhängen, die Nussmilch hineingießen und 5 bis 10 Minuten abtropfen lassen. Anschließend aus der Nusspulpe mit den Händen so viel Flüssigkeit wie möglich herauspressen.

Die Nussmilch in eine saubere Flasche abfüllen; sie hält sich im Kühlschrank 3 bis 4 Tage. Die Nussreste lassen sich für Hummus verwerten oder anstelle gemahlener Mandeln zum Backen verwenden.

MANDELN, KURKUMA UND HONIG

Mit Mandeln nach dem nebenstehenden Rezept vorgehen und vor dem Mixen je eine Prise gemahlene Kurkuma und Kardamom sowie 1 Esslöffel Honig zugeben – eine herrlich gelbe Milch.

SESAM, DATTELN UND ZIMT

Als Basis für die Milch Sesamsamen verwenden und vor dem Mixen 4 entsteinte Medjool-Datteln und eine Prise Zimt hinzufügen.

HAFERFLOCKEN UND AHORNSIRUP

Die Milch aus ½ Tasse Haferflocken und ½ Tasse Pecannüssen bereiten und vor dem Mixen 1 bis 2 Esslöffel Ahornsirup dazugeben.

ZITRONENSCHALE UND VANILLE

Als Basis für die Milch Pistazien verwenden und vor dem Mixen die abgeriebene Schale von ½ Zitrone und 1 Tropfen Vanilleextrakt zugeben.

Regenbogen-Paletas – Eis mit Stil

Überall in Mexiko stößt man auf Eisläden, die die typisch mexikanischen *paletas* – Eis am Stiel – anbieten. In den Läden stehen ein paar Tiefkühltruhen mit Glasdeckeln, unter denen sich eine kunterbunte Auswahl an *paletas* tummelt.

Es gibt sie in jeder nur erdenklichen Geschmacksrichtung: Erdbeere, Mango, Guave, Avocado, Ananas, Wassermelone und Horchata waren meine Lieblinge, alle quietschbunt. Die Mexikaner machen sie aus nur leicht zerdrückten Früchten und reichlich Zucker.

Hier ist meine Version: nur gute Zutaten und eine Spur natürlicher Süße, als Eis am Stiel, damit die kleine Leckerei immer griffbereit ist.

Bevor es ans Einfrieren geht, sollten Sie die Eismischung sorgfältig abschmecken, damit die Balance zwischen süß und sauer stimmt. Berücksichtigen Sie, dass sie im gefrorenen Zustand insgesamt milder und weniger süß schmeckt.

---

2 reife Avocados
300 ml Kokoswasser
Saft von 1 Zitrone
Mark von 1 Vanilleschote oder 1 TL Vanillepaste
1 TL flüssiger Honig

AVOCADO, HONIG, VANILLE

Die Avocados entsteinen und das Fruchtfleisch in den Mixer geben. Alle anderen Zutaten zugeben und mixen, bis die Mischung glatt ist. Abschmecken und eventuell mit etwas Honig nachsüßen. In Eisformen füllen und mindestens 4 Stunden einfrieren.

---

300 g Salatgurke
1 Bund Minze
100 ml Holunderblütensirup
abgeriebene Schale und Saft von 2 unbehandelten Limetten
1 guter Schuss Gin (nach Belieben)

HOLUNDERBLÜTEN, GURKE, LIMETTE

Die Gurke schälen, grob in Stücke schneiden und mit den abgezupften Minzeblättern im Mixer einige Sekunden pürieren, sodass die Masse noch etwas stückig ist. In eine Schüssel umfüllen, den Holunderblütensirup sowie Limettenschale und -saft und einen Schuss Gin, wer mag, untermengen. Abschmecken, eventuell noch etwas Limettensaft zugeben oder nachsüßen, in die Formen füllen und mindestens 4 Stunden einfrieren.

350 ml ungesüßte Mandelmilch
6 Datteln, entsteint
Mark von 1 Vanilleschote oder 1 TL Vanillepaste
2 EL Ahornsirup

200 g Erdbeeren
50 ml Agavensirup
100 ml Kokoswasser
abgeriebene Schale und Saft von 1 unbehandelten Zitrone
½ TL zerstoßene Fenchelsamen

DATTELN, MANDELMILCH, AHORNSIRUP

Sämtliche Zutaten im Mixer pürieren, bis die Masse glatt ist. In die Formen füllen und mindestens 4 Stunden einfrieren.

ERDBEERE, ZITRONE UND FENCHELSAMEN

Die Erdbeeren vom Grün befreien und im Mixer grob pürieren. In eine Schüssel umfüllen, den Agavensirup, das Kokoswasser, Zitronenschale und -saft sowie die Fenchelsamen unterrühren, in die Formen füllen und mindestens 4 Stunden einfrieren.

Karottenkuchen vom Blech

Schwer zu sagen, was mein Lieblingskuchen ist. Ich schwanke zwischen Zitronen-, Karotten- und meinem Apfel-Ingwer-Kuchen, aber Karottenkuchen ist auf alle Fälle unter den Top drei. Hier bringe ich ihn mit einem anderen beliebten Backwerk zusammen, Flapjacks – Riegel aus Haferflocken. Als ich sie zum ersten Mal machte, staunte ich nicht schlecht, wie viel Butter und Zucker sie vertilgen. Viele Freunde essen sie noch immer in dem Glauben, sie seien gesund – wie Haferflocken täuschen können! Dieser Blechkuchen wird mit Trockenfrüchten und Ahornsirup gesüßt und ist für eine Nascherei sehr sittsam. Manchmal variiere ich die Gewürze und tausche den Zimt gegen ein wenig Kardamom.

FÜR 16 STÜCKE

4 EL Chiasamen

50 g Kokosöl

200 g kernige Haferflocken

150 g Trockenfrüchte (ich nehme eine Mischung aus getrockneten Aprikosen und Rosinen)

1 mittelgroße Karotte

1 Apfel

100 g Kokosraspel

100 g Kürbiskerne

4 EL Ahornsirup

1 EL Vanilleextrakt oder Mark von 1 Vanilleschote

½ TL Zimt

1 Prise gemahlener Ingwer

- Den Ofen auf 200 °C (180 °C Umluft/Gas Stufe 6) vorheizen. Sämtliche Zutaten bereitlegen. Die Chiasamen in einer Schüssel in 4 Esslöffel Wasser einweichen. Das Kokosöl zerlassen.

- Ein 20 x 30 cm großes Backblech mit Backpapier auslegen. Die Haferflocken im Mixer zu grobem Mehl zermahlen und in eine große Schüssel umfüllen.

- Die Hälfte der Trockenfrüchte im Mixer zu einer stückigen und leicht breiigen Masse zerhacken. Zu den Haferflocken in die Schüssel geben.

- Die geschälte Karotte und den Apfel (Schälen ist nicht nötig) in die Schüssel raspeln. Kokosraspel, eingeweichte Chiasamen, Kürbiskerne, Ahornsirup, Vanille, die Gewürze und das zerlassene Kokosöl zugeben und alles gründlich vermengen.

- Den Teig auf das vorbereitete Blech geben, mit einem Löffelrücken glatt streichen und 40 bis 45 Minuten goldbraun backen. Auf dem Blech leicht abkühlen lassen, zum vollständigen Erkalten auf ein Kuchengitter setzen. Ausgekühlt in 16 Stücke schneiden.

Knusprige Erdbeer-Rhabarber-Schnitten

FÜR 20 SCHNITTEN

150 g Kokosöl oder Butter plus extra zum Einfetten

150 g kernige Haferflocken

150 g Dinkelmehl

150 g Kokosblütenzucker oder hellbrauner Rohrohrzucker plus 1 EL extra

Meersalz

250 g Rhabarber (etwa 2 mittelgroße Stangen)

300 g Erdbeeren, Grün entfernt

Saft von 1 Zitrone

Leuchtend rosarote säuerliche Sommerfrüchte mit genau dem richtigen Maß an Süße auf einem Boden, halb Teig, halb Haferflocken, und das Ganze bedeckt mit knusprigen Streuseln. Dieser Blechkuchen enthält weder Eier, Milchprodukte noch Zucker, und – mit glutenfreiem Mehl gebacken – auch kein Klebereiweiß.

Falls Ihnen Kokosblütenzucker und Kokosöl ein bisschen zu extrem sind, kann man sie durch die gleiche Menge Butter und braunen Zucker ersetzen. Auch die Früchte lassen sich je nach Jahreszeit variieren, Äpfel und Brombeeren sind eine gute Wahl, ebenso wie Pflaumen und Birnen. Im Sommer bieten sich Aprikosen und Himbeeren an.

. . . .

• Den Ofen auf 210 °C (190 °C Umluft/Gas Stufe 7) vorheizen. Sämtliche Zutaten und Utensilien bereitlegen. Ein etwa 30 x 20 cm großes Backblech mit Backpapier auslegen und mit etwas Kokosöl einfetten.

• Das Kokosöl oder die Butter in einem großen Topf bei mittlerer Temperatur zerlassen und vom Herd nehmen. Haferflocken, Mehl, 150 g Zucker und eine Prise Salz hineingeben und alles gut verrühren. Von der Masse 6 Esslöffel abnehmen und für die Streusel zur Seite legen. Den Rest gleichmäßig auf dem Blech verteilen und mit einem Löffelrücken fest andrücken.

• Den Rhabarber und die Erdbeeren in kleine Stücke schneiden und in einer Schüssel mit dem Zitronensaft und 1 Esslöffel Zucker vermengen. Gleichmäßig auf dem Teigboden verteilen und mit dem restlichen Teig bestreuen. 40 Minuten backen, bis die Früchte weich und die Streusel goldbraun sind.

• Den Kuchen auf dem Blech abkühlen lassen und in etwa 20 Stücke schneiden. Zugedeckt im Kühlschrank halten die Schnitten sich 4 bis 5 Tage.

Traumhafter Zitronen-Bohnen-Kuchen

Ein Kuchen aus Bohnen? Klang auch in meinen Ohren nach purem Unsinn. Aber man kann's ja mal probieren, dachte ich, und als 30 Minuten später ein luftig-leichter wohlgeformter Biskuit aus dem Ofen kam, war ich bekehrt.

Dieser Kuchen ist eine Wucht. Völlig frei von Getreide, Gluten, Zucker und Milchprodukten und dennoch so unglaublich lecker, wie es sich für einen guten Kuchen gehört.

Ich habe ihm ein Topping aus kandierten Zitronen verpasst. Das geht ganz einfach, doch wer weder Zeit noch Lust hat, kann ihn einfach großzügig mit geriebener Zitronenschale bestreuen. Zum Kandieren der Zitronenschale schneidet man die Schale einer Zitrone dünn in schmalen Streifen ab und gibt sie für ein paar Minuten in kochendes Wasser. Anschließend in einem Topf mit einigen Esslöffeln Ahornsirup verrühren und kräftig erhitzen, bis die Schale glasig wird. Auf einen mit Backpapier ausgelegten Teller geben und nicht anfassen, bis sie abgekühlt ist.

FÜR 8 BIS 10 PERSONEN

FÜR DEN KUCHEN

2 Dosen Cannellini-Bohnen (à 400 g)
150 g fester Honig
Mark von 1 Vanilleschote
4 Freiland- oder Bio-Eier
100 g gemahlene Mandeln
2 TL glutenfreies Backpulver
100 g zerlassenes Kokosöl
1 kräftige Prise Meersalz

FÜR DEN ZITRONENGUSS

200 g Seidentofu
2 EL zerlassenes Kokosöl
Saft und abgeriebene Schale von 1 unbehandelten Zitrone
2 EL fester Honig
1 TL Orangenblütenwasser

• Den Ofen auf 190 °C (170 °C Umluft/Gas Stufe 5) vorheizen. Sämtliche Zutaten bereitlegen, eine Springform von 20 cm Durchmesser einfetten und mit Backpapier auskleiden. Die Bohnen abtropfen lassen.

• In der Küchenmaschine die abgetropften Bohnen, den Honig und das Vanillemark pürieren, bis die Masse glatt ist, anschließend mit der Impulstaste einzeln nacheinander die Eier einarbeiten. Das Ganze in eine Schüssel umfüllen und vorsichtig die gemahlenen Mandeln, das Backpulver, das zerlassene Kokosöl und 1 Prise Salz unterziehen. Die Mischung mag etwas dünn erscheinen für einen Kuchenteig, aber keine Sorge.

• Den Teig in die vorbereitete Form füllen und 30 bis 40 Minuten backen, bis er goldbraun ist und sich fest anfühlt. Zur Garprobe mit einem Spieß einstechen, er sollte ohne Teigrückstände wieder herauskommen.

• Sämtliche Zutaten für den Guss im Mixer pürieren, bis die Mischung ganz glatt und glänzend ist, ab und zu den Becherrand säubern, wenn nötig. Das dauert etwa 3 bis 4 Minuten. In eine Schüssel umfüllen und bis zur Verwendung in den Kühlschrank stellen.

• Den Kuchen, sobald er fertig ist, aus dem Ofen nehmen und 5 Minuten in der Form abkühlen lassen. Anschließend herauslösen und auf einem Kuchengitter vollständig erkalten lassen.

• Den Zitronenguss auf den abgekühlten Kuchen auftragen und mit geriebener Zitronenschale bestreuen oder mit kandierten Zitronenschalen garnieren.

Süßkartoffel-Schokoladenkuchen

Jeder gute Koch – und jede gute Köchin – sollte einen anständigen Schokoladenkuchen im Repertoire haben. Ich habe jahrelang meinem Traum von Schokokuchen nachgejagt, hier ist das Ergebnis, fürs Erste jedenfalls. Ein mehrstöckiger federleichter Schokobiskuit, gefüllt mit einer narrensicheren Creme.

Ich greife hier zu Süßkartoffeln, ihrer natürlichen Süßkraft wegen und weil sie für eine saftige, wunderbar luftige und federnde Krume sorgen. Süßkartoffeln bedeuten weniger Zucker und weniger Butter, ohne dass man Zugeständnisse beim Geschmack machen müsste.

Die Creme basiert auf dem berühmten *Brooklyn Blackout Cake*, einer mehrstufigen Schokoladentorte, wenngleich meine etwas weniger schwergewichtig daherkommt. Sie wird ähnlich zubereitet wie Konditorcreme, darum lässt sie sich abgekühlt mühelos verarbeiten, wie Ganache, nur ohne die viele Sahne.

FÜR 10 BIS 12 STÜCKE

200 g Süßkartoffeln
275 g Dinkelmehl
½ TL Zimt
4 EL gutes Kakaopulver
2 TL Backpulver
1 Prise feines Meersalz
100 g guter griechischer Joghurt
150 g Butter oder Kokosöl, zimmerwarm
150 g hellbrauner Rohrohrzucker oder Kokosblütenzucker
1 TL Vanilleextrakt
3 große Freiland- oder Bio-Eier

FÜR DIE SCHOKOLADENCREME

75 g Maisstärke
600 ml ungesüßte Mandelmilch
300 g hellbrauner Rohrohrzucker oder Kokosblütenzucker
2 EL Gerstenmalzextrakt
100 g gutes Kakaopulver, gesiebt
1 TL Vanilleextrakt

• Den Ofen auf 200 °C (180 °C Umluft/Gas Stufe 6) vorheizen und sämtliche Zutaten bereitlegen. Zwei Springformen von 20 cm Durchmesser einfetten und mit Backpapier auskleiden.

• Zuerst ein Süßkartoffelpüree zubereiten. Die Süßkartoffeln schälen, grob würfeln und gar kochen oder dämpfen. Abtropfen (das Kochwasser nicht weggießen) und durch eine Kartoffelpresse drücken oder sorgfältig zerstampfen, bis die Masse ganz glatt ist; dabei etwa 4 Esslöffel Kochwasser unterrühren, damit sie geschmeidig wird.

• Mehl, Zimt, Kakao, Backpulver und das Salz in eine Schüssel sieben. In einer weiteren Schüssel das Süßkartoffelpüree mit dem Joghurt verrühren.

• In der Küchenmaschine oder in einer Schüssel mit dem Handrührgerät, oder auch von Hand mit etwas Ellbogenschmalz, die Butter und den Zucker hellgelb und schaumig schlagen. Gelegentlich mit einem Spatel den Schüsselrand säubern. Die Vanille zugeben und dann die Eier einzeln einarbeiten. Die trockenen Zutaten hinzufügen und behutsam nur eben untermengen – den Teig nicht zu intensiv bearbeiten. Die Kartoffel-Joghurt-Masse unterziehen, den Teig auf die vorbereiteten Formen verteilen und etwa 35 Minuten backen – zur Garprobe mit einem Spieß einstechen, er sollte ohne Teigrückstände wieder herauskommen. Die Biskuits 5 Minuten in der Form abkühlen lassen, herauslösen und zum vollständigen Erkalten auf ein Gitter setzen.

• Inzwischen für die Schokoladencreme die Maisstärke in etwa einem Drittel der Mandelmilch auflösen. Die restliche Mandelmilch in einem kleinen beschichteten Topf mit dem Zucker, dem Malzextrakt und dem Kakao zum Kochen bringen und glatt schlagen. Die aufgelöste Maisstärke zugießen und unter ständigem Rühren aufkochen, bis eine dicke Creme entstanden ist. Vom Herd nehmen und den Vanilleextrakt unterrühren. Die Creme sollte jetzt seidig und glatt sein, ist sie es nicht, kann man sie im Mixer kurz aufmixen. In eine große Schüssel umfüllen, direkt auf der Oberfläche mit Frischhaltefolie zudecken und im Kühlschrank vollständig abkühlen lassen.

• Zum Fertigstellen die beiden Biskuits waagerecht in je zwei Böden schneiden und die Schokocreme noch einmal durchrühren. Den ersten Boden bis fast zum Rand mit der Creme bestreichen und einen weiteren Boden auflegen. In dieser Weise alle vier Böden übereinanderschichten, den schönsten Boden zuoberst. Den Rest der Creme auf dem obersten Boden auftragen und an den Seiten herunterlaufen lassen.

Fix
gefrühstückt

Frühstück ist meine Lieblingsmahlzeit, bei einem guten Frühstück stecke ich die Ziele für den Tag ab. Wie die meisten habe ich morgens nicht viel Zeit, doch diese Frühstücksgerichte sind schnell auf den Tisch gebracht; ein bisschen was Aufwendigeres für das Wochenende ist auch dabei. Acai-Müsli, gespickt mit allem, was gesund ist, fluffige Arme Ritter mit Mandelmilch, kinderleichte Smoothies, Zehn-Minuten-Pfannkuchen, Avocadobratlinge und ein leckerer Turbo-Porridge.

Acai-Bowls

10 MINUTEN

Ich aß diese Bowls einen Sommer lang in Brasilien, als gäbe es kein Morgen mehr, und noch immer gehören sie für mich zu den schönsten Dingen, mit denen man den Tag beginnen kann. In der Welt des gesunden Essens sind Smoothie-Bowls voll im Trend, aber dies ist das Original. Es wird kalt gegessen, was mir sowohl im Sommer als auch im Winter recht ist.

Acai-Beeren sind die Früchte einer südamerikanischen Palme und gelten wegen ihres Reichtums an Nährstoffen als Superfood. Sie sind gespickt mit Antioxidantien, Aminosäuren und Omega-Fettsäuren, allerdings bei uns schon tiefgefroren kaum zu finden, geschweige denn frisch, darum habe ich hier zu Acai-Pulver gegriffen. Es ist nicht ganz billig, doch gemessen an den wertvollen Nährstoffen, die es unserem Körper zuführt, sicher eine gute Investition. Ansonsten lassen sich diese Bowls auch ohne Acai-Pulver zubereiten.

Bei diesem Rezept kommen tiefgefrorene Bananen zum Einsatz. Bananen einzufrieren ist eine gute Verwendung für in der Obstschale verschmähte Früchte. Einfach schälen, in 2 cm dicke Stücke schneiden und in Tiefkühlbeutel packen. Diese fest verschließen und dann flach ausgebreitet einfrieren, damit die Stücke nicht aneinanderkleben.

FÜR 2 BOWLS

1 große Banane (wenn möglich, tiefgefroren; siehe Text oben)
200 g gemischte Beeren (frisch oder TK)
3 EL Acai-Pulver
1 TL flüssiger Honig
100 ml Milch nach Wahl (ich nehme ungesüßte Mandelmilch)

MÖGLICHE TOPPINGS

Müsli
Samen und Körner (ich nehme Hanfsamen und Kürbiskerne)
Bienenbrot
Goji-Beeren
gehackte Mandeln
Kokosraspel
Honig
Nussbutter

• Sämtliche Zutaten bereitlegen.

• Die Banane, die Beeren, das Acai-Pulver, den Honig und den Großteil der Milch im Mixer pürieren, bis die Mischung glatt und cremig ist. Bei Bedarf mit weiterer Milch ein wenig verdünnen. Die Mischung sollte jedoch von recht dicker, fast eiscremeähnlicher Konsistenz sein. Wer keinen Standmixer hat, kann die Zutaten auch mit etwas mehr Ausdauer in einem hohen Gefäß mit dem Stabmixer pürieren.

• Die Acai-Milch auf zwei Bowls verteilen, nach Belieben eines der Toppings dazugeben und ganz fest an den Strand von Ipanema denken.

Arme Ritter mit Ricotta, Mandelmilch und Zitrone

Das schnellste Verwöhnfrühstück, das ich kenne. Es ist gewöhnlich den Wochenenden vorbehalten, da es etwas gehaltvoller ist als mein Wochentagsfrühstück; was die kurze Zubereitungszeit betrifft, ist es aber auch alltagstauglich.

Ich liebe die klaren Aromen hier: Vanille, Zitrone und cremiger Ricotta. Ich nehme Ricotta aus Schafsmilch, wenn ich ihn bekomme. Der Rest aus dem Becher lässt sich unter Pasta rühren oder auf Toast streichen und mit ein paar Beeren belegen.

Ein anständiges glutenfreies Brot ist hier bestens geeignet, die Mandelmilch sorgt dafür, dass das Ganze nicht zu trocken wird. Veganer können für ihre Armen Ritter die Eier weglassen und stattdessen mehr Mandelmilch nehmen und den Ricotta durch Kokosjoghurt ersetzen.

FÜR 2 PERSONEN

2 Freiland- oder Bio-Eier

125 ml ungesüßte Mandelmilch

Mark von 1 Vanilleschote oder 1 TL Vanillepaste

4 dicke Scheiben gutes Brot oder Brioche

etwas Kokosöl oder Butter

2 EL guter Ricotta

abgeriebene Schale von 1 unbehandelten Zitrone

flüssiger Honig zum Servieren (nach Belieben)

- Sämtliche Zutaten und Arbeitsutensilien bereitlegen.

- Die Eier in einer Schüssel mit der Mandelmilch und der Vanille verschlagen. Die Mischung in ein tiefes Backblech gießen, die Brotscheiben hineinlegen und 2 Minuten einweichen.

- In einer Pfanne Kokosöl oder Butter bei mittlerer Temperatur zerlassen. Das Brot wenden und 1 weitere Minute einweichen lassen; dann vorsichtig in die Pfanne legen und von jeder Seite 2 bis 3 Minuten braten, bis es goldbraun und knusprig ist. Beim Wenden etwas Vorsicht walten lassen, da es leicht zerfällt.

- Auf jedem Teller 2 Arme Ritter anrichten, 1 Klecks Ricotta daraufgeben und mit der Zitronenschale bestreuen. Wer es gern süß mag, kann noch etwas Honig darüberträufeln.

Erdbeer-Kokos-Smoothie mit Kardamom

5
MINUTEN

Dieser Smoothie ist die reine Glückseligkeit – wohltuend, erfrischend und gesund zugleich. Mir sind grüne Smoothies oder Gemüsesäfte morgens oft eine Nummer zu »gesund«, mich gelüstet es eher nach etwas Milchigem. Diesen Smoothie habe ich zum ersten Mal eines Sommertages in Kalifornien zubereitet – ich glaube, die folgenden zwei Wochen fehlte er bei keinem Frühstück. Das Kokosmark und die Mandeln versorgen ihn mit reichlich Proteinen und gesunden Fetten.

Ich mag den würzigen Akzent, den der Kardamom setzt, wer kein Kardamomfan ist, kann ihn durch Zimt ersetzen.

Wichtig ist noch der Hinweis, dass ich für diesen Smoothie Kokostrinkmilch nehme, wie man sie auch über Cornflakes und ins Müsli gießt, nicht das dickere und gehaltvolle Produkt aus der Dose. Kokoswasser ist auch eine Option.

FÜR 1 GROSSES GLAS ODER 2 KLEINE GLÄSER ZUM FRÜHSTÜCK

4 EL Kokosraspel
1 Handvoll Erdbeeren (frisch oder TK) oder andere Beeren
200 ml Kokostrinkmilch oder Mandelmilch
1 Handvoll Mandelkerne
Samen von 1 Kardamomkapsel
1 TL heller Agavensirup oder flüssiger Honig

• Sämtliche Zutaten in Mixer pürieren, bis die Mischung glatt und schaumig ist. Sie benötigen einen leistungsstarken Mixer, um Kokos und Mandeln vollständig klein zu kriegen, ansonsten lassen Sie das Gerät einfach ein wenig länger laufen, bis die Mischung homogen ist. Ist der Smoothie etwas dick, nach und nach ein wenig eiskaltes Wasser untermixen, bis er die gewünschte Konsistenz hat.

• In ein großes Glas (oder zwei kleinere Gläser) füllen und sich vorstellen, am Strand zu sein.

Morgen-Smoothies

Smoothies sind meine erste Wahl, wenn ich meinem Körper etwas Gesundes gönnen möchte und die Zeit knapp ist. Wer wie ich morgens nicht zu Höchstleistungen neigt, kann den Smoothie bequem am Vorabend zubereiten und zugedeckt über Nacht in den Kühlschrank stellen. Ich habe auf exakte Mengenangaben verzichtet, damit sie jeder dem eigenen Geschmack anpassen kann. Sie können diese Smoothies auch ein wenig dicker halten und in einer Schale mit Früchten oder anderen Extras (siehe unten) servieren. Im Winter habe ich immer einen Vorrat an TK-Früchten im Gefrierschrank, sie sind billiger als frische, schmecken hervorragend und liefern wunderbar fruchtige Smoothies. Ich mag meinen Smoothie gern mit ein wenig Eis – nicht zu kalt allerdings. Mit dieser Mustervorlage kann eigentlich nichts schiefgehen.

CREMIGE FRÜCHTE
Banane, Avocado
(40 Prozent)

EXTRAFRÜCHTE ODER -GEMÜSE
Erdbeeren, Äpfel, Spinat
(20 Prozent)

AROMA
Vanille, Zitrone, Tahini
(Löffelvoll)

SÜSSE
Datteln, Ahornsirup, Honig
(nach Geschmack)

EIWEISSSCHUB
eingeweichte Samen & Nüsse, Eiweißpulver,
Nussbutter
(Esslöffel)

FLÜSSIGKEIT
Pflanzenmilch, Kokoswasser
(40 Prozent)

BELIEBTE EXTRAS

LUCUMA Diese Superfrucht aus Peru ist reich an Antioxidantien, Mineralien und Betacarotin.

MACA Es wird in Pulverform angeboten, wirkt beruhigend auf das Nervensystem und hilft, Stress abzubauen. Suchen Sie nach 100 Prozent Maca-Wurzel.

HANF Als Samen und in Pulverform erhältlich und eine der wenigen kompletten pflanzlichen Eiweißquellen. Auch reich an Omega-3- und Omega-6-Fettsäuren und Ballaststoffen.

BIENENBROT Ein fantastisches vollwertiges Nahrungsmittel mit fast allen Nährstoffen, Mineralien und Vitaminen, die unser Körper braucht. Das Zeug hat es in sich, also mit einem Teelöffel pro Tag beginnen.

SPIRULINA UND CHLORELLA Diese beiden Algenarten sind unglaublich reich an Eiweiß und Nährstoffen – ein natürliches grünes Koffein.

LIEBLINGSSMOOTHIES

MANGO-SESAM
Reich an Kalzium, entzündungshemmend
Tiefgefrorene Banane • Mango oder Kaki •
Kurkuma • Tahini oder Sesamsamen • Limette •
Mandel- oder Pflanzenmilch

SCHOKOLADENSHAKE
Tiefgefrorene Banane • Avocado • Kakao •
Ahornsirup • Pflanzenmilch

INGWER-BIRNEN-REFRESHER
Avocado • grüner Apfel oder Birne •
Stangensellerie • Minze • Ingwer •
Kokoswasser

KAROTTE-INGWER
Reich an Vitamin C, antiviral
Tiefgefrorene Banane • Apfel • Karotte •
Orange • Zitrone • Ingwer • Pflanzenmilch

MAGENTA
Erdbeeren • rohe Rote Bete • Granatapfel •
Datteln • Ingwer • Kokoswasser

GRÜN & GUT
Elektrolyte, Eiweiß, ideal nach dem
Workout
Tiefgefrorene Banane • Stangensellerie • Kiwi •
Avocado • Hanfsamen • Mandeln • Kokos-
wasser

STEINFRÜCHTE
Pfirsich • Aprikose • Pflaume • Beeren • Vanille •
Acai • Pflanzenmilch

ZITRONE-VANILLE, GESCHICHTET
Vitamin C, antibakteriell,
verdauungsfördernd
Untere Schicht Himbeeren und
Ahornsirup • pürieren und ins Glas füllen •
Obere Schicht tiefgefrorene Banane •
Vanille • Schale von ½ Zitrone • Honig •
Kokosmilch

ERDNUSSBUTTER & ERDBEEREN, GESCHICHTET
Untere Schicht Erdbeeren, Limettensaft und
Honig • pürieren und ins Glas füllen
Obere Schicht Banane • Vanille • Erdnussbut-
ter • Pflanzenmilch

Superfrüchte mit Tahini-Dressing

5–10 MINUTEN

Jeden Morgen das Gleiche zu essen kommt einer Unmenge verpasster Chancen gleich. Ich habe gern etwas Abwechslung auf dem Frühstückstisch, genauso wie beim Mittag- oder Abendessen. Das Frühstück ist meine morgendliche Starthilfe. Ich mag eine farbenfrohe gesunde Mahlzeit, die aber auch sattmachen muss, sonst ist meine Laune schnell im Keller.

Dies ist meine Vorstellung von einem gelungenen Obstsalat, er hat sogar ein Dressing. Es stimmt die Früchte etwas sanfter, was mir entgegenkommt, da sie mir als erste Nahrung des Tages oft zu sauer sind. Außerdem verabreicht es die erste Eiweißspritze des Tages.

Wer wie ich auf Tahini steht, sollte es ausprobieren. Wer es damit nicht so hat, kann es durch Mandelbutter ersetzen.

FÜR 2 PERSONEN

FÜR DAS TAHINI-DRESSING
4 EL Tahini
2 bis 4 EL flüssiger Honig, je nach Geschmack
Saft von 1 Zitrone
1 ordentliche Prise gemahlener Kardamom

FÜR DIE FRÜCHTE
2 Schalen saisonale Früchte
Frühling – Alphonso-Mangos, Blutorangen, Erdbeeren
Sommer – Himbeeren, Pfirsiche, Aprikosen, Kirschen
Herbst – Birnen, Pflaumen, Brombeeren, Feigen
Winter – Äpfel, Birnen, Persimonen (Kaki), Granatäpfel
2 EL Samen und Körner (Hanf-, Sesamsamen und Sonnenblumenkerne passen gut)
2 EL Goji-Beeren oder Rosinen

• Sämtliche Zutaten bereitlegen.

• Alle Zutaten für das Dressing mit einigen Esslöffeln kaltem Wasser in ein Glas mit Schraubverschluss geben und kräftig schütteln, bis alles gleichmäßig vermengt ist.

• Die Früchte waschen, schneiden und in Schalen oder auf Tellern anrichten. Je 1 EL Samen und Körner, Beeren oder Rosinen darübergeben und mit dem Tahini-Dressing beträufeln.

10-Minuten-Pancakes

10 MINUTEN

Dies ist die Turboversion meiner absoluten Lieblingspfannkuchen. Die meiste Arbeit erledigt der Mixer, wer keinen hat, kann statt der Haferflocken auch Hafermehl nehmen, die Nüsse durch gemahlene Mandeln ersetzen und die Banane einfach sorgfältig zerdrücken.

Als Maß verwende ich eine Teetasse, das spart Zeit am Morgen. Die Pfannkuchen fallen je nach Tasse eventuell etwas anders aus, aber keine Sorge, entscheidend sind die Mengenverhältnisse, nicht die absoluten Mengen der Zutaten.

Da diese Pfannkuchen auf natürliche Weise mit nährstoffreichen Bananen und Ahornsirup gesüßt und mit Nüssen statt Mehl zubereitet werden, kann man sie besten Gewissens genießen.

FÜR 6 PANCAKES

1 Kaffeetasse Haferflocken (etwa 80 g)

1 Apfel

½ Kaffeetasse Nüsse (etwa 50 g) – Pecannüsse oder Mandeln (für Kinder ½ weitere Tasse Haferflocken verwenden)

1 Tasse oder etwa 150 ml Milch nach Wahl (ich nehme ungesüßte Mandelmilch)

1 mittelgroße Banane

Kokosöl oder Butter zum Backen

ZUM FERTIGSTELLEN

2 Äpfel

Saft von ½ Zitrone

1 Prise Zimt

1 winzige Prise gemahlene Muskatnuss

Honig oder Ahornsirup

Joghurt nach Wahl (ich nehme Kokosjoghurt)

- Sämtliche Zutaten und Arbeitsutensilien bereitlegen.

- Die Haferflocken im Mixer zu einem groben Mehl zermahlen. Den Apfel reiben. Die Nüsse, die Milch, den Apfel und die Banane zu dem Hafermehl in den Mixer geben und pürieren, bis alles gleichmäßig vermengt ist.

- Eine beschichtete Pfanne bei mittlerer Temperatur erhitzen und etwas Kokosöl oder Butter darin zerlassen. Kleine Kellen Teig hineingeben, zu kleinen runden Pancakes formen und 2 bis 3 Minuten backen, bis sich Bläschen an der Oberfläche zeigen. Mit einem Spatel vorsichtig wenden und von der anderen Seite fertig backen. Die erste Portion ist immer so eine Sache, macht nichts, wenn sie nicht ganz perfekt werden. Warm stellen, während Sie die restlichen Pancakes backen.

- Sobald die Pancakes fertig sind, die Äpfel mit einem Sparschäler in lange dünne Scheiben hobeln und in einer Schüssel mit dem Zitronensaft, dem Zimt und der Muskatnuss vermengen.

- Die Pancakes stapeln, mit den Äpfeln, dem Ahornsirup und etwas Joghurt, wer mag, garnieren und servieren.

Nordische Frühstücks-Bowls

10 MINUTEN

Für mich ist Porridge ähnlich wie eine Suppe – eine wärmende Schale wohltuender Balsam –, aber das reicht mir nicht. Ich mag das überraschende Element, die Abwechslung in Konsistenz und Geschmack, und so wie ich jeder Suppe ein paar Extragedanken über Topping, Konsistenz und Geschmack widme, halte ich es jetzt auch mit meinem Porridge. Ich esse Porridge am liebsten, wenn es kalt ist, und da kommen die nordisch-winterlichen Gewürze gerade recht.

Wenn Sie rechtzeitig dran denken, können Sie Haferflocken, Milch und Gewürze in einer Schüssel vermengen und zugedeckt über Nacht in den Kühlschrank stellen, so sind die Flocken leichter verdaulich, dazu spart es Zeit am Morgen. Sobald Sie startbereit sind, einfach die Mischung in einen Topf gießen und den Porridge fertigstellen. Funktioniert übrigens auch gut mit Quinoa- und Hirseflocken.

FÜR 4 PERSONEN

200 g kernige Haferflocken
300 ml Milch nach Wahl (ich nehme ungesüßte Mandelmilch)
Meersalz
2 Datteln
1 Prise Zimt
1 Prise frisch geriebene Muskatnuss
1 Prise gemahlener Kardamom
1 TL Vanilleextrakt

TOPPING
Honig (nach Belieben)
2 EL Mandelbutter
1 Handvoll Rosinen oder Korinthen
Hanfsamen zum Bestreuen
Kokosjoghurt
1 Apfel

- Sämtliche Zutaten und Arbeitsutensilien bereitlegen.

- Die Haferflocken, die Milch und 125 ml kaltes Wasser mit etwas Salz in einem Topf bei mittlerer Temperatur erhitzen. Die Datteln entsteinen, grob hacken und mit sämtlichen Gewürzen und der Vanille unterrühren.

- Den Porridge unter Rühren garen, bis er dick und cremig ist. Sobald er die gewünschte Konsistenz hat, vom Herd nehmen, auf Bowls verteilen und nach Belieben mit etwas Honig süßen. Einen Löffel Mandelbutter, ein paar Rosinen oder Korinthen und eine Prise Hanfsamen, einen Klecks Joghurt und eine großzügige Portion geriebenen Apfel dazugeben. Wärmende Bowls voller guter Sachen.

Verlockende Flocken

Ich weiche Hafer- und andere Flocken über Nacht ein, wenn es
am nächsten Morgen schnell gehen muss. Es ist so einfach und
dauert gerade mal 2 Minuten. Besonders praktisch sind die
Einweichflocken unterwegs auf der Fahrt oder wenn ich verreise.
Wer sie mit zur Arbeit oder als Reiseproviant mit ins Flugzeug oder
in den Zug nehmen will, mischt sie für den Transport einfach in
einem Glas mit Schraubverschluss. Ideal dazu sind Tiefkühlfrüchte,
sie sind billiger als frische und können über Nacht im Kühlschrank
auftauen. Die Rezeptmengen sind für 2 Portionen bemessen.
Einfach alle Zutaten in einer Schüssel oder einem Glas vermengen
und über Nacht in den Kühlschrank stellen.

• **FLOCKEN (100 G)** • Haferflocken, Roggenflocken, Quinoaflocken

• **FLÜSSIGKEIT (330 ML)** • Pflanzenmilch, Wasser, Kokosmilch

• **KÖRNER & SAMEN (2 EL)** • Kürbiskerne, Leinsamen, Chiasamen

• **SÜSSE (1 SPRITZER)** • Ahornsirup, Vanille

- Haferflocken • Chiasamen • Kokosmilch • Kokosflocken, Honig, Mango

- Haferflocken • Chiasamen • Mandelmilch • Vanille, Erdbeeren

- Haferflocken • Chiasamen • Pflanzenmilch • zerstoßener Kardamom, Honig, Himbeeren, Zitronenschale

- Quinoaflocken • Chiasamen • Nussmilch • Zitronenschale, Beeren

- Haferflocken • Pflanzenmilch • Banane, Rosinen, Mandeln, Erdnussbutter

- Buchweizen • Hanfsamen • Pflanzenmilch • Feigen, Äpfel, Zimt

- Haferflocken • Chiasamen • Mandelmilch • Ahornsirup

- Haferflocken • Vanille, Datteln, Feigen, Muskatnuss, Ahornsirup, Zimt

- Haferflocken • Leinsamen • Nussmilch • Vanille, Pflaumen, Ahornsirup

- Haferflocken • Chiasamen • Vanille, Zitrone, Pfirsiche, Ahornsirup

Pfirsich-Himbeer-Frühstücksbrei

20 MINUTEN

+ EINWEICHEN

Hier ein schnelles Frühstück, für das man die Haferflocken allerdings über Nacht einweichen muss, damit sie weich genug für den Mixer sind. Es geht ganz einfach – ich bin nicht sonderlich gut organisiert und denke nicht jedes Mal daran, aber wenn, dann macht mich so ein Becher satt und zufrieden.

Ich esse den Frühstücksbrei kalt, quasi als sommerliche Alternative zu Porridge, den ich mir wirklich nur an eiskalten Tagen genehmige. Wer möchte, kann ihm ein wenig erwärmen, wobei dann die »rohen« Qualitäten etwas auf der Strecke bleiben.

Inspiriert wurde ich zu diesem Rezept von einem meiner Lieblings-Blogs *My New Roots* von Sarah Britton, die sich eine innovative pflanzliche Küche auf die Fahnen geschrieben hatte, lange bevor sie zum Mainstream wurde. Sarah verwendet Buchweizen statt Haferflocken, was nicht weniger gut schmeckt. Sie inspirierte mich auch zu diesem Marmoreffekt, wie man ihn von Eiscreme oder einem typischen Dessertteller der 80er-Jahre kennt.

FÜR 3 BIS 4 PERSONEN

1 Tasse Haferflocken
Saft von ½ Zitrone oder 1 TL Apfelessig
2 EL Chiasamen
125 ml Milch nach Wahl oder Wasser
1 gefrorene Banane
1 Vanilleschote, Mark herausgekratzt

FÜR DIE HIMBEER-PFIRSICH-WELLEN

200 g Himbeeren (frisch oder TK, möglichst Bio)
1 Pfirsich
1 EL Ahornsirup

• Sämtliche Zutaten bereitlegen. Die Haferflocken mit warmem Wasser und dem Zitronensaft oder Essig bedecken und über Nacht einweichen. Am nächsten Morgen abgießen und sehr gründlich abspülen.

• Im Mixer oder in der Küchenmaschine (am besten ist ein leistungsstarker Standmixer) die Himbeeren, das entsteinte Pfirsichfruchtfleisch und den Ahornsirup zu einem flüssigen Püree verarbeiten. Etwa die Hälfte in eine Schüssel gießen und beiseitestellen.

• Zu dem restlichen Püree im Mixer die abgetropften Haferflocken und alle anderen Zutaten hinzugeben und auf maximaler Stufe pürieren, bis die Mischung ganz glatt und cremig ist. Abschmecken und eventuell mit weiterem Ahornsirup etwas nachsüßen.

• Den Haferbrei in Schalen oder kleine Gläser füllen und das verbliebene Himbeer-Pfirsich-Püree nur grob unterziehen. Oder den Haferbrei und das Himbeer-Pfirsichpüree abwechselnd in Gläser schichten. Reste halten sich im Kühlschrank bis zu 2 Tage.

Avocadobratlinge

25 MINUTEN

Diese lockeren grünen Bratlinge werden mit Polenta paniert. Avocadofans machen sich am besten gleich auf den Weg in die Küche und schreiten zur Tat. Ich dachte, ich hätte Avocados in jeder erdenklichen Weise gegessen, bis ich das hier probierte. Meine liebe Freundin Emily und ich hoben das Rezept eines Morgens aus der Taufe, als wir Ideen für dieses Buch ausprobierten.

Gesellschaft bekommen diese tollen Bratlinge von einer schnellen Cashew-Hollandaise und vielleicht einem pochierten Ei. Für meine veganen Geschwister lasse ich das Ei natürlich weg, dem Genuss tut das keinen Abbruch.

Dies ist übrigens ein gute Möglichkeit, etwas überreife Avocados und Reste von gegarter Quinoa zu verwerten. Ich habe immer gegarte Quinoa eingefroren in Reserve (siehe Seite 246 bis 247), was die Dinge beschleunigt.

FÜR 4 PERSONEN

FÜR DIE HOLLANDAISE
150 g Cashewkerne
½ TL gemahlene Kurkuma
Saft von 1 Limette
1 EL Olivenöl

FÜR DIE BRATLINGE
75 g rohe oder 150 g gegarte Quinoa
4 Avocados
1 Bio-Limette
100 g Grünkohl
1 grüne Chilischote
1 Bund Koriandergrün
Salz und frisch gemahlener schwarzer Pfeffer
150 g Polenta
Kokosöl
4 Freiland- oder Bio-Eier (nach Belieben)

- Den Wasserkocher füllen und einschalten. Sämtliche Zutaten und Arbeitsutensilien bereitlegen. Für die Hollandaise die Cashews in einer hitzebeständigen Schüssel mit kochendem Wasser bedecken.

- Für die Bratlinge die Quinoa garen, wenn nicht bereits geschehen. Quinoa unter kaltem Wasser gründlich abspülen und in einen großen Topf geben. 150 ml heißes Wasser zugießen und die Quinoa 10 bis 12 Minuten garen, bis sie glasig ist und die welligen Kerne aus der Samenhülle quellen. Sorgfältig abtropfen und etwas abkühlen lassen.

- Während die Quinoa kocht, ein paar andere Dinge erledigen. Die Avocados schälen, entsteinen und in einer Schüssel grob zerdrücken – ein paar Klümpchen dürfen ruhig verbleiben. Die Limettenschale über das Avocadomus reiben, den Limettensaft darüber auspressen und sorgfältig vermengen.

- Den Grünkohl waschen, die Stiele abtrennen und wegwerfen. Die Blätter in kleine Stücke zupfen. Die Chili fein hacken, das Koriandergrün entstielen und ebenfalls fein hacken.

- Grünkohl, Chili und Koriandergrün zu der Avocado in die Schüssel geben, die abgetropfte Quinoa hinzufügen, gut salzen und pfeffern und alles gründlich vermengen.

- Aus der Masse 8 Bratlinge formen. Die Polenta auf ein Backblech streuen und zu einer dicken Schicht ausbreiten. Die Bratlinge nacheinander darauflegen und großzügig mit weiterer Polenta vom Blech bestreuen, sodass sie gleichmäßig bedeckt sind. In den Kühlschrank stellen, während Sie sich an die Hollandaise machen.

- Die eingeweichten Cashews abtropfen, die Kurkuma mit 2 EL heißem Wasser verrühren und beides in den Mixer geben. Den Limettensaft, das Öl und eine kräftige Prise Salz hinzufügen und pürieren, bis die Mischung glatt ist und glänzt – das kann ein bisschen dauern, wenn das Gerät über keinen leistungsstarken Motor verfügt. Man kann das auch mit dem Stabmixer erledigen.

- Eine Pfanne bei mittlerer Temperatur erhitzen, etwas Kokosöl darin zerlassen und die Bratlinge von beiden Seiten goldbraun braten. Sie können mit zwei Pfannen gleichzeitig arbeiten oder die Bratlinge portionsweise braten. Die fertigen Bratlinge im nicht zu heißen Ofen warm stellen.

- Wer ein pochiertes Ei dazu servieren möchte, sollte sich schon mal darum kümmern, während die Bratlinge in der Pfanne brutzeln. Jeder hat da so seine eigene Methode – ich schlage die Eier dazu in einen Topf mit nur ganz leicht siedendem Wasser und pochiere sie 3 bis 4 Minuten, je nach Temperatur der Eier und wie flüssig oder fest sie werden sollen.

- Pro Person 2 Bratlinge und das optionale pochierte Ei anrichten, mit reichlich Hollandaise garnieren und den in sichtbarer Vorfreude lächelnden Essern servieren.

Goldene Kurkumamilch

5 MINUTEN

Ich bin eine Heißtrinkerin. Ich liebe Tee in all seinen Formen: Earl Grey am Morgen, Fenchel, Rosen, Zimt, Kamille und wie sie alle heißen. Neben meinem Wasserkocher stapeln sich Gläser mit Blüten und Blättern aus aller Welt, dazu Teedosen und – für ein gelegentliches Tässchen – sehr sorgfältig ausgewählter Kaffee. Wenn die Tage kürzer werden, mag ich es besonders behaglich, und dies ist meine neue trinkbare Kuscheldecke.

Ihr strahlendes Sonnengelb erhellt mir den Morgen, und ihre beruhigende wärmende Würze versüßt mir die Schlafenszeit. Ich achte darauf, jeden Tag eine kleine Dosis Kurkuma zu mir zu nehmen, gewöhnlich im Tee, ihre Heilkraft und krebsvorbeugenden Eigenschaften werden weithin gerühmt. Ich liebe die safrangelbe Farbe der Wurzel und ihren unverwechselbaren Geschmack – keine allzu bittere Pille.

Ich halte mich bei Milchprodukten gern zurück, besonders vor dem Zubettgehen, darum verwende ich hier ungesüßte Hafer- oder Kokosmilch. Ich bereite auch gerne eine peppige Frühstücksversion mit zerstoßenem Ingwer statt Zimt zu. Lassen Sie die Milch erst etwas abkühlen, bevor Sie den Honig hineingeben, damit seine Nährstoffe erhalten bleiben.

FÜR 1 BECHER

2 Kardamomkapseln
200 ml ungesüßte Hafer-, Kokos-, Mandel- oder andere Milch nach Wahl
¼ TL gemahlene Kurkuma
¼ TL Zimt
1 TL flüssiger Honig

• Den Kardamom im Mörser zerstoßen und in einem Topf mit der Milch, der Kurkuma und dem Zimt vermengen. Die Mischung behutsam bis fast zum Siedepunkt erhitzen, jedoch nicht aufkochen, sonst besteht bei Pflanzenmilch die Gefahr, dass sie gerinnt.

• In einen Becher gießen (durch ein Sieb, falls Sie die Kardamomsamen stören), und sobald die Mischung etwas abgekühlt ist, den Honig unterrühren und die Milch genießen. Möglichst nicht kleckern, das Kurkumagelb kriegt man nur schwer wieder raus.

Roter-Quinoa-Porridge

15 MINUTEN

Meine Schwester Laura und ich waren schon immer unzertrennlich. Wir haben dieselbe Stimme, dieselben Angewohnheiten und denselben Humor. Wir quatschen jeden Tag ein bisschen, obwohl sie auf der anderen Seite des Erdballs lebt. Als ich an diesem Buch arbeitete, kampierte sie gerade in Peru, deckte sich mit Unmengen Quinoa, ihrem Lieblingsfutter, ein und kaufte stapelweise Alpakadecken, was sie zu Hause vielleicht noch bereuen wird. Zu diesem Porridge inspirierte mich ein Foto von Laura, das sie mir aus einem Café geschickt hatte.

Wer Gluten meidet, kann die Haferflocken weglassen. Sie machen den Porridge etwas cremiger, ohne sie muss man ihn eventuell etwas länger garen, damit er schön sämig wird.

In diesem Rezept habe ich meinem Porridge Mango, Kokos, Datteln und Limette verordnet, man kann die Früchte aber je nach saisonalem Angebot variieren. Hier ein paar Anregungen:

Frühling – pochierte Aprikosen, Safran, Pistazien

Sommer – Erdbeeren, Vanille, Zitrone

Herbst – Pflaumen, Orangen, Zimt

Winter – Blutorangen, Datteln, Granatäpfel

FÜR 2 PERSONEN

100 g rote Quinoa (oder auch weiße oder schwarze)
50 g kernige Haferflocken
150 ml ungesüßte Mandelmilch
1 Prise Zimt
2 Datteln

ZUM SERVIEREN

1 Mango
einige weitere Datteln
Kokosjoghurt
Kokosflocken
abgeriebene Schale von
1 Bio-Limette

• Quinoa, Haferflocken, Mandelmilch und Zimt sowie 100 ml kaltes Wasser in einem Topf vermengen und bei mittlerer Temperatur zum Kochen bringen. Die Datteln entsteinen, grob hacken und zum Süßen unterrühren.

• Die Mischung 10 Minuten köcheln lassen, bis die Quinoa gar ist und die welligen Samenkörner sichtbar sind. Regelmäßig umrühren, damit der Porridge nicht ansetzt.

• Inzwischen die Mango schälen und würfeln und einige weitere Datteln entsteinen und hacken. Sobald der Porridge gar und von der gewünschten Konsistenz ist, auf Schalen verteilen und mit den Mangowürfeln, den Datteln und etwas Jogurt garnieren. Mit Kokosflocken und Limettenschale bestreuen und servieren.

Schnelle Desserts und Süßigkeiten

Ich liebe Desserts, und nachmittags nasche ich auch gern mal eine Kleinigkeit. Diese Nach- und Süßspeisen werden aus unraffiniertem Zucker, Haferflocken, Nüssen, Samen und dem einen oder anderen Stückchen Schokolade zubereitet. Die einfachen Desserts sind in Minuten fertig, während vor allem das Gebäck natürlich etwas mehr Zeit in Anspruch nimmt. Dafür hält es problemlos eine ganze Woche in einer Dose, wo es geduldig auf Naschkatzen wartet.

Safranaprikosen

10 MINUTEN

Das schnellste und am exotischsten schmeckende Dessert, das ich kenne, zubereitet aus Zutaten, die man überwiegend im Regal hat.

Ich verwende gewöhnlich die dunklen ungeschwefelten Aprikosen, da sie besser schmecken und bekömmlicher sind. Ihre Garzeit hängt davon ab, wie weich die Früchte sind – einige sind nur halbgetrocknet und schneller gar als die festeren ganz getrockneten Aprikosen. Passen Sie die Zeit gegebenenfalls an.

Das Orangenblütenwasser sorgt für eine duftige Note, die ich sehr gerne mag. Wer es nicht bekommt, darf es auch weglassen.

Dazu serviere ich einen Klecks Kokosjoghurt oder griechischen Sahnejoghurt, auch zu Vanilleeis sind die Aprikosen ein Genuss. Ich nehme gern milchfreies Eis.

FÜR 2 PERSONEN

100 g getrocknete Aprikosen
1 großzügige Prise Safranfäden
Saft von 2 Orangen
1 EL Orangenblütenwasser
einige TL flüssiger Honig
gehackte Pistazien oder Mandeln
(nach Belieben)

• Die Aprikosen, den Safran und den Orangensaft in einem kleinen Topf zum Kochen bringen und 5 bis 10 Minuten köcheln lassen, bis die Früchte weich sind. Die Aprikosen herausnehmen und den Saft mit dem Safran ein bisschen einkochen. Das dauert nur ein paar Minuten.

• Etwas abkühlen lassen, anschließend die Aprikosen und den Sirup in Schalen oder auf Desserttellern anrichten. Mit etwas Orangenblütenwasser beträufeln und ein bisschen Honig darübergeben. Noch einen Klecks Joghurt dazu, nach Belieben mit Pistazien oder Mandeln bestreuen und servieren.

Rohe Nussschnitten

15 MINUTEN

+ KÜHLEN

Ich mache diese Schnitten im Wechsel mit den rohen Brownies aus *A Modern Way to Eat*. Sie sind griffbereit in einer Dose im Kühlschrank für den Fall, dass etwas Süßes hermuss, und zählen zu den kleinen Wundern, die ebenso gut schmecken, wie sie gesund sind.

Roher Plätzchenteig aus der Schüssel war als Kind eine meiner heimlichen Lieblingsnaschereien, neben der Ben & Jerry's Eiscreme mit dicken Plätzchenstücken darin. Hier mein neuer Keksteig als Blechkuchen, auch nicht von schlechten Eltern.

FÜR 16 STÜCKE

200 g gehäutete Paranüsse
4 EL flüssiger Honig
2 EL Kokosblütenzucker
3 EL Kokosöl
Mark von 1 Vanilleschote oder
1 TL Vanilleextrakt
100 g Bitterschokolade
(70 % Kakaoanteil)

• Ein quadratisches Brownie-Blech von 20 cm Kantenlänge oder ein kleines rechteckiges Backblech mit Backpapier auslegen.

• Zuerst die Paranüsse im Mixer zu feinem Mehl zermahlen – jedoch nicht übertreiben, sonst werden sie zu Nussbutter. Honig, Kokosblütenzucker, Kokosöl und Vanille zugeben und behutsam mit der Impulstaste mixen, bis sich die Zutaten zu einem Kloß verbinden. Die Schokolade in kleine Stücke hacken.

• Den Teig auf ein Arbeitsbrett umfüllen, die gehackte Schokolade darüber verteilen und mit den Händen behutsam, jedoch zügig und gleichmäßig in den Teig einarbeiten.

• Die Masse auf dem vorbereiteten Blech verteilen und etwas andrücken. Für einige Minuten in den Kühlschrank stellen. Je länger sie im Kühlschrank bleibt, desto fester ist sie beim Zuschneiden – 10 Minuten genügen, ideal sind 30 bis 40 Minuten. In 16 Stücke schneiden und im Kühlschrank lagern.

Kokos-Goji-Fudge

15 MINUTEN

+ KÜHLEN

Ich habe früher ein paar Mal in den Schulferien in unserem Bauernhofladen gejobbt. Alle anderen in meinem Alter saßen an der Kasse oder wogen auf den Obstfeldern zum Selbstpflücken Körbchen mit frisch geernteten Erdbeeren und Himbeeren ab. Ich aber hatte mit Abstand den besten Job: Ich war verantwortlich für Bonbons und Süßigkeiten.

Am ersten Tag führte man mich in einen großen Raum mit einem Kasten voller Naschkram, zeigte mir den Fudge-Kessel, drückte mir das Rezept in die Hand und ließ mich schalten und walten, wie ich wollte! Es war einer der besten Jobs, den man sich vorstellen kann. Ich probierte alle Geschmacksrichtungen – Himbeer-Kardamom-Fudge im Sommer, Brombeer-Lorbeer im Herbst und Glühwein mit braunem Zucker zu Weihnachten.

Dies ist meine Hommage an jene sorglosen Tage am Fudge-Kessel, wenngleich ich nach den Tausenden von Butterpaketen, die ich ausgewickelt habe, mein Fudge lieber aus weniger sündigen Zutaten bereite. Dieses Fudge ist ein originelles Geschenk für jeden, vor allem wenn man nicht ganz auf dem Damm ist: Die süßen kleinen Happen strotzen vor guten und gesunden Zutaten.

Goji-Beeren betören durch ihren süß-säuerlichen Geschmack und ihre hübsche Farbe. Dazu sind sie ein echter Hit unter den Nahrungsmitteln – sie liefern vollwertiges Protein, eine gute Nachricht für Vegetarier, und enthalten Antioxidantien wie kaum ein anderes Nahrungsmittel auf der Welt.

FÜR 24 STÜCKE

200 g Cashewkerne
100 g Kokosraspel
Meersalz
abgeriebene Schale und Saft von 1 kleinen unbehandelten Zitrone
¼ TL gemahlener Kardamom
Mark von 1 Vanilleschote oder 1 EL Vanilleextrakt
3 EL fester Honig
4 EL Kokosmilch oder -wasser
50 g Goji-Beeren

• Den Wasserkocher füllen und einschalten, sämtliche Zutaten und Arbeitsutensilien bereitlegen. Sie benötigen einen Mixer, eine Rührschüssel und eine kleine tiefe Form für den Fudge. Die Form mit Backpapier auskleiden.

• Cashewkerne, Kokosraspel, 1 kräftige Prise Meersalz, Zitronenschale und Kardamom im Mixer zu einem feinen Pulver zermahlen. Die Mischung sollte wirklich vollständig pulverisiert sein, sonst wird der Fudge körnig. Ist der Mixer nicht der leistungsstärkste, kann das einige Minuten dauern.

• Sobald das Pulver fein ist, die Vanille, den Honig und den Zitronensaft zugeben und mixen, bis sich die Zutaten zu einem Kloß verbinden. Die Kokosmilch zugießen und erneut mixen.

- Die Goji-Beeren mit etwas heißem Wasser übergießen und 30 Sekunden einweichen lassen, anschließend sorgfältig abtropfen und mit Küchenpapier trocken tupfen.

- Die Fudge-Masse in die vorbereitete Form geben und mit einem Löffelrücken gleichmäßig zu einer 1,5 cm dicken Schicht ausbreiten und drücken. Die Goji-Beeren darüber verteilen. Den Fudge etwa 20 Minuten im Kühlschrank fest werden lassen und in 24 Würfel schneiden.

Rhabarber-Apfel-Crumble mit Ahornsirup

10 MINUTEN

Ich liebe Desserts, bin aber kein Genie im Vorausplanen, darum denke ich in der Regel nur rechtzeitig daran, wenn ich Gäste erwarte. Sonst entstehen sie eher spontan, wenn sich nach dem Essen plötzlich der Appetit auf etwas Süßes meldet. Obwohl ich einen guten Crumble zu schätzen weiß, gibt es ihn deshalb eher am Wochenende nach einem größeren Familienessen. Diesen Crumble kann man sogar unter der Woche schnell mal machen, zudem ist er gespickt mit gesunden Zutaten und natürlichem Kokosblüten-zucker – Sie dürfen ihn mit gutem Gewissen genießen.

Jede Art von Kern- oder Steinobst kommt dafür in Frage. Ich nehme gern Pflaumen und Birnen im Herbst und Aprikosen und Äpfel im Sommer. Auch Backpflaumen sind geeignet. Und ein Schuss Schlehenschnaps oder Armagnac macht sich ebenfalls gut. Wer keinen Kokosblütenzucker be-kommt, kann hellen Rohrohrzucker verwenden, wenngleich er nicht ganz so frei von Sünde ist.

FÜR 2 ÜPPIGE PORTIONEN

FÜR DIE FRÜCHTE
200 g Äpfel (etwa 2)
200 g Rhabarber
2 EL Kokosblütenzucker
Saft von ½ Orange

FÜR DEN CRUMBLE
1 kleine Handvoll ungeschälte Mandelkerne (etwa 45 g)
5 EL kleine Haferflocken
1 EL Kokosblütenzucker
Kokosöl oder Butter
1 EL Ahornsirup

• Sämtliche Zutaten bereitlegen und zwei Pfannen bei mittlerer Temperatur erhitzen.

• Für die Früchte die Äpfel schälen, vierteln und in dünne Scheiben schneiden, den Rhabarber putzen und ebenfalls in Scheiben schneiden. Äpfel und Rhabarber mit dem Zucker und dem Orangensaft in einer der Pfannen 5 Minuten garen, bis sie weich sind, jedoch nicht zerfallen.

• Für den Crumble die Mandeln grob hacken und mit den Haferflocken in der anderen Pfanne einige Minuten bei niedriger Temperatur rösten. Den Zucker zugeben und umrühren, bis er zu schmelzen beginnt. Rasch vom Herd nehmen und etwas Kokosöl oder Butter und den Ahornsirup hinzufügen.

• Äpfel und Rhabarber auf Schalen verteilen und mit dem Crumble bestreuen. Mit Vanillesauce oder Joghurt servieren. Ich nehme Kokos-joghurt.

Schokotöpfchen mit Earl Grey

10 MINUTEN

Für das bisschen Arbeit, das diese Zehn-Minuten-Schokopuddings machen, sind sie geradezu unverschämt lecker – zartschmelzend und cremig und mit einer subtilen Earl-Grey-Note.

Als Basis dient Tofu. Das kommt Ihnen komisch vor? Da sind Sie nicht allein, doch er ergibt einen unglaublich köstlichen cremigen Pudding, ohne dass man literweise Sahne dazugeben muss.

Anstelle von Earl Grey kann man auch alle möglichen anderen Dinge zum Aromatisieren einsetzen, etwa Schale und Saft von einer Orange oder Limette, einen Schuss Rum oder sogar frisch gebrühten und durchgeseihten grünen Tee.

Kaufen Sie Seidentofu von guter Qualität. Man bekommt ihn im Bio-Laden, in der Regel in Blöcken in Plastik eingeschweißt. Mit der festen Variante funktioniert es nicht. Die Qualität des Tofus ist wichtig, denn mit kaum einer Nutzpflanze auf diesem Planeten wird genetisch so viel herumgepfuscht wie mit Soja. Also am besten Bio kaufen oder ein im Inland hergestelltes Produkt (bei uns in England gibt es mittlerweile eine Handvoll Hersteller von gutem Tofu).

Die Mengen lassen sich problemlos verdoppeln oder verdreifachen, falls Sie das Rezept für eine größere Runde realisieren. Dazu passen Himbeeren, Erdbeeren, Clementinen und Blutorangen, wenn Sie ein paar Früchte dazu reichen möchten.

FÜR 4 PERSONEN

1 Earl-Grey-Teebeutel

300 g Seidentofu

100 g Bitterschokolade (mindestens 70 % Kakaoanteil)

70 ml Ahornsirup

1 TL Vanillepaste oder Mark von 1 Vanilleschote

50 g Bitterschokolade zum Reiben (nach Belieben)

1 Prise Meersalz (nach Belieben)

• Den Wasserkocher füllen und einschalten und sämtliche Zutaten bereitlegen. Den Teebeutel mit 100 ml kochendem Wasser aufgießen und ziehen lassen.

• Den Tofu in ein sauberes Küchentuch oder Käseleinen einschlagen und so viel Flüssigkeit wie möglich herauspressen.

• Einen Topf etwa 2 cm hoch mit heißem Wasser aus dem Kocher füllen und bei niedriger Temperatur aufsetzen. Eine hitzebeständige Schüssel darauf platzieren, die gehackte Schokolade und den Ahornsirup hineingeben und schmelzen lassen.

• Den ausgedrückten Tofu in den Mixer geben. Den Tee zugießen – den Teebeutel wegwerfen –, die Vanille hinzufügen und mixen, bis die Mischung glatt ist. Die geschmolzene Schokolade dazugeben und erneut mixen, bis die Masse ganz glatt und seidig ist.

• Die Masse in kleine Förmchen oder Tassen füllen und im Kühlschrank leicht anziehen lassen. Vor dem Servieren mit geriebener Schokolade und einer Prise Meersalz, wer mag, bestreuen.

Bananen-Dattel-Eis mit kandierten Pecannüssen

15 MINUTEN

Eine schnelle gesunde Eiscreme. Zugegeben, sie verlangt nach ein paar tiefgefrorenen Bananen, aber ich habe immer einige überreife Früchte für Eiscremes und Smoothies im Gefrierschrank. Vor dem Einfrieren sollte man sie schälen und in Stücke schneiden.

Die Pecannüsse setzen diesem schnellen Eis die Krone auf, sorgen für knackigen Biss und gemeinsam mit dem Ahornsirup für ein süßes Extra. Sie sind auch ein tolles Topping für gekaufte Eiscreme.

FÜR 4 PERSONEN

FÜR DIE PECANNÜSSE
100 g Pecannusskerne
2 EL Ahornsirup

FÜR DIE EISCREME
3 tiefgefrorene Bananen (siehe Text oben)
5 Medjool-Datteln, entsteint
1 TL Vanillepaste oder Mark von ½ Vanilleschote
1 kräftige Prise Zimt
100 g Kokoscreme oder der Rahm von 1 Dose Kokosmilch

• Sämtliche Zutaten bereitstellen und vier Schalen oder Gläser im Gefrierschrank kalt stellen. Einen hitzebeständigen Teller oder eine Schüssel mit Backpapier auslegen.

• Zuerst für die Pecannüsse eine Pfanne bei mittlerer Temperatur erhitzen. Die Pecannüsse grob hacken und in der Pfanne leicht anrösten. Sobald sie Farbe zu nehmen beginnen und appetitlich duften, den Ahornsirup zugeben und 1 weitere Minute rösten. Auf den vorbereiteten Teller oder in die Schüssel umfüllen, dabei aufpassen, dass Sie die Nüsse nicht berühren, sie sind wirklich sehr heiß. Abkühlen lassen.

• Für die Eiscreme die gefrorenen Bananen mit sämtlichen anderen Zutaten im Mixer auf höchster Stufe je nach Motorleistung 3 bis 5 Minuten mixen, bis die Masse glatt und cremig ist.

• Das Eis in die kalt gestellten Schalen oder Gläser füllen, mit den abgekühlten Pecannüssen bestreuen und sofort servieren oder bis zu 30 Minuten in den Gefrierschrank stellen – nicht länger, sonst wird die Masse zu fest und lässt sich nicht mehr löffeln.

Kokos-Rhabarber-Pannacotta mit Limette

20 MINUTEN

+ KÜHLEN

Meine langjährige Freundin und Küchenfee Emily hat diese Pannacotta extra für mich gemacht und alle meine Lieblingszutaten in einen kleinen flotten Pudding gepackt. Eine gute vegetarische Pannacotta ist schwer zu kriegen, doch Emily hat hier die Rezeptur aufgemischt. Genau das richtige Quantum süßer Rhabarber, und darunter versteckt sich eine gerade so feste Kokos-Vanille-Creme mit Limette. Alles ganz vegan, milch-, zucker- und vor allem gelatinefrei. Auch Sie sollten Emily dankbar sein, denn dieses Dessert bereichert Ihr Leben.

Agar-Agar ist ein natürliches Geliermittel aus Meeralgen, das wie Gelatine eingesetzt wird. Es muss vollständig aufgelöst sein, bevor es in die Puddings gelangt, sonst kann die Angelegenheit grießig werden.

....

- Sämtliche Zutaten und Arbeitsutensilien bereitlegen.

- Kokosmilch, Kokoswasser, Limettenschale, Ahornsirup, Vanillepaste und Agar-Agar in einem kleinen Topf vermengen und beiseitestellen.

- Den Rhabarber in dünne Scheiben schneiden und mit etwas Kokosöl bei mittlerer Temperatur in eine mittelgroße Pfanne geben. Den Kokosblütenzucker hinzufügen und den Rhabarber garen, bis er leicht zu zerfallen beginnt. Den Limettensaft unterrühren und alles weitere 6 bis 8 Minuten dünsten, bis die Mischung zu einem Kompott eingedickt ist. Vom Herd nehmen und abkühlen lassen.

- Die Kokosmilchmischung in dem Topf ohne zu rühren bei mittlerer Temperatur zum Kochen bringen. Sobald sie aufwallt, die Hitze reduzieren und die Mischung 6 Minuten köcheln lassen, bis sich das Agar-Agar vollständig aufgelöst hat.

- Je 2 Esslöffel Rhabarberkompott in vier Becherförmchen (Dariolformen), Kaffeetassen oder Keramikschälchen geben. Die Kokoscreme in eine Kanne füllen und langsam, ohne die Rhabarberschicht aufzuwühlen, in die Formen gießen. Die Formen mindestens 3 Stunden in den Kühlschrank stellen. Zum Servieren die Formen mit dem Boden kurz in heißes Wasser tauchen und die Pannacottas vorsichtig auf Teller stürzen.

FÜR 4 PERSONEN

1 Dose Kokosmilch (400 ml)
200 ml Kokoswasser
abgeriebene Schale und Saft von 1 unbehandelten Limette
100 ml Ahornsirup
1 TL Vanillepaste
1 gehäufter EL Agar-Agar
500 g leuchtend roter Rhabarber
Kokosöl
120 g Kokosblütenzucker

Salzige Mandelbutter-Schokoriegel

25–30 MINUTEN

Dies seien die besten Schokoriegel, die er je gegessen habe, sagte mir ein Freund, und wenn man sie kaufen könnte, würde er es täglich tun. Ich auch. Die kleinen Dinger sind der Hammer.

Sie sind gespickt mit gesunden Zutaten und haben nur einen Hauch von Süße, dank Honig und dunkler Schokolade. Wer das Ganze für maximalen Nährwert auf die Spitze treiben möchte, kann auch Rohhonig und Rohschokolade verwenden.

Die Riegel halten sich im Kühlschrank problemlos einige Wochen und lassen sich auch gut einfrieren, ein kerngesunder süßer Energieschub in ständiger Reichweite. Ich mache alle paar Wochen eine Portion davon, mittlerweile stehen sie bei uns so hoch im Kurs, dass sie kaum ein paar Tage halten.

. . . .

- Den Wasserkocher füllen und einschalten, sämtliche Zutaten bereitlegen und eine kleine quadratische Form oder ein Backblech mit Backpapier auskleiden.

- Die Mandeln im Mixer 5 Minuten zermahlen, bis sie sich in eine weiche pastöse Butter zu verwandeln beginnen. Den Honig oder Agavensirup, das Kokosöl, die Vanille und eine kräftige Prise Salz hinzufügen und untermixen. Die Kokosraspel dazugeben und alles zu einer krümeligen teigähnlichen Masse zermahlen.

- Die Masse in die vorbereitete Form umfüllen und mit angefeuchteten Händen zu einer gleichmäßigen, etwa 2 cm dicken Schicht ausbreiten und flachdrücken.

- Die Form für einige Minuten in den Gefrierschrank stellen. Die Schokolade in Stücke brechen und in eine hitzebeständige Schüssel geben, die gut auf einen Ihrer Töpfe passt. Den Topf einige Zentimeter hoch mit heißem Wasser füllen und leicht zum Sieden bringen. Die Schüssel daraufsetzen – der Boden darf das Wasser nicht berühren – und die Schokolade darin schmelzen.

- Die Mandelmasse aus dem Gefrierschrank nehmen und in 24 Riegel schneiden. Ich schneide dazu sechsmal längs ein und viermal quer. Anschließend wieder in den Gefrierschrank stellen.

FÜR 24 RIEGEL

200 g Mandeln
3 EL flüssiger Honig oder Agavensirup
2 EL zerlassenes Kokosöl
Mark von 1 Vanilleschote oder 1 TL Vanilleextrakt
Meersalz
150 g ungesüßte Kokosraspel
200 g Bitterschokolade (70 % Kakaoanteil)

• Die geschmolzene Schokolade vom Wasserbad nehmen und etwas abkühlen lassen. Ab und zu umrühren. Leicht abgekühlt deckt die Schokolade besser.

• Ein Blech mit Backpapier auslegen. Die gefrorenen Riegel aus dem Gefrierschrank nehmen, mithilfe zweier Gabeln in der flüssigen Schokolade wenden und auf das Blech legen. Wenn sie alle mit Schokolade überzogen sind, in den Kühlschrank stellen, damit die Schokolade aushärtet.

• In einer Dose im Kühlschrank gelagert halten sich die Schokoriegel bis zu 1 Monat. Man kann sie auch einfrieren.

Honig-Orangen-Ricotta und gebackene Feigen

20 MINUTEN

Dieses herrliche Dessert mache ich gern, wenn Freunde zu Besuch sind. Es geht aber auch für einen Wochentag schnell genug.

Ricotta im Ofen zu backen ist denkbar einfach, dennoch sind die Leute immer völlig verblüfft. Nehmen Sie guten Ricotta aus Schafsmilch, wenn erhältlich.

Dies ist ein gutes Rezept, um Feigen zu verwerten, die noch ein wenig grün und unreif sind, da sie beim Backen süßer werden. Es funktioniert auch gut mit Pflaumen, Aprikosen oder halbierten Erdbeeren.

Ich serviere dazu kleine Toasts zum Auftunken des Ricottas.

FÜR 4 BIS 6 PERSONEN

1 Becher Ricotta (250 g)
1 EL flüssiger Honig
1 unbehandelte Orange
Mark von 1 Vanilleschote
6 frische Feigen
50 g Mandeln

- Den Ofen auf 200 °C (180 °C Umluft/Gas Stufe 6) vorheizen und sämtliche Zutaten bereitlegen. Ein Backblech mit Backpapier auslegen.

- Den Ricotta auf das vorbereitete Blech ausleeren und mit dem Honig beträufeln. Die Schale der Orange über den Ricotta reiben und das Vanillemark darauf verteilen.

- Die Feigen halbieren und um den Ricotta herum verteilen. Mit dem Saft einer halben Orange und weiterem Honig beträufeln und 20 Minuten im Ofen backen.

- Die Mandeln grob hacken und 5 Minuten vor Ende der Backzeit über Ricotta und Feigen streuen.

- Das Blech aus dem Ofen nehmen und gleich auf den Tisch stellen. Reste schmecken am nächsten Tag auf Toast.

Cranachan (Schottisches Himbeerdessert)

10 MINUTEN

Ein supersimples schnelles Dessert, das mich immer an Pete erinnert, einen exzellenten schottischen Koch, mit dem ich mal gearbeitet habe. Pete würde sicher gern sehen, wenn ich es mit Whiskey übergösse, und wenn das Ihr Ding ist, nur zu, schmeckt bestimmt köstlich.

Hier ist meine etwas leichtere Auslegung des Cranachan, eines schottischen Quartetts aus Himbeeren, Haferflocken, braunem Zucker oder Honig und Sahne. Ich verwende Joghurt (meist Kokosjoghurt) statt Sahne und köstlichen schottischen Honig. Geröstete Haferflocken geben dem Ganzen einen reizvollen keksartigen Anstrich. Schmeckt auch zum Frühstück.

FÜR 2 BIS 4 PERSONEN – JE NACH APPETIT

100 g Himbeeren (frisch oder TK)
50 g Walnusskerne
2 EL kernige Haferflocken
1 Prise Zimt
1 kräftige Prise frisch geriebene Muskatnuss
2 EL flüssiger Honig
8 EL guter griechischer Joghurt oder Kokosjoghurt
1 EL Bienenbrot (nach Belieben)

• Sämtliche Zutaten bereitlegen und eine Pfanne bei mittlerer Temperatur vorheizen. TK-Himbeeren aus dem Gefrierschrank nehmen, damit sie etwas antauen.

• Die Walnüsse grob hacken und mit den Haferflocken einige Minuten in der Pfanne rösten, bis sich die Haferflocken goldgelb färben. Vom Herd nehmen und den Zimt, die Muskatnuss und 1 Esslöffel Honig untermengen.

• Die Hälfte der Himbeeren mit einer Gabel zerdrücken und unter den Joghurt rühren, anschließend noch ein wenig Honig unterziehen. Die restlichen ganzen Himbeeren dazugeben, die gerösteten Haferflocken und Nüsse unterheben und in kleinen Gläsern oder Schalen anrichten. Wer möchte, kann noch ein wenig Bienenbrot darüberstreuen. Äußerst delikat und gesund.

Schnelle Fruchtdesserts

Ich bin eine Naschkatze und beschließe meine Mahlzeiten gern
mit etwas Süßem, aber gesund und nahrhaft sollte es auch sein.
Manchmal genügt ein Stückchen Bitterschokolade, ein anderes
Mal ist es etwas Fruchtiges, das fix geht. Hier ein paar Anregungen
für fruchtige Nachspeisen, die alle in weniger als 10 Minuten auf
dem Tisch stehen.

SCHNELLE FRUCHTJOGHURTS

Verwenden Sie Ihren Lieblingsjoghurt
(ich nehme Kokosjoghurt)

ERDBEEREN, PISTAZIEN, ORANGENSCHALE

•

PAPAYA, LIMETTE, KOKOSRASPEL

•

HIMBEEREN, ROSENWASSER,
GERÖSTETE HASELNÜSSE

•

DATTELN, PISTAZIEN, ORANGE,
ORANGENBLÜTENWASSER

•

APRIKOSEN, PFIRSICHE, ZITRONE,
VANILLE, GERÖSTETE MANDELN

SCHNELLE FRUCHTSALATE

5 beliebte Kombinationen

WASSERMELONE, KIRSCHEN,
WEINTRAUBEN, HIMBEEREN

•

KAKIS, MANGO, LIMETTE,
BLUTORANGE

•

ÄPFEL, BIRNEN, PFLAUMEN,
BROMBEEREN

•

ERDBEEREN, ZITRONE, VANILLE,
PFIRSICHE

•

MANGO, LIMETTE, MINZE, PAPAYA,
MELONE

SCHNELLE WARME FRÜCHTE

Die Früchte unter dem Grill oder in der Pfanne
kurz erwärmen

BACKPFLAUMEN, ARMAGNAC, VANILLE
(IN DER PFANNE ERWÄRMT)

•

PAPAYA, LIMETTENSCHALE
(UNTER DEM GRILL)

•

ERDBEEREN, RHABARBER, AHORNSIRUP
(IN DER PFANNE ERWÄRMT)

•

APRIKOSEN, HONIG, VANILLE
(UNTER DEM GRILL ERHITZT)

•

PFLAUMEN, ZIMT, HONIG
(UNTER DEM GRILL ERHITZT)

SCHNELLES FRUCHTEIS

Einfach gefrorene Früchte
im Mixer pürieren, zum Beispiel folgende
Kombinationen

GEFRORENE BANANEN, HONIG

•

GEFRORENE BEEREN, VANILLE

•

GEFRORENE HIMBEEREN, ZITRONE

•

GEFRORENE ANANAS, LIMETTE

•

GEFRORENE WASSERMELONE = SORBET

SCHNELLE SCHOKOLADENSAUCE

zu Fruchteis serviert

100 g geschmolzene
Schokolade

+

2 Esslöffel
Ahornsirup

Schokoladenkekse

30 MINUTEN

Das sind Schokokekse der Sonderklasse. So dicht, cremig und üppig, dass selbst ein ausgehungertes Krümelmonster nur ein paar davon schafft.

Dabei sind es keineswegs Allerweltskekse. In ihnen verbirgt sich nämlich eine meiner Lieblingszutaten, die man kaum mit dem Backen in Verbindung bringen würde – schwarze Bohnen. Ihr karamellig-süßer Geschmack ist wie geschaffen für Gebäck, und bisher kam niemand, den ich gefragt habe, was denn wohl drin sei, auf die Bohnen.

Ich habe es hier bei Schokolade belassen, man kann aber auch etwas Zitronen- oder Orangenschale, einige Rosinen oder Sauerkirschen zugeben. Wer eher einen traditionellen Schoko-Cookie bevorzugt, kann die schwarzen durch Cannellini-Bohnen ersetzen.

Ach so, habe ich es schon erwähnt? Die Kekse sind gluten-, milch- und zuckerfrei. Also geradezu ein Ausbund an tugendhafter Köstlichkeit.

FÜR ETWA 10 KEKSE

2 EL Chiasamen oder 2 Freiland- oder Bio-Eier

125 g Ahornsirup

1 TL Vanilleextrakt

1 Dose schwarze Bohnen (400 g)

2 EL Kokosöl

40 g Kakaopulver

1 kräftige Prise Meersalzflocken plus Salz zum Bestreuen

75 g Bitterschokolade (70 % Kakaoanteil)

50 g Medjool-Datteln

• Den Ofen auf 210 °C (190 °C Umluft/Gas Stufe 7) vorheizen. Sämtliche Zutaten bereitlegen und ein Backblech mit Backpapier auslegen.

• Chiasamen, falls verwendet, mit 4 Esslöffeln kaltem Wasser verrühren. Diese Mischung oder die Eier in einer Schüssel mit dem Ahornsirup und der Vanille verrühren und beiseitestellen.

• Die Bohnen in einem Sieb abtropfen, unter kaltem Wasser gründlich abspülen und in den Mixer geben. Kokosöl, Kakao und das Salz hinzufügen und alles zu einer geschmeidigen Masse verarbeiten.

• Die Ahornsirupmischung dazugeben und mit der Impulstaste einarbeiten, bis ein feuchter Teig entstanden ist. Er ist recht dünnflüssig, hat aber dennoch ausreichend Bindung.

- Den Teig in eine Schüssel umfüllen. Die Schokolade und die Datteln hacken und unterziehen.

- Großzügige Esslöffel Teig auf das vorbereitete Blech geben, mit dem Löffelrücken flach drücken und zu großen runden Keksen formen – beim Backen breiten sie sich nicht mehr sonderlich aus. Mit etwas Salz bestreuen und 12 bis 15 Minuten backen, bis sie an den Rändern goldbraun sind.

Käsekuchen mit Honig, Mandeln und Basilikum

15 MINUTEN

Dies ist die Hochgeschwindigkeitsversion eines viel umschwärmten Käsekuchens aus dem Londoner Restaurant *Honey and Co.* Zugegeben, das Original ist viel edler und komplizierter. Mein Kuchen nimmt gerade mal zehn Minuten in Anspruch. Wir treffen uns irgendwo in der Mitte.

Ich verwende gebündelten Vollkornweizen (zum Beispiel von Kelloggs, nennt sich Toppas), klingt vielleicht etwas merkwürdig, er dient als eine Art Imitat für die feinen Kataifi-Teigfäden, auf denen im *Honey and Co.* der Schafsquark ruht. Funktioniert bestens.

Gebündelter Vollkornweizen ist wie kleine Kissen geformt und eine der letzten echten Frühstückzerealien. Mein Vater aß sie früher jeden Morgen. Anders als die meisten anderen Frühstücksflocken enthalten sie keine Zusätze, und in Bio-Läden und Reformhäusern bekommt man sogar eine Bio-Version. Ich verwende für das Rezept meist Schafskäse (Feta), den es bei mir um die Ecke gibt, aber Ricotta tut es auch.

FÜR 4 PERSONEN

1 Handvoll blanchierte Mandeln

4 EL flüssiger Honig plus Honig zum Beträufeln

2 gebündelte Vollkornweizenkekse

250 g Ricotta oder griechischer Schafsweichkäse

1 EL Vanillepaste

1 unbehandelte Zitrone

1 Spritzer Orangenblütenwasser (nach Belieben)

einige Handvoll Beeren der Saison

einige Stängel Minze oder Basilikum

• Sämtliche Zutaten bereitlegen.

• Eine Pfanne bei mittlerer Temperatur erhitzen, die Mandeln hineingeben und 1 bis 2 Minuten rösten, bis sie aromatisch duften. In einer Schüssel beiseitestellen.

• Die Pfanne wieder auf den Herd stellen, 3 Esslöffel Honig hineingeben und die Vollkornweizenkekse hineinkrümeln. Einige Minuten erhitzen und dabei beständig rühren, damit die Kekskrümel rundherum gleichmäßig mit Honig überzogen werden. Vom Herd nehmen.

• Den Ricotta oder Schafskäse in einer Schüssel mit der Vanille, dem übrigen Esslöffel Honig und der abgeriebenen Schale einer Zitronenhälfte verschlagen, sei es mit dem elektrischen Handrührgerät oder mit dem Schneebesen und etwas Entschlossenheit, bis die Masse schön cremig und luftig ist. Nach Belieben das Orangenblütenwasser untermengen. Die abgekühlten Mandeln grob hacken.

• Die honigglasierten Brösel auf die Teller verteilen und jeweils einen großzügigen Klecks der Ricotta- oder Schafskäsecreme daraufgeben. Die Beeren, die Mandeln und etwas klein gezupfte Minze- oder Basilikumblätter darüber verteilen. Nach Belieben mit weiterem Honig beträufeln.

Brownies mit Pistazien und Himbeeren

45 MINUTEN

Diese Brownies sind für meine Eltern. Sie lieben das Leben und sind die besten Menschen, die ich kenne. Dazu sind sie auf die denkbar netteste Art so verschieden wie Tag und Nacht. Etwas zu finden, das sie beide mögen, kann ziemlich mühsam sein, und da kommen diese Brownies ins Spiel. Mein Vater liebt Schokolade, meine Mutter Himbeeren und Pistazien. Hier verbinden sie sich in leckerer Eintracht.

Die dichten, zartschmelzenden, schokoladigen Brownies werden mit gemahlenen Mandeln und Kokosblütenzucker gebacken, sind also ein wenig leichter und nährstoffreicher als Standard-Brownies. Anstelle der Eier nehme ich fast immer Chiasamen, das freut die Veganer. Wer Chiasamen verwendet, muss ein bisschen Backpulver zugeben, damit die Brownies aufgehen.

Tiefgefrorene Himbeeren sind hier bestens geeignet, im Sommer nehme ich auch gern mal entsteinte halbierte Kirschen. Ist Kokosblütenzucker zu viel verlangt, kann brauner Rohrohrzucker aushelfen.

FÜR 12 BROWNIES

3 Bio- oder Freilandeier, verschlagen, oder 3 EL Chiasamen

200 g Bitterschokolade (70 % Kakaoanteil)

150 g Kokosöl oder Butter

250 g Kokosblütenzucker

1 TL Vanilleextrakt oder Mark von 1 Vanilleschote

150 g gemahlene Mandeln

1 gehäufter TL Backpulver (nur bei Verwendung von Chiasamen statt Eiern)

125 g Himbeeren (frisch oder TK)

50 g Pistazienkerne

• Den Ofen auf 180 °C (160 °C Umluft/Gas Stufe 4) vorheizen. Sämtliche Zutaten und Arbeitsutensilien bereitlegen. Ein kleines Brownie- oder anderes Backblech mit Kokosöl oder Butter einfetten und mit Backpapier auslegen (meins misst 20 x 20 cm, aber alles in etwa dieser Größe funktioniert).

• Chiasamen, falls anstelle von Eiern verwendet, in einer kleinen Schüssel mit 9 Esslöffeln kaltem Wasser verrühren und stehen lassen, bis sich eine geleeartige Paste gebildet hat.

• Eine hitzebeständige Schüssel auf einen Topf mit leicht siedendem Wasser setzen; der Boden darf das Wasser nicht berühren. 150 g Schokolade und das Kokosöl oder die Butter hineingeben und schmelzen lassen. Hin und wieder umrühren. Sobald die Mischung flüssig ist, die Schüssel vom Topf nehmen und den Zucker unterrühren. Anschließend nach und nach die Eier oder die Chia-Mischung einarbeiten und zuletzt die Vanille, die gemahlenen Mandeln, das Backpulver, falls verwendet, sowie jeweils die Hälfte der Himbeeren (TK-Früchte nicht auftauen) und der Pistazien untermischen. Die restlichen 50 g Schokolade grob hacken und ebenfalls unterziehen.

- Den Brownie-Teig in das vorbereitete Blech füllen, die übrigen Himbeeren und Pistazien darauf verteilen und den Teig 25 bis 30 Minuten backen, sodass er im Kern noch etwas weich ist.

- Den Brownie mindestens 20 Minuten abkühlen lassen und dann in 12 Stücke schneiden. Hält sich – theoretisch – 3 bis 4 Tage, aber das müssen Sie erstmal schaffen!

Rohe Salzkaramell-Schokoladen-Mousse

10 MINUTEN

Ich gehöre nicht zu diesen Gesundessern, für die alles brav und bieder schmecken muss, also nicht abschrecken lassen, wenn Sie das Aufgebot an züchtigen Zutaten für dieses Dessert sehen. Schokolade muss für mich vollmundig und cremig sein und nach mehr schmecken.

Dieses Rezept ist mir ein bisschen peinlich, da es so simpel ist, aber oft sind die simplen Rezepte auch die besten.

Ein leistungsstarker Mixer kommt hier wie gerufen, kommt er nicht, erledigt es auch ein Stabmixer unter Einsatz von etwas Ellbogenschmalz. Für ein optimales Resultat sollten die Banane gefroren und die Avocado und Zitrone kühlschrankkalt sein. Und keine allzu große Banane verwenden, sonst wird der Geschmack zu dominant.

Bei der Anzahl der Portionen konnte ich mich nicht festlegen – dies ist ein gehaltvolles Dessert, manchem genügt ein kleines Portiönchen, während Schokoholics vielleicht ein wenig mehr vertragen können. Die Mengen lassen sich für eine Party einfach verdoppeln oder verdreifachen, die Mousse hält im Kühlschrank ein paar Stunden durch.

FÜR 2 BIS 4 PERSONEN

FÜR DIE MOUSSE
1 reife Avocado
1 kleine gefrorene Banane
Saft von ½ Zitrone oder Limette
3 EL Kakaopulver (ich verwende Rohkakao)
2 EL Ahornsirup

FÜR DIE SALZKARAMELLSAUCE
6 Medjool-Datteln
2 EL Ahornsirup
1 kräftige Prise Meersalz

• Sämtliche Zutaten bereitlegen. Die Zutaten für die Mousse mit 1 Esslöffel kaltem Wasser im Mixer auf hoher Stufe pürieren, bis die Masse schaumig ist – in einem weniger leistungsstarken Gerät kann das einige Minuten dauern. Zwischendurch ab und zu den Becherrand säubern. Die Mousse in Tassen oder Schalen füllen, den Mixbecher ausspülen.

• Die entsteinten Datteln in den Mixer geben (ist er sehr groß, ist hier der Stabmixer die bessere Wahl). Den Ahornsirup, 1 Esslöffel kaltes Wasser und das Meersalz hinzufügen und alles zu einer dicken glatten Sauce pürieren. Die Sauce über die Mousse träufeln, mit ein paar Salzkristallen abrunden und servieren.

Die folgenden Rezepte sind vegan oder
können leicht dazu gemacht werden.
Diese Anpassung ist im Rezept bzw. im
Einleitungstext dazu genannt.

VEGANE REZEPTE

VEGAN NACH EINER KLEINEN ABWANDLUNG

*Die folgenden Rezepte sind glutenfrei
oder können leicht dazu gemacht werden.
Diese Anpassung ist im Rezept oder im
Einleitungstext dazu genannt bzw. direkt
im Register.*

GLUTENFREIE REZEPTE

GLUTENFREI NACH EINER KLEINEN ABWANDLUNG

KLEINER GEWÜRZVORRAT

Wenn Sie viel aus *a modern way to cook* kochen, lohnt es sich, die etwas ausgefalleneren Gewürze, die vielleicht nicht in jedem Supermarkt zu finden sind, auf Vorrat zu kaufen. Sie sollten in allen gut sortierten größeren Supermärkten, Feinkostgeschäften und Bioläden erhältlich sein. Hier eine kleine Auswahl für Ihren persönlichen Gewürzschrank:

- Chiliflocken

- Curryblätter

- Fenchelsamen

- Kardamomkapseln

- Kreuzkümmelsamen

- Paprikapulver, geräuchert

- Senfsamen

- Tahini

DANKSAGUNG

Dieses Buch entstand – ganz im Sinne des Themas – in relativ kurzer Zeit. Dass es viel Freude und wenig Stress machte, verdanke ich den wunderbaren Menschen, die ich das Glück habe meine Freunde und Familie nennen zu können.

Allen voran John »Ideenmann« Dale, für deinen unerschütterlichen Glauben an mich und deine beharrliche und geduldige Unterstützung, die keine Wünsche offen lässt. Du weißt, wie sehr dieses Buch auch deins ist. Ich kann es kaum erwarten, dich auf der Insel zu heiraten, und freue mich schon auf unser nächstes Abenteuer.

An Mum und Dad, eure Güte, Liebe und Unterstützung machen mich sprachlos. Ihr habt mir die Freiheit gelassen und das Vertrauen geschenkt, meinen eigenen Weg zu gehen, und das ist das größte Geschenk überhaupt. Ihr seid wirklich meine liebsten Menschen.

An meine Schwester Laura, auf die ich immer bauen kann und die auf mitreißende Art immer das Beste aus sich herausholt. Danke für all deine kulinarischen Entdeckungen und Ideen, viele sind in diesem Buch verewigt.

An meinen Bruder Owen, den Jüngsten, aber irgendwie auch Weisesten in unserer Familie, du bist wirklich einzigartig, eine Seele von Mensch, ein Vorbild, das weiß, was gut und richtig ist. Wären mehr Menschen wie du, sähe es anders aus auf dieser Welt. Ich bin stolz auf dich.

An Emily, deine Hilfe bei diesem Buch übertraf alles – dein Engagement, wenn mir die Ideen ausgingen, dein Ansporn, wenn der Berg unbezwingbar schien. Du bist ein wahrhaft großzügiger und kreativer Mensch. Dieses Buch wäre ohne dich nicht entstanden. Danke.

An Louise Haines, dein Glaube an mich und meine Küche macht mich demütig, danke für deine akribische Sorgfalt selbst beim kleinsten Detail, diese wunderbar geschmeidige Zusammenarbeit ist eine Freude. Ich bin glücklich, dich und 4th Estate als Verleger zu haben.

An meine wunderbare Lektorin Georgia Mason, die in kürzester Zeit dieses Buch geschnürt hat, als sei es ihr eigenes, das es in Teilen zweifellos auch ist. Ich bin dankbar für jedes kleine bisschen, das dazu beigetragen hat, dass mich dieses Buch mit so großem Stolz erfüllt.

Danke an Annie Lee für deinen kritischen Blick und an Morwenna Loughman für all deine Hilfe.

An Matt Russell, du hast dieses Buch zum Leben erweckt.

Einmal mehr unter einem straffen Zeitplan hast du alles gegeben und dazu noch dein Ego vor der Tür gelassen, eine seltene und unschätzbare Gabe. Deine Fotos sind schlicht brillant. Danke. An Ollie, Matts Assistent, danke für deinen Inselcharme, deine Gegenwart hat die Shootings enorm bereichert.

An Sandra, die dieses Buch so hingebungsvoll gestaltet hat, du hast so irrsinnig hart gearbeitet, um daraus zu machen, was es ist. Ich habe großen Respekt vor deinem Engagement und deiner Kreativität und kann dir gar nicht sagen, wie viel es mir bedeutet, dass du die Dinge genauso wichtig nimmst wie ich.

An Michelle Kane, danke schon mal im Voraus für die fabelhaften Dinge, die du bestimmt auf Lager hast. Danke auch an alle Zeitungen, Magazine und Blogs, deren Seiten ich schmücken durfte, besonders Allan Jenkins und das Team von OFM.

An Jess, danke für alles und für deine spielerisch leichte Art, die Dinge zu meistern, du verkörperst die seltene Kombination aus Kreativität und einem erstaunlichen Pragmatismus. Ich schätze mich glücklich, dich dabeizuhaben.

An Alex Gray, danke für deine harte Arbeit in der Küche, deine fabelhaften Lunches, du bist ein echter Gentleman.

An meine wunderbaren Freunde, die bei den Rezepttests geholfen haben, ihr seid umwerfend, danke euch. Eure Anmerkungen, Kommentare und Feedbacks haben mein Vertrauen in die Rezepte enorm gestärkt, ich bin dankbar für jedes einzelne Gericht, das ihr nachgekocht habt. Krys Gaffney, Ceri Tallett, James Bannochie und Emma Ballinger, James Gold, Angelique Mercier, Jon und Laura Plane, Anna und Ellen Fermie, Olenka Lawrenson, Emily Taylor, Bryony Walker, Sian Dale, Sian Tallett, Danny McCubbin, Anja Forrest Dunk, Mimi Beaven, Mersedeh Prewer, Lizzie Winn, Priya Thaker, Eileen Power, Ella Power, Alice Power, Philippa Spence, Christina Mackenzie, Alex Grimes, Carys Willimas, Nick und Anna Probert, Kris Hallenga, Luke Shaller.

Noch mehr gute Freunde haben dieses Buch auf seinem Weg unterstützt. Ceri Tallett, die Beste in der Zunft, danke für dein Auge, deine Wörter und deine unendliche Großzügigkeit. Nun bist du dran. Ich möchte eine Tallett in meinem Bücherregal stehen haben. An Liz, du hast

Fähigkeiten, die ich gerne hätte, danke, dass du sie mir geliehen und mich in der Spur gehalten hast. Du bist Gold wert. An Crystal, meine Cousine, eine unaufhaltsame Rundum-Anna-Jones-PR-Maschine. Danke für all deine Hilfe.

An Brickett Davda, The Conran Shop, David Mellor und Labour and Wait. Danke für euer aller Vertrauen und all die irrsinnig schönen Dinge. Ein paar Wochen habe ich so getan, als wären es meine, und es war hart, sie zurückzugeben. Ihr wart alle unglaublich großzügig.

An all meine Freunde, die in den letzten sechs Monaten keinen Mucks von mir gehört haben, der Grund ist dieses Buch. Ich liebe euch alle und freue mich auf euch im Sommer.

Und zu guter Letzt und am allerwichtigsten an alle, die ein Exemplar von *A Modern Way to Eat* gekauft, ein Rezept nachgekocht oder meinen Blog besucht haben. Ihr alle seid tagtägliche Inspiration, ich freue mich über eure E-Mails und die Bilder von Gerichten, die ihr zubereitet habt, es haut mich immer noch jedes Mal um. Ich bin dankbar, dass wir auf dieser Reise vereint sind. Ihr seid wunderbar.

Anna Jones ist Köchin, Foodjournalistin und Foodstylistin. Sie war viele Jahre Teil von Jamie Olivers Team, wirkte hinter den Kulissen als Stylistin und Autorin bei seinen Büchern, TV-Shows und Food-Kampagnen mit und arbeitete anschließend mit einigen der bekanntesten Köche Großbritanniens zusammen. Sie ist Autorin des hochgelobten *A Modern Way to Eat. A Modern Way to Cook* ist ihr zweites Werk. Anna Jones lebt, schreibt und kocht in Hackney, London.

»Apfelpapier« – 100% ökologisch!

Liebe Leserin, lieber Leser,

dieses Buch besteht aus Äpfeln! Oder besser gesagt aus Apfelresten. Dem Unternehmen frumat aus Südtirol ist es gelungen, ein umweltfreundliches und vollkommen biologisch abbaubares Papier aus Apfelabfällen herzustellen.

In Südtirol, einem der größten Apfelanbaugebiete Europas, fallen jährlich tausende von Tonnen Reste bei der Apfelsaftherstellung an. Dieser zellulosehaltige Trester wird getrocknet, zermahlen und zusammen mit chlorfrei gebleichter, FSC-zertifizierter Zellulose zu Papier verarbeitet. So wird aus Produktionsrückständen ein neuer Rohstoff gewonnen. Damit trägt dieses Papier zur Verwertung eines Rohstoffes, der ansonsten entsorgt oder verbrannt wird, sowie zur Reduzierung von Abfällen bei. Außerdem wird zur Papierherstellung nur erneuerbare Energie (RECS-zertifiziert) verwendet – ein wichtiger Beitrag zur Verringerung von CO_2-Emissionen.

Wir freuen uns riesig und sind ein wenig stolz, dieses umweltfreundliche Naturprodukt schon zum zweiten Mal für ein Buch verwenden zu können und so einen Beitrag zur Entlastung der Umwelt zu leisten. Noch dazu für die Bücher einer Autorin, die sich für eine nachhaltige Lebensweise einsetzt. So ist es nur konsequent, dass auch das Papier, auf dem diese Bücher gedruckt wurden, den ökologischen Gedanken umsetzt.

Wir sind sicher, dass Sie unsere Begeisterung teilen, und wünschen viel Freude mit unserem »Apfelpapier«!

Mosaik Verlag

» Ich bin absolut begeistert, dass mein Buch das erste sein wird, das auf Apfelpapier gedruckt wird. Ich liebe Äpfel, und die Tatsache, dass man aus ihren Resten Papier herstellen kann, ist nicht nur genial, sondern reduziert auch die Belastung unserer Umwelt. Das ist mir sehr wichtig. Es ist wirklich eine Ehre, die erste Autorin zu sein, für deren Buch dieses fantastische Verfahren angewandt wird. «

Anna Jones über *A modern way to eat*

Raffiniert leichte vegetarische Küche – so kocht man heute!

„Die Geschmacks-
kombinationen
sind einfach toll."
ZEIT Magazin

WELTWEIT
DAS 1. BUCH AUS
APFELPAPIER*

*Wird aus Apfelresten
hergestellt – 100 % umwelt-
freundlich.

»Ein einfach
brillantes Buch -
modern, clever, schön
und voller köstlicher
Rezepte.«
JAMIE OLIVER

ANNA JONES

a modern way to eat
Über 200 vegetarische und vegane Rezepte
für jeden Tag

mosaik

GESCHENK-
TIPP

Bewusst genießen, ohne stundenlang am Herd zu stehen – Anna Jones'
leichte, frische Rezepte passen perfekt zur modernen Lebensweise. Ihre
raffinierten Kreationen erkunden die Vielfalt des saisonalen Angebots und
bieten neue Geschmackserlebnisse. So bringt sie einen neuen Dreh in die
vegetarische Küche mit Gerichten, die gesund und lecker sind, satt und
einfach glücklich machen.

mosaik
www.mosaik-verlag.de

360 Seiten

978-3-442-39286-5
Auch als E-Book erhältlich